# LIBRE
# COMME L'ESPRIT

*Au monde des esprits, dont on entend enfin la voix.*

*À mon enfant, Samantha, sans l'amour et la lumière de laquelle je ne pourrais pas exister.*

*À Jim, qui nous a offert un petit aperçu de son moi intime et nous a permis de partager sa lutte personnelle pour devenir un Esprit Fier.*

*Mon affection et ma reconnaissance.*

# ROSEMARY ALTEA

# LIBRE COMME L'ESPRIT

Traduit de l'anglais par Claude Nesle

ÉDITIONS FRANCE LOISIRS

Ce livre a été publié sous le titre
*Proud Spirit*
par William Morrow, New York.

Édition du Club France Loisirs,
avec l'autorisation des Éditions Presses du Châtelet

Éditions France Loisirs
123, boulevard de Grenelle, Paris
www.franceloisirs.com

# SOMMAIRE

**4**

NOUVEAU RECUEIL DE CAS

**5**

LES LOIS DE L'UNIVERS

**Question :** Aigle Gris, tout d'abord, pourquoi sommes-nous ici-bas ?

**Réponse :** Pour apprendre. Les êtres mortels, placés sur terre, entament un processus d'apprentissage. Le développement, l'autodéveloppement... est un processus intime. Il se déroule entre soi et son âme. La sagesse de notre âme dépasse l'entendement.

Le cœur de l'âme palpite. Le cœur de l'âme est lumière.

« L'âme est plantée comme un bulbe. Dans un bon terreau, ses racines s'enfoncent dans la terre. Elle n'a besoin que d'amour et de lumière. Si elle en dispose, elle ne peut que s'épanouir. »

*Esprit Fier*

# Prélude

Il était 7 h 30. Elle ne dormait plus mais restait lovée dans le creux de son lit, paressant encore quelques instants avant de se lever. La soirée de la veille, avec Kay et Claire, avait été très sympathique. Après le dîner, vu l'heure tardive, ses amies avaient décidé de dormir sur place. Claire, infirmière, devait se lever de bonne heure et partir avant 5 h 30 pour prendre son service à l'hôpital. Kay était déjà partie ; elle lui avait dit au revoir en hâte par la porte entrebâillée, en retard pour le collège.

Elle étira paresseusement ses membres, bâilla et jeta un coup d'œil par-dessus la couette au réveil posé sur la table de chevet. Il indiquait à présent 7 h 45. « Encore dix minutes et je me lève », songea-t-elle, bien décidée à profiter jusqu'à la dernière seconde de ces instants de détente avant d'entamer une journée chargée.

C'est alors qu'elle entendit un bruit de pas. Quelqu'un traversait le palier en direction de la salle de bains, adjacente à sa chambre.

« Oh non, songea-t-elle. Cette pauvre Claire n'a pas dû se réveiller à temps ! »

La porte s'ouvrit alors et Claire entra dans la pièce.

Sans soulever la tête de l'oreiller, elle observa Claire, les yeux mi-clos, contourner le lit. Puis quelque chose de bizarre survint : elle sentit qu'on soulevait la couette, le matelas s'affaissa sous le poids de Claire qui s'y installait. Elle voulut demander à son amie ce qui lui passait par la tête et sentit sa jambe se presser contre la sienne... Mais, lorsqu'elle s'assit et se tourna vers elle pour lui demander ce qui lui prenait, elle resta bouche bée, pétrifiée, incrédule... car il n'y avait personne.

Deux semaines s'écoulèrent. Un matin, autour de 7 heures, elle se réveilla, allongée sur le côté. Elle s'étira et étendit la jambe vers le bord le plus éloigné du lit. Une nouvelle fois, elle se figea, envahie d'une panique grandissante. Un bras, un bras d'homme, l'enlaçait et l'attirait vers lui. Trop effrayée pour crier, incapable de bouger, elle resta interdite. À présent, elle entendait la respiration de l'homme, lente et régulière. Il resserra légèrement son étau pour l'attirer encore plus près. Sans qu'elle comprenne pourquoi, sa panique se dissipa. Cette étreinte lui apportait un mystérieux réconfort. Cet homme, dont elle ignorait l'identité, ne paraissait pas lui vouloir de mal. Des myriades de pensées se bousculaient dans sa tête. S'agissait-il d'un voleur... d'un cambrioleur... d'un violeur... ? Qui était-il ?

Le bras qui la tenait était robuste. Elle sentait la chaleur dégagée par le corps de cet homme, ses genoux repliés sous les siens, sa respiration régulière, presque comme s'il était endormi. Apeurée, mais de moins en moins paniquée, elle tourna lentement la tête pour regarder par-dessus son épaule... Elle pouvait le sentir, l'entendre, mais pas le voir... car le lit était vide.

S'agissait-il d'un visiteur du monde des esprits, ou de quelqu'un du monde astral effectuant un voyage? Pour la énième fois, elle réfléchit à cette question, la plume à la main. Et pour la énième fois, elle n'obtient pas de réponse.

Elle marque un temps d'arrêt, le stylo en suspens au-dessus de la page... Ses pensées remontent le temps, reviennent à de nombreux incidents du même ordre qui ont marqué sa vie. Lesquels va-t-elle évoquer dans son livre? Il s'agit de sa vie...

# INTRODUCTION

J'ai beaucoup de choses à vous dire, un grand nombre d'informations à partager avec vous sur le monde des esprits et ses habitants. Je dois ici développer davantage leur histoire, vous dire comment les actes et les pensées de ceux qui vivent ici-bas provoquent des réactions dans le monde des esprits. Je souhaiterais aussi vous parler de ce qui se passe au moment où nous mourons, des leçons que nous apprenons au cours de notre vie et de la clairvoyance que nous pouvons acquérir. Comme la guérison occupe une grande partie de mon existence, je vous en parlerai aussi longuement, par le biais de nombreux exemples.

Si vous accomplissez ce voyage avec moi, je vous raconterai d'autres histoires similaires à celles que vous avez tellement appréciées dans la partie intitulée « Recueil de cas » de mon premier ouvrage, *Une longue échelle vers le ciel*[1]. Vous constaterez que la vie m'a apporté beaucoup de connaissances. J'espère que les « Lois de l'Univers », dans lesquelles je puise une telle inspi-

---

1. Presses du Châtelet, 2002, p. 145 à 206.

19

ration, exerceront un effet identique sur vous. J'aimerais également vous faire part de mes découvertes, de mes batailles, de la nécessité de s'estimer soi-même, de se respecter, de faire preuve d'orgueil.

Lors des voyages de promotion de mes livres, Aigle Gris ne me quitte jamais. Cet Apache, ce chaman, ne cesse de m'inspirer. Aigle Gris est mon esprit guide depuis que je suis devenue médium et guérisseuse, en 1982. Mon professeur, mon mentor... mon meilleur ami.

J'ai tant de choses à raconter, tant de choses à enseigner! Comme le dirait Aigle Gris : « Venez vous asseoir près de moi... Approchez-vous... » Au-delà de mes débuts, je vous retracerai mon parcours, vous parlerai de mes voyages en Extrême-Orient, vous expliquerai ce qui m'a poussée à me rendre aux États-Unis... Je vais vous parler plus en détail du monde des esprits, du plan terrestre... de l'univers et de la place que nous y occupons.

Venez vous asseoir près de moi... Approchez-vous de mon feu... Réchauffez vos mains... et je continuerai mon histoire.

Je suis à présent médium à part entière, j'ai pris mon envol. J'ai entamé ce travail spirituel il y a une vingtaine d'années. Depuis, j'ai vécu tant d'expériences que ma vie est désormais emplie de certitudes. Animée d'une grande assurance qui me vient d'une foi encore plus profonde, je poursuis mon chemin, Aigle Gris, toujours attentif, à mes côtés.

Nous étions en juillet 1992. Bien que je n'aie jamais eu l'intention, ni même la moindre envie, de me rendre en Amérique, je me trouvais pourtant là-bas. J'avais du mal à réaliser que, quelques mois auparavant, lors d'une visite à Hong Kong chez une amie américaine, Lynne, nous avions organisé notre voyage.

À dire vrai, c'est Lynne qui avait eu l'idée d'effectuer un circuit dans le sud-ouest des États-Unis. Nous partirions du Nouveau-Mexique – de Santa Fe, pour être précise – et poursuivrions notre chemin jusqu'à Phœnix, dans l'Arizona.

Cette idée avait commencé par me poser un problème d'ordre matériel : avais-je les moyens de me payer ce voyage ? La réponse avait fusé sans la moindre ambiguïté : en aucune façon ! Mais alors que mon amie et moi examinions la carte et envisagions un itinéraire, un lieu m'avait sauté aux yeux : le pays apache. J'avais scruté la carte de plus près. Les Montagnes Blanches, Fort Apache, Phœnix. Du doigt, j'avais tracé une ligne. Sans le moindre doute dans mon esprit, j'avais entendu ces montagnes m'appeler, me demander de revenir à la maison.

Cette aventure m'enthousiasmait. Aigle Gris m'emmenait dans son pays natal, il m'y ramenait.

Santa Fe débordait de charme. J'ai été éblouie par la beauté de Bandelier et du Canyon Frijoles où avaient vécu les Indiens anasazis, et j'ai bien évidemment été saisie par la magnificence inouïe du Grand Canyon. Quant à Phœnix et à notre séjour dans une maison au style si particulier, je vous en parlerai plus tard. Mais je dois quand même évoquer dès maintenant ma première vision de la montagne.

Parmi les nombreux prospectus touristiques proposés à l'hôtel, un seul a attiré mon attention : « La Piste apache ». Je l'ai pris. Il contenait une carte. J'ai appris que c'était là que les Apaches s'étaient déplacés pour la dernière fois en toute liberté, qu'ils s'étaient cachés dans la montagne pour échapper aux soldats. La piste démarrait au pied de Superstition Mountain, qui devait son nom à un Hollandais. Mais il s'agit d'une autre histoire, sans lien avec la nôtre.

Lorsque je suis descendue de voiture, la chaleur torride m'a presque fait suffoquer. J'ai emprunté le chemin menant au pied de la montagne. Un silence absolu régnait. Il n'y avait pas un souffle de brise, pas une âme, pas un oiseau ni un insecte alentour. Rien ne venait rompre le calme de cette journée. Subitement, une vive déception m'a envahie. Je venais en effet de constater qu'une barrière avait été érigée au pied de la montagne. Il m'était impossible de m'en approcher autant que je le désirais.

Le sentier bifurquait à droite. J'ai poursuivi mon chemin, à présent consciente de la taille de la montagne et de sa voix qui m'appelait. Je cherchais une brèche où j'aurais pu franchir la barrière. Sans succès. C'est alors que m'est parvenue la voix d'Aigle Gris : « Pas maintenant, pas tout de suite. Ce n'est que le début. Nous ne sommes pas encore prêts. »

Ce voyage a été riche en expériences, en divertissements, en aventures, comme j'en avais nourri l'espoir.

C'est à Santa Fe, alors que Lynne et moi sirotions un pousse-café dans le salon de notre hôtel, après le dîner, que j'ai fait connaissance de mon premier patient américain ou, plutôt, de la première personne que j'allais soigner en Amérique. Si ma mémoire est bonne, il s'appelait Abe et venait de New York. Il passait des vacances à Santa Fe avec sa femme. Il nous a dit qu'ils travaillaient dans le tourisme et m'a interrogée sur le métier que j'exerçais. En apprenant que j'étais guérisseuse, la femme d'Abe a évoqué les graves problèmes de dos de son époux et m'a demandé si j'accepterais de le soigner.

La tournure des événements a un peu déconcerté Lynne, tandis que, de mon côté, je trouvais tout naturel de soigner Abe par une imposition des mains.

> *Demandez, et il vous sera donné.*
> *Cherchez, et vous trouverez.*

Comme le savent tous ceux d'entre vous qui s'y sont rendus, le Grand Canyon offre un spectacle inoubliable, à couper le souffle. Dans ce cadre totalement démesuré, on peut vraiment, à mon sens, sentir le souffle de l'esprit. C'est bien évidemment le foyer des Indiens hopis. À ce propos, je songe à une anecdote d'un journaliste qui avait obtenu l'une des rares interviews accordées par un ancien Hopi. Il lui avait notamment demandé : « Que pensez-vous des progrès scientifiques, de la construction des fusées, par exemple, ou de l'envoi d'un homme sur la Lune ? »

« Pourquoi construire une machine pour se rendre sur la Lune alors que l'homme peut s'y rendre tout seul ? » lui avait répondu le vieil Hopi.

Cette histoire m'avait fait sourire. Mais, une fois qu'on s'est rendu au Grand Canyon et qu'on a senti l'énergie qui s'en dégage, on n'a aucun mal à comprendre ce que ce vieillard entendait par là.

La maison où nous logerions était située à la périphérie de Phoenix, en bordure du désert. Elle appartenait à une amie de la famille de Lynne, qui nous avait offert le gîte pour quelques jours. Au fur et à mesure que nous en approchions, notre curiosité grandissait. On nous avait parlé de la maison, nous en avions vu des photographies, mais rien ne nous avait préparées au spectacle qu'elle offrait : sa coupole, immense et blanche, qui surgissait du désert comme un étrange vaisseau spatial, m'a laissée bouche bée. Les montagnes qui se dressaient à l'arrière-plan constituaient un écrin parfait, tandis que le ciel illuminé conférait à l'ensemble un caractère surréaliste. J'avais l'impression d'être entrée sur le plateau de tournage de *Star Wars*.

Au milieu de notre seconde nuit dans la maison, Lynne m'a réveillée pour me dire qu'elle apercevait d'étranges lumières dans le désert. Je me suis levée afin de voir de quoi il retournait. Elle disait vrai : deux intenses lumières étaient visibles. L'une était fixe ; l'autre semblait danser. Nous avons commencé par chercher des explications rationnelles. Il s'agissait peut-être d'un avion, mais ces lumières étaient trop basses dans le ciel. Ou bien de gens portant des torches. Cela n'avait aucun sens non plus, car dans ce cas, les lumières étaient trop hautes. Nous avons abandonné la partie et je suis retournée me coucher. Lynne, plus curieuse que moi, s'est attardée avant de regagner son lit. Nous n'avons jamais éclairci l'origine de ces lumières. Lynne se plaît à penser qu'il s'agissait de vaisseaux extraterrestres. Qui sait ? Elle a peut-être raison.

En ce qui me concerne, l'expérience la plus inouïe que j'ai vécue a eu lieu alors que nous nous dirigions vers Phoenix. Nous venions de traverser la Forêt Pétrifiée, dans l'est de l'Arizona. Lynne était au volant, j'étais son copilote. Carte sur les genoux, je prenais bien garde de vérifier chaque centimètre de notre trajet. Sachant que nous nous approchions du territoire apache, j'examinais attentivement chaque écriteau devant lequel nous passions. « Encore dix minutes environ », ai-je annoncé à mon amie. J'étais survoltée. Ne sachant à quoi m'attendre, j'attendais à la fois tout et rien.

C'est alors que je l'ai aperçue, un peu à l'avant : une petite pancarte en apparence insignifiante en bordure de la route, qui nous accueillait en « territoire apache ».

Je l'ai désignée à Lynne. Au moment de franchir la ligne de démarcation, j'avais le cœur dans les talons. Soudain, quelque chose s'est précipité sur nous, quelque chose de gros, qui se dirigeait droit sur la voiture. Lynne a pilé ; nous nous sommes figées, d'abord terrifiées, puis folles de joie, car c'était un aigle majestueux qui venait de survoler le capot de la voiture. Nous avons regardé cet immense volatile planer dans le ciel. En le suivant des yeux, j'ai aperçu d'autres aigles, cinq ou six peut-être. Je suis restée fascinée, jusqu'au moment où Lynne a laissé échapper un cri. J'ai baissé les yeux vers elle, juste à temps pour voir un autre aigle survoler le pare-brise. Celui-ci est passé si près que j'ai cru qu'il allait le heurter. Une seconde plus tard, il avait disparu, il planait haut dans le ciel en compagnie de ses congénères qui traçaient des cercles au-dessus de nous. Plusieurs minutes se sont écoulées. Nous gardions le silence. C'est Lynne qui a retrouvé la voix la première. « Eh bien, Rosemary, a-t-elle dit avec beaucoup de respect et d'admiration, j'ai l'impression qu'Aigle Gris vient de t'accueillir chez toi. »

# 1

# CE QUI SE PASSE
# QUAND NOUS MOURONS

Pour le moment, nous allons quitter la montagne, le mystère, et je vais m'efforcer de répondre à des questions qui n'ont pas été abordées dans *Une longue échelle vers le ciel*. Il me semble normal d'évoquer mon premier livre – le premier de toute une série, je l'espère – car il a provoqué d'extraordinaires réactions, partout dans le monde. Pour nombre de lecteurs, il a constitué une révélation, une prise de conscience qu'il existe une vie après la mort. Grâce à lui, ils ont commencé à comprendre un peu l'univers dont nous faisons partie. L'espoir, les encouragements et les éclaircissements qu'il apportait ont également éveillé chez beaucoup une curiosité et un besoin d'en savoir davantage.

Nous entamerons cette partie, comme les autres, par une question que je poserai à mon guide, Aigle Gris, car il nous accompagnera tout au long de notre voyage, et nous entendrons souvent sa voix.

# Question

**Question :** Aigle Gris, si notre mauvaise santé nous a amoindris au moment de notre mort, passons-nous dans l'autre monde dans cet état ?

**Réponse :** Je peux juste vous répondre que chaque âme est belle et que, lorsqu'il y a rencontre entre deux âmes, cette beauté est reconnue.

L'important, c'est que l'âme survive, qu'elle retienne sa lumière. Le moi physique, avec son vieillissement, ses rides, son amoindrissement, ne compte pas.

Votre concept de la beauté est différent du nôtre et, lorsque vous passez dans le monde des esprits, votre véritable beauté, votre beauté intérieure, brillera comme une balise dans la nuit. Et de même qu'un papillon de nuit est attiré par une flamme, ceux d'entre nous qui reconnaissent la beauté seront attirés vers vous.

Ici-bas, certains d'entre vous craignent de vieillir. Car si vous avez perdu un être cher, vous redoutez qu'il ne vous voie ridé et âgé. Mais lorsque survient la réunion de deux âmes, la véritable beauté, constituée par la joie de ces retrouvailles, dépasse toutes les attentes, et les sourires irradiant de chaque visage, s'échangeant et se réunissant enfin, balaieront toutes craintes de vieillissement.

Et lorsque vous aurez été témoin de la réunion de deux cœurs, les larmes qui couleront sur votre visage effaceront vos rides.

Et de la gaieté percera de votre voix, elle effacera toute forme d'enlaidissement, vous redeviendrez entier... et la vérité de votre être sera visible.

## Sont-ils heureux ?

« Sont-ils heureux ? » est l'une des questions le plus souvent posées par ceux d'ici-bas à propos des êtres du monde des esprits qui leur sont chers. Et la majorité d'entre nous croient, ou désirent croire, qu'ils le sont. Ne nous enseigne-t-on pas, tout au moins quand on a été élevé dans la foi chrétienne, qu'en mourant nous montons au ciel, dans la lumière, nous asseoir à la droite du Seigneur, pour « reposer en paix » ? Cette expression, « reposer en paix », qui est prononcée lors de presque tous les services funéraires, implique bonheur et plénitude.

On nous apprend aussi qu'à la mort, nous laissons derrière nous toutes nos pensées terrestres, que nous n'appartenons plus à la Terre et cessons de nous y intéresser.

Je me pose alors la question suivante : est-ce vraiment ce que je désire ? Ai-je envie de laisser derrière moi tout ce qui appartient à la Terre quand je mourrai ? D'ailleurs, qu'est-ce que cela signifie ? Laisser mon enfant, mes amis, toutes les personnes qui me sont chères, dont je me soucie ? Le fait que j'aille au ciel à ma mort – car c'est bien au ciel que j'ai l'intention d'aller, quel que soit l'endroit où il se trouve et ce qu'il est – impliquera-t-il que tous mes soucis et préoccupations s'évaporeront, pour la bonne raison que j'ai changé de forme et d'état de conscience ? Je pense à mon enfant et il m'est impossible de concevoir que les profonds sentiments que j'éprouve à son égard se modifieront d'une quelconque manière. « Reposer en paix » signifierait donc perdre toutes nos attaches terrestres ?

Je n'en ai aucune envie. Cela voudrait dire que je me transformerais en zombie. Cependant, il se peut qu'à notre mort, nous devions affronter des questions d'un ordre plus élevé, nous interdisant de nous soucier de rien d'autre que de notre développement spirituel. Être avec Dieu est peut-être capital et ne laisse plus de place à rien d'autre.

Je pourrais continuer ainsi à trouver des arguments à l'infini comme le font certains, pour essayer d'accepter le processus de la mort et de le comprendre. Revenons donc simplement pour le moment aux questions de base : « Sont-ils heureux ? » et « Reposons-nous en paix ? »

En tant que médium, depuis une vingtaine d'années, j'ai parlé avec des milliers de personnes du monde des esprits. Je suis capable de les voir, de les entendre, de les sentir. Ces contacts m'ont procuré une certaine intuition et une plus grande compréhension de ce qui se passe au moment de la mort. Chacun de nous a le choix de pénétrer dans la lumière, de prendre place au côté de Dieu, et nous le faisons pour la plupart. Mais ensuite? Que se passe-t-il? Quelle est l'étape suivante? Que devenons-nous? Savons-nous qui nous sommes? Avons-nous des souvenirs? Ressentons-nous des émotions, ou sommes-nous envahis par la lumière de telle sorte que nous ne sommes plus que lumière?

Commençons par là. Pour la plupart d'entre nous, le fait d'atteindre la lumière, d'en être enveloppé, nous apporte un tel apaisement, parallèlement à l'apparition réjouissante d'êtres chers que nous imaginions perdus à jamais, que nous en oublions les souffrances physiques ou affectives que nous avons pu ressentir au moment de mourir, tout comme une mère oublie, dès qu'elle tient son bébé dans les bras, les douleurs de l'enfantement. Au bout d'un moment cependant, le souvenir de ces douleurs revient.

La mère contemple son nouveau-né en acceptant la douleur avec joie : sa récompense la dépasse de loin. Lorsque nous mourons, lorsque nous renaissons, il nous faut également chercher à découvrir ce que nous avons gagné, quelles récompenses nous avons obtenues en échange des souffrances que nous n'avons pas manqué d'éprouver sur terre.

Il y a quelques années, pendant un cours, je suis tombée en transe; dans cet état, je quitte mon corps afin de permettre à une entité spirituelle d'utiliser ma coquille vide. Tous mes étudiants présents ce soir-là, qui avaient déjà assisté à une transe, étaient impatients de parler à Aigle Gris, voire à un autre enseignant ou philosophe de l'autre monde.

Ils ont donc accordé toute leur attention au visiteur de l'au-delà qui se faisait connaître à nous par le biais de cette transe. Nous *la* connaissions – elle nous était déjà apparue en plusieurs occasions et s'était toujours présentée en nous disant « je suis la petite vieille édentée ».

Comme je n'ai jamais vu cette petite dame, il m'est impossible d'affirmer qu'elle se décrit avec précision, mais quelques minutes de son enseignement suffisent à faire oublier son apparence physique, tant sa sagesse nous submerge.

Noël approchait et notre visiteuse a commencé par interroger mes élèves sur ce qu'ils lui demanderaient si elle devait leur offrir un cadeau. Ils ont réfléchi un bon moment avant de répondre, puis ils se sont enhardis et se sont exprimés, les uns après les autres.

« Je demanderais que la paix règne dans le monde », a déclaré l'un d'eux. « La paix et l'harmonie dans ma famille », a dit un autre. « Que la guérison, la lumière de la guérison, se répande dans le monde », a poursuivi un troisième. « Qu'il n'y ait plus aucune guerre... » « De la nourriture pour ceux qui meurent de faim... » « Des toits pour les sans-abri... » Et ainsi de suite. Dans cet état d'esprit, pensant au Christ et au message d'amour qu'il a légué au monde, mes étudiants ont formulé leurs demandes, toutes altruistes, généreuses, aimantes. Des demandes de paix, dans l'esprit de la Nativité.

Notre « professeur », la petite vieille édentée,

les a écoutés sans mot dire jusqu'au dernier. Puis elle a répondu :

— Comme je suis amour, que je viens de l'amour, et comme je suis votre professeur, je dois vous dire que, si je pouvais vous faire un cadeau de Noël, je vous ferais celui de la souffrance, je vous ferais le cadeau de la peine de cœur, je vous ferais le cadeau des larmes, car c'est uniquement par leur intermédiaire que vous apprendrez, que vous grandirez, que vous parviendrez à comprendre la nature de votre âme et votre énergie.

En fait, notre professeur nous avait bien fait un présent. Elle nous avait laissé entrevoir une chose importante : nous n'avons pas à attendre le jour de notre mort pour découvrir qui nous sommes et ce dont nous sommes capables, en tant qu'âmes. Pour nombre d'entre nous cependant, ce n'est qu'au moment de mourir que nous nous regardons et nous demandons : « Que m'a apporté ma vie ici-bas ? Quelles récompenses ai-je obtenues, si j'en ai eu ? » Parfois même, nous allons jusqu'à nous dire : « À quoi bon ? »

Si je reviens à la question « Sont-ils heureux ? », mon expérience m'incite à répondre que dans bien des situations, comme pendant la vie sur cette terre, de nombreuses âmes ne le sont pas. Elles ont l'impression d'avoir manqué des occasions de se développer. Beaucoup éprouvent de la frustration. Cela ne les empêche pourtant pas d'être apaisées, car la lumière de Dieu ne se contente pas de nous montrer qui nous sommes, elle nous apporte également espoir et illumination en nous faisant comprendre que le temps est de notre côté, que la vie se poursuit, que nous pouvons continuer à apprendre.

Nous sommes à l'origine d'une grande partie de la frustration éprouvée par ceux du monde des esprits. Ils ont la chance de connaître l'illumination. Le fait même de mourir, d'avoir traversé cette expérience, leur a procuré une connaissance dont ils ne disposaient pas auparavant. La mort leur a conféré une certaine sagesse, qu'ils aimeraient bien communiquer aux êtres qui leur sont chers, pour les aider à vivre. Leur frustration vient du fait que nous ne les écoutons pas : nous ne pouvons ou ne savons pas comment les écouter. Et nos actes les incitent à réagir.

Imaginons par exemple une mère qui voit son fils, déprimé en raison d'un traumatisme, s'adonner à la boisson et gâcher sa vie, refuser de voir la lumière. De par sa nature aimante et attentionnée, cette mère souffre de cette situation. Elle est frustrée de ne pouvoir assister que de loin au spectacle de son fils qui ne l'entend pas le supplier de tourner les yeux vers la lumière. Et bien que, dans le monde des esprits, beaucoup rassurent cette mère en lui disant que les choses vont s'arranger, que son fils va trouver sa voie, elle continue de souffrir pour lui, de partager sa douleur. Imaginons que ce fils me demande : « Est-ce que ma mère est heureuse, à présent qu'elle est auprès de Dieu ? » Je ne pourrais que lui répondre que je vois ses larmes, bien qu'elle soit satisfaite d'être dans la lumière. Des larmes provoquées par ses actes *à lui*.

Cette mère pourrait également avoir une fille.

Cette fille, après avoir vécu des traumatismes et beaucoup souffert, aurait décidé d'emprunter une voie plus spirituelle, désiré en savoir davantage sur son âme, apprendre, se développer.

Si cette fille me demandait : « Est-ce que ma mère est heureuse ? », je pourrais lui répondre : « Je vois votre mère heureuse, satisfaite de la manière dont vous conduisez votre vie. Elle se sent en paix. » Le sourire de la mère provient des actes de sa fille.

Résumons-nous. Ce que je dis, peut-être trop simplement, c'est que l'état d'esprit, le bonheur de ceux du monde des esprits, dépendent en partie de nous.

Le ciel n'est pas « ailleurs ».

Dieu n'est pas « ailleurs ».

La lumière n'est pas « ailleurs ».

Ceux du monde des esprits ne sont pas « ailleurs ».

Cet « ailleurs », Dieu, la lumière et l'âme des esprits sont ici même, auprès de nous ; ils font partie de nous. Et nos actes ont une incidence sur eux. Et les leurs, réciproquement. Car nous participons tous de l'univers. Tout cela, c'est l'univers.

Toutes ces âmes du monde des esprits, nos êtres chers, ne sont pas inatteignables, et ne restent certainement pas insensibles à nos vies et nos actes. Ayant tant de choses à nous apprendre, ils attendent, pas toujours patiemment, parce que le fait de mourir ne constitue pas automatiquement un billet pour la sainteté et que nous conservons notre personnalité après la mort. Leur souhait, c'est que, s'ils attendent assez longtemps, nous finissions par les entendre.

Les questions se bousculent dans ma tête... et je prête attention à mon guide qui m'aide à découvrir les réponses.

Qu'est-ce que le ciel?

Le dictionnaire nous dit que le ciel est la demeure de la déité, et des morts bienheureux. Un lieu de bonheur suprême. Le ciel porte d'autres noms : Olympe, Walhalla, Asgard[1], Champs Élysées, Happy Hunting Ground[2], Paradis terrestre, Éden, Jardins des Hespérides, île des Bienheureux ou île d'Avalon[3].

Lorsque je lui demande ce qu'est le ciel, Aigle Gris se contente de me répondre : le lieu de la lumière.

Que devenons-nous à notre mort?

Nous devenons davantage, nous sommes plus éclairés.

Savons-nous qui nous sommes, qui nous étions sur terre?

Nous conservons toutes nos connaissances, tous nos souvenirs, tout ce que nous avons appris. Nous gardons notre personnalité et nous avons la possibilité de nous améliorer, si tel est notre désir. Quant à la première partie de la question, « savons-nous qui nous sommes »... C'est là que se

---

1. Région du centre de la terre habitée par les dieux dans la mythologie scandinave *(NdT)*.
2. Paradis des Indiens d'Amérique *(NdT)*.
3. Dans la légende des Chevaliers de la Table ronde, lieu où est transporté Arthur après sa mort *(NdT)*.

situe l'objet de notre quête, la découverte que souhaite faire notre âme. Et notre voyage ici-bas ne manque pas de nous fournir des aperçus de la vraie nature de notre moi.

Éprouvons-nous des émotions?

Sans émotions, nous ne sommes rien. Qu'est-ce que l'amour, sinon une émotion ressentie par le cœur? Nous sommes de nature divine, nous sommes émotion.

Et à présent, ils sont heureux?

Ils sont satisfaits.

Mes questions, mes réponses. Et je sens la main d'Aigle Gris posée sur mon épaule, qui reconnaît que j'ai appris... Que j'ai appris de lui.

En début de chapitre, j'ai évoqué le moment de notre mort : lorsque nous renaissons, nous devons essayer de tirer les leçons de l'expérience de notre séjour sur terre et d'estimer quelles récompenses nous avons reçues en échange de la souffrance éprouvée durant ce voyage. Tant de religions insistent sur les récompenses et les punitions qui nous attendent après la mort, qu'elles nous ont contraints à nous concentrer davantage sur le ciel que sur la terre, comme s'il s'agissait de deux choses différentes.

D'un autre côté, il y a ceux d'entre nous qui, sans totalement rejeter nos religions orthodoxes, essaient d'intégrer ce qu'on appelle des « éléments New Age », des enseignements spirituels plus éclairés. Lorsque je vais dans une librairie, je suis toujours sidérée par la quantité d'ouvrages proposés dans le rayon « New Age » – mon propre livre compris. Le qualificatif « New Age » attribué à cette littérature me fait d'ailleurs sourire, car cet enseignement est aussi ancien que l'homme, plus ancien même, aussi ancien que l'univers dont nous faisons partie.

Nous employons tous les expressions « aller vers la lumière », « être enveloppé par la lumière », « trouver la lumière », « regarder la lumière », etc. Reste cependant un détail que beaucoup d'entre nous ne réalisent pas : nous *sommes* lumière. Chacun de nous *est* lumière. Chaque homme, chaque animal, chaque insecte, chaque arbre et chaque plante, chaque organisme vivant, est lumière, appartient à la lumière. Nous n'avons pas besoin de contempler l'espace, de regarder vers le ciel pour y trouver Dieu. Nous ne devons pas attendre de franchir le cap de la mort pour faire l'expérience du ciel, de la lumière... Car cette expérience nous est offerte chaque jour, en nous, avec les autres, dans le monde des esprits, avec Dieu, qui est lumière. Il nous suffit de l'admettre.

J'ai envie de vous raconter l'histoire d'une dame qui faisait une telle fixation sur le ciel et qui croyait tellement qu'il se trouvait « ailleurs », qu'elle a vécu pendant près d'un demi-siècle dans les ténèbres. Nous l'appellerons Mme Lennox. Mme Lennox était veuve de guerre. Cinq jours lui avaient suffi pour rencontrer son futur mari et l'épouser. Elle avait vingt-six ans. Moins de deux semaines après leur mariage, John, son mari, fut rappelé à sa caserne. Il était canonnier dans l'Air Force. Au moment où elle agitait la main pour lui dire au revoir, Mme Lennox ignorait qu'elle ne le reverrait jamais. L'avion de John a été abattu quelques jours plus tard. Tout son équipage a péri.

Neuf mois plus tard, une petite fille est venue au monde, Patricia. Les années ont passé. Quarante années. Patricia est devenue une jeune femme accomplie, s'est mariée et a eu trois garçons. Mme Lennox aurait dû s'en réjouir; elle aurait dû être enchantée que sa fille unique puisse moissonner de tels bonheurs et les lui offrir en partage.

Malheureusement, Mme Lennox n'avait pas un caractère heureux. Depuis qu'elle était veuve, elle s'appliquait à pleurer son mari avec une ferveur hors du commun. Elle avait fait faire des copies de la photographie de leur mariage et de l'unique cliché de John dont elle disposait, et les avait disséminées dans toute sa maison. Elle avait passé sa vie à aduler cet homme qu'elle connaissait à peine, et à prier Dieu, chaque matin et chaque soir, de lui permettre de le rejoindre. Elle battait sa coulpe, se tirait les cheveux, pleurait et gémissait, déplorait le fait d'être veuve et de devoir se battre pour élever seule un enfant.

Les yeux tournés vers le ciel, elle passait son temps à le chercher, à l'appeler, persuadée qu'il pouvait la voir et l'entendre. Refusant d'accorder à un autre homme la moindre part de son existence, elle s'accrochait à son époux défunt avec un fanatisme qui étouffait toute autre vie, toute lumière.

Puis elle entendit parler de moi. Elle avait alors dépassé les soixante-dix ans. J'ignorais tout de son histoire. Dès qu'elle s'est assise, elle m'a annoncé qu'elle ne voulait parler qu'à une seule personne : son mari. Son exigence m'a paru dans la norme.

Je l'ai vu tout de suite et j'ai été contente d'établir le contact si facilement. Il m'a raconté les circonstances dans lesquelles il avait péri pendant la guerre. J'ai fait part de son récit à Mme Lennox, je lui ai décrit l'uniforme qu'il portait, ainsi que l'apparence physique de cet homme d'une trentaine d'années, aux yeux et aux cheveux bruns.

Mme Lennox, surexcitée, m'a confié depuis combien de temps elle attendait ce moment. Satisfaite de la voir si heureuse, je me suis retournée vers John Lennox pour poursuivre la séance. Quelle n'a pas été ma surprise d'entendre une voix agacée me lancer d'un ton ronchon : « Très bien, j'ai décliné mon nom, mon rang, mon numéro de matricule. À présent, ça vous gênerait de lui dire de me laisser tranquille ? »

J'étais suffoquée. Ce cas ne s'était encore jamais présenté. Mme Lennox, totalement inconsciente de la situation, m'interrogeait du regard. J'étais très embarrassée. Je me suis retournée vers M. Lennox : « Vous ne voulez pas lui parler encore un peu ? lui ai-je demandé. Cela fait si longtemps qu'elle attend, et elle sait à présent que vous êtes bien ici. Si je lui dis que vous ne voulez pas lui parler, elle va en être très blessée. »

« Cela fait plus de quarante ans que cette femme me tire à hue et à dia, réclame mon aide à grands cris, sans jamais penser à s'aider elle-même. Au début, j'ai fait des efforts, mais je refuse d'en dire davantage à une femme qui m'est étrangère et que j'ai vue se vautrer dans l'auto-apitoiement, gâcher sa vie et ses leçons, m'a-t-il répliqué. Je ne suis venu aujourd'hui que pour une seule raison : parce qu'elle est la mère de mon enfant et que tout l'amour que j'éprouve va à ma fille. » Sur ce, John Lennox s'est retourné et a refusé d'ajouter un seul mot.

Il m'était impossible de rapporter ces propos à Mme Lennox. Elle en aurait eu trop de chagrin. Elle a déjà été très peinée quand je lui ai appris que j'avais perdu le contact et que la séance devait se terminer.

Je n'ai jamais revu Mme Lennox mais, quelques semaines plus tard, j'ai eu une visite de M. Lennox, fort différente de la première.

Sa fille était venue me consulter. Sa mère lui ayant rapporté que je n'étais pas une médium très efficace, contrairement à ce que lui affirmaient d'autres personnes, Patricia Lennox avait voulu s'en assurer par elle-même. Ce jour-là, son père ne fit preuve d'aucune réticence. Très rapidement, John apprit à sa fille qu'il la suivait depuis sa petite enfance. Il tenait à lui faire part de la fierté que lui inspirait sa réussite, malgré le caractère possessif et l'étroitesse d'esprit de sa mère.

Ces propos ont fait craquer Patricia qui a fondu en larmes. Elle m'a raconté combien sa jeunesse avait été difficile, comment sa mère avait décidé, lorsqu'elle était devenue adolescente, de contrôler sa vie. « Comme elle n'avait pas de vie intime, m'a confié Patricia, elle voulait diriger la mienne. J'ai vraiment prié pour qu'elle trouve le bonheur, mais je sais que cela n'arrivera jamais. »

Quelle merveille que John Lennox et sa fille aient pu se rencontrer et échanger leur amour ! Quelle tristesse qu'il ait refusé d'accueillir sa femme...

Se serait-elle conduite autrement si elle avait été au courant des conséquences de ses actes ? J'aimerais le penser. J'aimerais me dire que si elle avait su qu'il avait besoin qu'elle vive sa vie pleinement, qu'elle trouve le bonheur, pour avoir la liberté de vivre la sienne, elle aurait accompli davantage d'efforts, sinon vis-à-vis d'elle-même, du moins vis-à-vis de lui.

Sont-ils heureux à présent ? Encore cette question. John Lennox en voulait à sa femme, mais sa fille le mettait en extase. Leurs réussites, leurs échecs, leurs actes, produisaient chez lui diverses réactions qui déterminaient, dans une certaine mesure, son bien-être.

Sur cette terre, nous avons une responsabilité à l'égard de nos êtres chers qui vivent dans le monde des esprits, de ceux qui vivent sur terre et de nous-mêmes. Mais si nous souhaitons véritablement le bonheur de ceux du monde des esprits, nous devons, indépendamment de la difficulté que cela représente, faire en sorte que chaque pas que nous effectuons dans la vie soit bon, positif, que chacun de nos gestes soit un acte d'amour, de lumière. Nous ne devons pas oublier que le ciel ne se trouve pas « ailleurs », mais dans nos cœurs et nos esprits, et partout autour de nous. Car nous sommes lumière, et au fur et à mesure que cette conscience la fera briller davantage, nous serons enveloppés par la lumière de toutes les créatures de Dieu, de tous les êtres, avec autant de certitude que nous les enveloppons aussi.

Il s'agit là d'une lourde responsabilité, difficile à assumer, et il nous arrivera souvent de faillir à l'égard de ceux qui nous sont chers, comme de nous-mêmes. Aigle Gris me l'apprend... Peu importent vos échecs, même s'ils se renouvellent. Ce qui compte, ce sont vos efforts.

## Histoire de fantôme

L'histoire que je vais vous raconter est fort différente de la précédente, mais elle illustre d'une autre façon combien il est facile de créer son propre malheur. Plutôt que d'accepter la réalité et d'aller de l'avant, nous nous raccrochons, par peur, à nos connaissances ou à nos désirs.

Par où commencer ? Je ne le sais pas encore vraiment, mais je dois m'attaquer à ce sujet difficile. Il s'agit de ce qui se passe lorsqu'un être meurt, mais refuse d'accepter la mort et la lumière. Je ne peux pas vous préciser où ces événements ont eu lieu, juste qu'ils se sont déroulés quelque part sur la côte Est des États-Unis.

J'ai un petit faible pour le homard, mais jusqu'à ce soir-là, je n'en avais jamais mangé que dans des restaurants. J'avais été invitée en compagnie de mon amie Ellen chez Ruth et Jo, un couple qui s'était montré très attentionné et serviable à mon égard, avant et au moment de la publication de mon premier livre. Ils connaissaient mon penchant pour le homard et j'étais donc assise à leur table, les mains dégoulinantes d'un délicieux mélange de beurre fondu et de jus de homard. La conversation était encore plus savoureuse. Elle tournait autour des fantômes. Ruth entama l'histoire.

Les bureaux de son entreprise, propriétaire de vastes terrains immobiliers, étaient situés au milieu de superbes jardins de plusieurs hectares. Ils étaient installés dans une grande maison – un manoir, à dire vrai – ayant jadis appartenu à une famille américaine très célèbre et roulant sur l'or. Notre histoire concerne cette maison et cette famille.

Ruth occupait un poste important qui lui permettait de pénétrer dans ce manoir quand bon lui semblait. Ce dernier possédait une salle de bal spacieuse, et était utilisé pour de grands événements ou des réceptions. On pouvait le louer, car c'était un lieu idéal pour des fêtes estivales ou des célébrations de Noël. Et ce manoir était hanté. En tout cas, c'était le bruit qui courait.

Au début du siècle, la jeune fille de la maison avait fait un mariage d'amour. Le jeune couple passait sa lune de miel en Pennsylvanie lorsqu'on leur avait appris la nouvelle : ils étaient cousins au premier ou deuxième degré. La jeune mariée en avait été tellement bouleversée qu'elle s'était pendue. On racontait que depuis lors elle errait dans sa maison, spectre égaré et souffrant. Il semblait bien que ce « fantôme » était apparu à de nombreuses reprises et on ne comptait plus les événements mystérieux survenus dans cette demeure. Au fur et à mesure qu'avançait cette soirée en compagnie de Ruth et Jo, ce « fantôme » et sa triste histoire ont éveillé mon intérêt et je me suis demandé, à imaginer que ce récit fût vrai — de nombreuses histoires de fantômes sont des inventions pures et simples —, si je pourrais faire quelque chose pour lui venir en aide.

J'ai fait part de mon intérêt à Ruth, qui m'a suggéré de visiter la maison. « Si vous en avez vraiment envie, je suis sûre que je peux arranger ça », m'a-t-elle dit.

Quelques jours plus tard, je me suis effectivement retrouvée dans la voiture d'Ellen, qui s'était dévouée pour m'emmener là-bas. Le domaine était d'un tel gigantisme que nous nous sommes égarées. Puis la voiture, qui marchait parfaitement jusque-là, est tombée en panne. Nous étions en pleine nature. Que faire ? Nous sommes sorties de la voiture pour regarder autour de nous : de magnifiques jardins s'étendaient à perte de vue. Aucune trace de bâtiment ; pas âme qui vive.

47

Nous ne savions plus quoi faire, lorsqu'un petit véhicule de sécurité bleu a débouché au détour d'une allée. Le conducteur, un vigile, venait à notre secours. Nous lui avons expliqué que nous avions rendez-vous au manoir avec Ruth. Il en a conclu que nous souhaitions le louer et nous a proposé de nous y emmener. Nous avons accepté son offre et, malgré ces petits incidents, sommes arrivées en avance.

Le bâtiment était effectivement vaste et imposant, mais par cette chaude journée ensoleillée, on avait du mal à imaginer qu'il puisse donner la « chair de poule ». En attendant Ruth, j'engageai la conversation avec notre garde et lui demandai s'il connaissait bien la maison. Il m'a jeté un regard en coin en me priant de préciser ce que j'entendais par là :

— Eh bien, vous avez peut-être déjà entendu quelqu'un dire que cette maison était hantée ?

Il a détourné le regard un instant. Puis il m'a répondu d'un ton hésitant, avec une légère appréhension :

— Des rumeurs ont circulé.

Instinctivement, j'ai compris qu'il en savait davantage qu'il ne voulait l'admettre, et je n'ai pas lâché prise.

Cet homme grand, l'air rude et coriace, musclé, se détachait dans la lumière du soleil. Sa peau noire était saine et luisante. Il portait un pistolet sur une hanche, une matraque et un large trousseau de clés sur l'autre. On avait du mal à l'imaginer apeuré par quoi que ce soit.

— En fait, poursuivit-il alors que je l'en pressais, j'ai entendu les autres gardes raconter des histoires. Il y en a un ou deux qui refusent de venir ici la nuit tombée. Ils disent que les lumières ne cessent de s'allumer et de s'éteindre, et qu'ils ont entendu des gémissements bizarres sortir de la maison.

Là encore, j'ai compris qu'il ne disait pas tout, et j'ai insisté :

— Est-ce qu'il vous est arrivé quelque chose personnellement? lui demandai-je, faussement naïve.

J'en avais la conviction, mais j'ignorais de quoi il retournait.

Il a baissé les yeux vers le sol en se balançant d'un pied sur l'autre. Il se demandait s'il pouvait se confier à moi sans passer pour un imbécile.

— Vous risquez de me prendre pour un mytho-mane, finit-il par répondre. Mais je n'invente rien !

— Je sais. Si vous me racontiez?

— Eh bien, m'avoua-t-il, légèrement penaud, je n'y entre pas si je peux l'éviter. Il y a environ deux ans, j'ai décidé d'aller là-haut (il désigna la maison de la main). Comme plein de types racontaient qu'elle était hantée, qu'ils avaient vu des trucs, j'ai voulu vérifier par moi-même. Je suis monté jusqu'au deuxième étage. En haut de l'escalier, au fond du couloir, il y a une vieille table de réfectoire. Elle était couverte de poussière. Quand je m'en suis approché, j'ai remarqué qu'on avait tracé en grosses lettres dans la poussière : « Sortez d'ici. » Je ne me suis pas fait prier ! J'ai rebroussé chemin et foncé si vite vers l'escalier que je me suis emmêlé les pieds et que je l'ai dévalé tête la première. J'avais l'impression d'avoir le diable aux trousses, et je peux vous assurer que j'y ai jamais remis les pieds! Je me contente de vérifier les serrures, avec l'espoir que l'alarme ne va pas se déclencher.

Je l'écoutais avec beaucoup d'attention. Lorsqu'il eut terminé, je lui expliquai que je voulais y entrer moi-même. Il me répondit que c'était impossible si quelqu'un ne m'accompagnait pas. Ruth était en retard et je n'avais pas envie d'attendre.

— Pourquoi pas vous?

Je plaçai alors la main sur le bras de cet homme afin de le rassurer.

— Ne vous inquiétez pas. Je vous protégerai. Vous serez en sécurité avec moi.

Surpris lui-même par sa réaction, Bill – c'était son prénom – acquiesça faiblement de la tête.

Mon amie Ellen a préféré attendre Ruth au soleil, et seuls Bill et moi sommes entrés dans la maison.

— On monte d'abord au premier étage, annonçai-je, et il me suivit sans rechigner.

Je passai de pièce en pièce, à l'écoute, scrutatrice, à la recherche de signes. Si une âme égarée habitait les lieux, je pouvais peut-être la trouver, voire l'aider... à condition qu'elle m'y autorise.

Bill me suivait comme mon ombre, veillant à rester deux pas derrière moi. Manifestement, il commençait à comprendre que je ne cherchais pas à louer les lieux. Nous avons emprunté un autre escalier, visité d'autres pièces. Toujours aucun signe d'elle. Tandis que Bill me demandait timidement ce que je faisais, je pris conscience qu'un homme se tenait à ses côtés. Une image paternelle, je m'en rendais compte, mais pas celle de son père biologique. Cet homme, dont le « fils » n'entendait pas les propos pour l'instant, me confia qu'il avait succombé à une grave crise cardiaque.

— Vous cherchez des fantômes, c'est ça ? me demanda Bill, avant d'ajouter, sans attendre ma réponse : Vous croyez à ces machins ?

— Oui, Bill, répondis-je calmement, sachant que sa présence à mes côtés n'était pas le fait d'une coïncidence. Et je crois que l'homme que je vois debout à côté de vous est votre vrai père, même s'il n'y a pas de lien de sang entre vous.

Bill a hoché la tête. Il acceptait tout, sans étonnement, simplement reconnaissant de l'apparition de son « père ».

— Je sais qu'il est près de moi. Je sens souvent sa présence.

C'était aussi simple que cela.

Nous sommes entrés dans une pièce au sol recouvert d'un épais tapis et nous nous sommes assis par terre. Pendant quarante minutes, j'ai conversé avec le seul homme que Bill avait vraiment aimé.

— Il commence par me parler de votre enfance, ai-je annoncé à ce dernier.

Sur ce, la vie de Bill s'est déroulée devant moi, comme dans une vision. J'ai vu comment, enfant, quand il n'était pas sage, on l'enfermait à clé, des heures durant, dans un placard pour le punir. J'ai vu comment, grandissant dans un environnement douloureux et difficile, il avait dû lutter avec ses émotions, et comment les sévices qu'il avait subis, enfant, l'avaient en quelque sorte handicapé mentalement. J'ai appris sa quête de paix, le soutien qu'il avait cherché auprès de prêtres et de psychologues, afin de comprendre pourquoi ses parents lui avaient infligé cette discipline cruelle dans son enfance. J'ai vu, écouté et entendu ce « père » raconter ensuite comment Bill avait fini par rencontrer sa future femme. Il était tombé amoureux d'elle et elle l'avait aidé à retrouver son estime de soi et à prendre de l'assurance.

Bien évidemment, je transmettais au fur et à mesure toutes ces informations à Bill. Puis son « père » me dit : « Dites à Bill que j'ai vu le bébé, son fils. » Et comme si cette petite information ne suffisait pas à le déconcerter, il ajouta : « Et dites-lui que sa femme me plaît. Elle est jolie. Mais alors, quelle coupe de cheveux ! Elle n'a pratiquement plus un poil sur le caillou ! » Le « père » de Bill a fait cette réflexion avec humour, mais Bill en a été tellement stupéfait qu'il s'est levé d'un bond pour se précipiter de l'autre côté de la pièce, où il est resté un moment à bouger la tête en répétant :

— Comment vous pouvez savoir ça ? Comment vous pouvez savoir ça ?

Comprenant sa réaction, j'ai tapoté le sol près de moi.

— Venez vous asseoir ici, Bill. Ne craignez rien. Votre « père » veut juste que vous sachiez qu'il est vivant et toujours proche de vous. Que votre vie continue à l'intéresser.

Bill s'est exécuté, encore un peu secoué, mais réconforté par mes paroles. Durant le quart d'heure suivant, le « père » de Bill s'est adressé à lui, par mon intermédiaire. Il a évoqué les cours du soir qu'il prenait, sa détermination à réussir dans la vie, le fait que les expériences douloureuses vécues dans son enfance lui avaient servi de leçon, l'avaient aidé à s'endurcir, lui avaient fait comprendre qu'il était capable de s'en sortir, s'il travaillait dur. Il m'a déclaré qu'il avait en lui l'énergie de surmonter tous les aléas de la vie. Bill n'avait jamais envisagé la situation sous cet angle. Mais à présent que son « père » évoquait l'amour qu'il éprouvait pour lui, il se sentait étrangement réconforté. Son visage dégoulinait de larmes, qui traduisaient l'amour qu'il éprouvait pour cet homme, qu'il considérait comme son vrai père. Il m'a serré les mains et m'a remerciée doucement, humblement, de ce cadeau que je lui avais fait.

Mes amies Ruth et Ellen sont apparues sur le pas de la porte, comme si je leur en avais donné le signal. Elles ont eu l'air décontenancées de me trouver assise sur le tapis à côté du vigile. J'ai pris les devants. Comme si mon attitude allait de soi, je me suis relevée pour les accueillir.

— Je crois que j'en ai fini pour cet étage, leur ai-je annoncé. Nous devrions visiter le rez-de-chaussée.

Sur ce, nous avons descendu les marches, Bill à mes côtés, transformé en garde du corps personnel. Plus tard, il m'a confié que tous les psychiatres, thérapeutes, prêtres et autres hommes de l'art qu'il avait consultés au fil des ans, n'avaient jamais été capables, à eux tous, de lui apporter comme moi... la paix.

Mais revenons à notre chasse au fantôme.

Dès notre arrivée au rez-de-chaussée, j'ai commencé par faire le tour de l'ancienne salle de bal. Il n'y avait rien. Aucune vibration ne m'indiquait que l'endroit pouvait être « hanté ». J'ai traversé le couloir pour pénétrer dans une autre pièce, très grande, transformée en salle de conférences. Des chaises étaient alignées devant un tableau noir, à côté duquel était placé un écran sur un trépied. Je n'ai rien vu ni senti d'inhabituel, et j'ai regagné l'entrée. La cage d'escalier était impressionnante, les plafonds hauts. Cette demeure avait effectivement dû être pleine de charme.

C'est au moment où j'allais regagner la salle de conférences que j'ai entendu le bruissement de sa jupe. Je me suis retournée vers l'escalier, j'ai levé les yeux et l'ai aperçue. Avec ses épaules dégagées, sa tête redressée, il émanait d'elle une beauté royale. La main gauche posée légèrement sur la rampe, elle baissait le regard vers moi. Aucun sourire d'accueil ne se lisait sur ses lèvres ; ses yeux avaient une expression fixe et dure. Sans ouvrir la bouche, elle m'a fait comprendre que je faisais intrusion chez elle. Elle ne voulait pas de moi dans sa maison.

J'ai compris tout de suite. Elle savait pourquoi j'étais là, que j'avais l'intention, dans la mesure de mes possibilités, de l'aider, voire de la persuader d'aller de l'avant, et elle avait peur. Elle avait passé là tellement de temps, dans son foyer. C'était là qu'elle avait grandi, c'était le lieu qui abritait un grand nombre de ses souvenirs de bonheur. Elle voulait y rester et me considérait comme une menace, une étrangère qui se mêlait de sa vie. Une vie, malgré son étroitesse, qu'elle avait choisi de vivre.

Je lui ai adressé un sourire de vive compassion.

— Laissez-moi vous aider, lui ai-je dit.

J'ai prononcé ces paroles en silence, si bien que ni Ruth, ni Ellen, ni Bill ne les ont entendues. Pas plus qu'ils n'ont su que j'avais vu le « fantôme ».

— Partez ! a-t-elle hurlé. Laissez-moi tranquille ! Je suis heureuse ici, heureuse, heureuse.

Elle s'exprimait d'un ton désespéré, comme si elle essayait de se convaincre autant que de me convaincre moi.

J'ai repris la parole.

— Ça ne doit pas être gai pour vous ici, toute seule. Ce serait tellement plus facile, tellement mieux, si vous parveniez à passer à autre chose. Pourquoi refusez-vous mon aide ? ai-je demandé d'une voix volontairement basse, afin de ne pas augmenter son inquiétude.

Mais elle a continué à hocher la tête, fermement décidée à ne pas écouter ce que j'avais à lui dire. Je me suis détournée tristement et j'ai pris la direction de la salle de conférences.

Ruth et Ellen s'étaient éloignées. Ruth faisait faire le tour du propriétaire à Ellen. Mon garde restait près de moi et il est venu s'asseoir à mes côtés quand j'ai pris place sur une chaise.

Que devais-je faire? Notre « fantôme » – je l'appellerai Sarah, car elle n'était pas davantage un fantôme pour moi que pour vous, juste une personne plongée dans la détresse – n'était manifestement pas d'humeur à me parler. Elle était captive de cette maison, et cela depuis plus de trente ans, mais il s'agissait d'une incarcération volontaire. Étant « décédée », elle avait sombré dans de tels tourments affectifs qu'elle détournait les yeux de la lumière, préférait rester attachée à la terre, et était revenue, telle une enfant, dans le seul endroit sûr qu'elle connaissait bien.

Je dois cependant souligner, pour ceux de mes lecteurs qui ont perdu une personne aimée qui s'est suicidée et qui s'inquiètent de son passage, que le cas de Sarah sort tout à fait de l'ordinaire, même s'il n'est pas unique. Dans mon livre précédent, j'ai consacré tout un chapitre au problème du suicide. Sur la base de mes années d'expérience, l'éventualité que quelqu'un se « perde », refuse de voir et d'étreindre les êtres chers du monde des esprits toujours prêts à nous accueillir et à nous aider lors de notre passage dans l'autre vie, est si minime qu'elle en devient pratiquement inexistante.

Revenons-en à Sarah et à mon dilemme. Que faire?

Tandis que je réfléchissais à ce problème, Aigle Gris est venu se placer à mes côtés.

— Vous avez été amenée ici, mon enfant, pour aider. Soyez patiente et confiante.

J'ai écouté mon guide, la tête baissée.

— ... levez la tête, petite fille, il y a ici quelqu'un qui désire vous parler.

J'ai levé lentement la tête, convaincue de disposer à présent d'une aide. Mon regard a été attiré par l'écran placé sur le trépied à côté du tableau noir. Un sourire m'a échappé car j'y ai vu, comme lors d'une projection de diapositives, l'image d'un homme, ou plutôt son visage, agrandi et parfaitement clair. Il m'a rendu mon sourire et a décliné son nom. Je l'appellerai Éric.

— Je suis « mort » il y a quelques semaines, m'apprit-il. Une crise cardiaque, très rapide, pas vraiment surprenante puisque je ne suis plus de la toute première jeunesse. C'est gentil de votre part de venir, a-t-il poursuivi, car j'ai besoin de votre aide. Nous avons besoin de votre aide, ma famille et moi. Mes parents ont tout essayé, ils l'ont appelée et appelée sans relâche, mais elle refuse de les écouter, et même de prêter attention à notre existence ou plutôt à *leur* existence. À présent que je suis ici, elle admet ma présence. Nous avons toujours été très proches, mais elle a encore peur de lâcher prise. Vous comprenez, Rosemary, je l'aime beaucoup. Votre fantôme, ma Sarah... c'est ma sœur.

Plus tard, j'ai parlé d'Éric à Ruth. Elle m'a confirmé qu'il avait jadis été le propriétaire du manoir. Éric, écrivain, avait signé de nombreux livres. Il avait succombé à un infarctus, quelques semaines plus tôt.

L'histoire que me racontait Éric m'attrista. Je lui demandai alors ce qu'il attendait de moi.

57

— Nous souhaiterions que vous organisiez une réception, m'a-t-il répondu, rien d'important. Nous aimerions qu'il vienne, a-t-il dit en désignant Bill, et ces deux-là aussi, a-t-il ajouté en indiquant Ruth et Ellen, qui venaient d'entrer dans la pièce. Et son mari à elle, a-t-il poursuivi en désignant Ruth, et puis bien sûr – avec un petit gloussement – vous, Rosemary. Nous aimerions que vous veniez aussi. Apportez de quoi boire et manger, un petit pique-nique, s'il vous plaît.

Puis il a ajouté : « Je sais que ma demande a quelque chose de bizarre, mais je vous serais reconnaissant de la satisfaire. »

J'ai demandé à Éric quand il souhaitait que nous revenions, le lendemain peut-être, ou plus tard dans la semaine ?

— Non, a-t-il répondu, le mieux serait ce soir.

Vous ne serez pas surpris d'apprendre que lorsque je lui ai demandé de me préciser l'heure, il m'a répondu, comme dans toutes les histoires de fantômes, minuit.

J'ai informé Bill, Ruth et Ellen de tout ce que j'avais vu et entendu, puis je les ai conviés à la « réception ». Ils ont d'abord éprouvé une légère appréhension à l'idée de revenir, puis la curiosité l'a emporté, ainsi que l'intérêt inquiet qu'ils portaient à Sarah.

Nous comptions sur Bill pour arriver le premier et ouvrir la maison, mais en fait, nous sommes tous arrivés ensemble, y compris Jo, le mari de Ruth. Ces retrouvailles ont évité à Bill l'embarras d'admettre qu'il était trop nerveux pour entrer seul dans la maison.

Plantons le décor. Oui, il s'agissait d'un soir de pleine lune. Le ciel était limpide, les étoiles étincelaient et il n'y avait pas de vent. En fait, un grand calme régnait.

Nous sommes entrés dans la maison les uns derrière les autres, moi en tête, et nous nous sommes dirigés vers la salle de bal où Éric m'avait demandé que nous allions. La maison était éclairée, mais j'avais décidé de ne pas allumer la salle de bal. Bill et Jo ont disposé quelques chaises en rond et nous nous sommes assis en cercle dans un coin de la vaste pièce, un petit panier d'osier empli de sodas, de fromage et de crackers, posé par terre au milieu de nous. Le clair de lune qui rayonnait par les fenêtres baignait la pièce d'une tendre lueur. De la lumière filtrait également de la porte d'entrée, si bien que nous y voyions comme en plein jour.

— Et à présent, qu'est-ce qu'on fait ? a chuchoté nerveusement Ellen.

Je leur avais raconté à quoi ils pouvaient s'attendre, tout en leur faisant clairement comprendre qu'il était parfaitement possible que rien ne se produise. Je leur avais aussi expliqué que, quoi qu'il arrive, quoi qu'ils voient ou entendent, ils devaient rester parfaitement calmes et ne pas douter que je savais ce que je faisais. Cela ne leur posait pas de problème, car ils avaient tous, à un moment ou un autre, eu l'occasion de bénéficier de mes dons de médium.

J'ai tapoté la main d'Ellen pour la rassurer.

— On attend, ai-je répondu, mais restez vigilants. Si vous voyez ou entendez quelque chose, dites-le-moi. Et n'ayez pas peur, ai-je ajouté avec un sourire, je suis ici.

Silence, silence. Un silence de plus en plus profond, au fur et à mesure que s'égrenaient les minutes. Il était presque minuit lorsque nous avions pris place, et, lorsque les douze carillons d'une église lointaine ont retenti, mes compagnons ont posé sur moi un regard interrogateur, convaincus que quelque chose allait à présent se passer. Et pourtant, nous attendions toujours et je continuais à chercher, à réclamer Éric.

Aigle Gris était à mes côtés, et comme j'avais déjà vécu le même genre d'expérience, j'étais prête à faire preuve de beaucoup de patience.

Un quart d'heure s'est presque écoulé avant que je le voie. Il n'était pas venu seul, mais accompagné. Je me suis dit qu'il s'agissait d'amis et de membres de sa famille. En somme, lui aussi avait amené des invités à la réception. Il m'a saluée d'un sourire et m'a dit que notre présence lui faisait plaisir. J'ai alors remarqué la femme qui se tenait, timide et un peu nerveuse, à ses côtés. Celle que j'avais vue sur l'escalier, Sarah, notre fantôme.

Elle a adressé un geste hésitant à Ruth et Jo.

— Ils ont assisté à ma réception de Noël cette année, et l'an dernier aussi, a-t-elle déclaré d'une voix douce.

Ruth et Jo ont acquiescé quand je leur ai transmis cette information.

60

— C'était la réception de l'entreprise, a précisé Ruth.

— Pas du tout! s'est indignée Sarah. C'était *ma* réception, c'est *ma* maison, vous étiez *mes* invités.

Elle a alors effleuré les cheveux de Jo, avec davantage de douceur et un peu de timidité.

— Il entretenait les feux, a-t-elle dit. Mes cheminées le fascinaient et, toute la soirée, il s'est chargé d'ajouter des bûches. Je le regardais faire. Je l'aime bien. Je suis contente qu'il soit venu ce soir.

Jo l'a écoutée, sidéré, puis il a confirmé qu'elle disait vrai.

— Les cheminées sont magnifiques. C'était un tel plaisir de voir les bûches y brûler! s'est-il écrié.

Puis Sarah a désigné Ruth.

— Je l'ai souvent vue ici, a-t-elle dit, et j'ai souvent assisté à ses conférences. Je la trouve plutôt douée, a-t-elle observé d'une voix pensive.

Ce commentaire a fait rire Ruth, qui a ajouté qu'elle espérait bien que ses patrons se faisaient la même idée d'elle.

Le fait d'avoir été observés alors qu'ils étaient dans le manoir constituait pour eux une révélation – Bill aussi, de même que tous les vigiles qui avaient surveillé la maison. Sarah a évoqué d'autres détails sur leurs allées et venues.

Au bout d'un moment, j'ai pris conscience d'un homme et d'une femme qui se tenaient près de Jo. Aigle Gris m'a appris qu'ils étaient des membres de sa famille, venus lui dire bonjour et

61

lui parler. Cette expérience nous a tous émus, car ces deux êtres du monde des esprits ont raconté des histoires de l'enfance de Jo, très semblable à celle de Bill et tout aussi douloureuse. Jo, en pleurs, a reconnu que sa vie en avait été affectée, qu'il avait eu du mal, adulte, à se débarrasser de sa piètre estime de soi. Mais comme cela se produit souvent lorsque ceux du monde des esprits viennent nous parler, de nombreux points ont été éclaircis, des explications, des excuses avancées. Mais surtout sa famille, ces deux êtres, désolés d'avoir tant blessé Jo lorsqu'il était petit garçon, lui ont transmis leur amour et dit qu'ils étaient près de lui, et ils se sont véritablement réconciliés.

Quelqu'un a tendu un Kleenex à Jo et nous nous sommes tous tamponné les yeux, ravis de l'entendre nous dire qu'il se sentait délesté d'un grand poids.

Soulagée, j'ai regardé une nouvelle fois en direction d'Éric. Il se tenait près de sa sœur, qui semblait à présent sereine. Il n'y avait aucune trace de tension sur son visage souriant et chaleureux, et son regard passait de son frère à moi.

— Il est temps, a dit Éric en lui enlaçant les épaules, avant de désigner le panier d'osier. Sarah aimerait que vous buviez et mangiez avec nous, car nous fêtons sa délivrance de la souffrance, de la maison, du plan terrestre.

Il l'a étreinte, les yeux humectés de larmes, puis il a ajouté :

— Elle vient avec moi.

Il s'est redressé, a inspiré longuement et m'a adressé un sourire.

— Ce sera sa – notre – dernière réception dans cette maison. Vous serez nos derniers invités. Désormais, nous ne reviendrons plus.

Avec un regard vers Sarah, il a chuchoté :

— On rentre à la maison, dans la lumière, dans notre famille qui nous attend.

J'ai fait part de tout cela à Bill, Jo, Ruth et Ellen. Ensuite, pour respecter l'occasion, dignement, nous avons sorti nos sodas et nos crackers du panier d'osier et porté un toast à Sarah, Éric et leur nouvelle vie.

Je l'ai entendue rire, j'ai entendu sa robe bruire contre le parquet sur lequel son frère la faisait valser une dernière fois. Des bribes de musique, du Chopin je crois, flottaient dans l'air. Mais j'étais seule à les entendre, avec ceux du monde des esprits. Son rire a de nouveau fusé, le rire d'une personne pleinement heureuse. Et j'ai su qu'elle était enfin libérée.

Le moment de partir était venu. J'en ai averti les autres. Tranquillement, nous avons rangé les chaises et ramassé le panier. Puis nous avons pris sans bruit la direction de la porte. Nous sommes sortis les uns derrière les autres sans un mot, convaincus que tout ce qui devait être dit l'avait été, tous habités d'un sentiment de paix et de plénitude. La porte refermée, Bill a vérifié l'alarme et tourné la clé, et nous avons regagné nos voitures.

Bill a été le premier à me serrer contre lui, suivi de Jo et de Ruth. Nous avons pris congé, et une petite brise s'est levée... et un son, pareil à une tendre musique dans le vent... et la voix de Sarah... au revoir... au revoir... au revoir... au revoir.

La lune brillait au firmament, nous baignant tous de lumière.


## Karma

Les animaux survivent-ils ?

Cette question fait partie de celles que l'on me pose le plus souvent. Je l'ai évoquée dans *Une longue échelle vers le ciel*, dans le cadre de l'histoire d'un homme revenu du monde des esprits avec deux oies vivantes dans les bras, mais il me semble intéressant de vous raconter d'autres cas.

La réponse est oui. Les animaux, les bêtes de compagnie avec lesquels nous avons entretenu une relation spéciale survivent bien à la mort. Souvent, lors d'une consultation privée ou d'une conférence, je vois des animaux. Ils sont introduits dans la conversation par un membre de la famille ou un ami. Lors d'une signature de mon livre à Danbury, dans le Connecticut, j'ai pu apprendre à une femme que le cheval de course qu'elle adorait et qui était mort un peu plus tôt dans l'année allait parfaitement bien.

Nombre de mes patientes ont bien évidemment perdu des animaux de compagnie. Je pense plus précisément à l'une d'elles. En prenant rendez-vous par téléphone, elle m'a demandé si je pourrais entrer en contact avec sa petite chienne, Susie, qui venait de mourir. Elle ne voulait me consulter que pour cela, car ses chiens représentaient tout pour elle. Ils constituaient sa famille. Lors de la consultation, je ne me suis pas contentée de voir Susie : elle m'est apparue dans les bras de la grand-mère de ma cliente, dans un jardin planté d'arbres et de fleurs magnifiques. Dans ce jardin batifolaient gaiement toutes sortes d'animaux – chiens, chats, lapins, etc. J'ai pu dire à ma cliente que Susie allait souvent gambader dans ce jardin avec ses compagnons et qu'elle était heureuse.

À la suite du décès de son petit yorkshire-terrier, une de mes amies et étudiantes, Joan Carter, a éprouvé beaucoup de peine. Un jour, au début d'un cours, deux ou trois semaines après la mort de l'animal, alors que je levais les yeux du dossier posé sur mes genoux, j'ai vu ce petit chien, l'air tout content, installé sur l'épaule de mon amie, exactement comme il le faisait de son vivant. Joan a été folle de joie quand je lui en ai fait part. Savoir qu'il était en sécurité l'a soulagée en partie de son chagrin.

Sans doute ne puis-je vous offrir de meilleur exemple que ceux concernant la manière dont j'ai perdu, puis retrouvé, mes animaux de compagnie. Faites preuve de patience, car j'ai l'intention de commencer par le commencement !

Karma est mort le 1er juin 1994. Tandis que je l'enterrais au pied d'un énorme rhododendron croulant sous de superbes fleurs blanches, j'ai repensé à notre première rencontre. Elle remontait à quatorze ans. À cette époque, ma fille, Samantha, douze ans et demi, me suppliait de lui offrir un chien, un cavalier King Charles noir et brun clair. Elle avait bien spécifié qu'elle voulait cette race et cette couleur, mais malgré mes recherches, je n'en avais trouvé dans aucun chenil. Et chaque fois que je demandais de l'aide à Aigle Gris, il me montrait l'image d'un petit chiot avec de longues oreilles beiges.

Bon, j'imagine que vous connaissez déjà la suite. La partie paraissant perdue, j'ai appelé le dernier chenil de la liste. Ils ne pouvaient rien pour moi mais en revanche, ils m'ont communiqué l'adresse d'une femme qui proposait parfois des portées. Elle n'avait pas de chenil, mais élevait des chiens à domicile. Ils avaient son nom – Mme Rix – mais pas son numéro de téléphone. Ce nom m'a immédiatement fait penser à une de mes clientes. S'agissait-il de la même personne ? Les chances étaient minces, mais qui ne tente rien n'a rien.

J'ai retrouvé son numéro de téléphone dans mes dossiers et je l'ai composé. La jeune fille qui m'a répondu m'a dit qu'elle était la fille de Marie Rix. Je lui ai demandé s'ils étaient bien les Rix qui élevaient des cavaliers King Charles.

— Oui, m'a-t-elle répondu. Nous venons juste d'avoir une portée. Trois mâles et une femelle.

Je l'ai priée de dire à sa mère que j'étais intéressée et que je rappellerais plus tard. Puis j'ai pris ma respiration pour poser la question dont je connaissais déjà la réponse :

— De quelle couleur sont-ils ?

66

— Blenheim, m'a répondu la jeune fille. Blanc et beige. Marie Rix nous a apporté le chiot de deux semaines un peu plus tard dans la journée pour nous le montrer. Il était si minuscule qu'il tenait dans la paume d'une main. Il gigotait, débordant de vie, et lorsque je l'ai placé d'instinct dans le creux de mon épaule, il s'y est lové et endormi sur-le-champ.

— Nous croyons choisir nos chiens, a souri Marie. Mais en réalité, ce sont eux qui nous choisissent. Je pense, Rosemary, que celui-ci vient de le faire.

Samantha, folle de joie, attendait avec impatience le jour où nous pourrions l'adopter pour de bon. Un mois plus tard, Marie Rix nous a téléphoné pour nous annoncer que nous pouvions venir le chercher, deux semaines plus tôt que prévu.

— Il n'arrête pas d'exaspérer ses sœurs, de leur courir après et de leur chercher des noises, m'a-t-elle avoué. Franchement, je crains qu'il vous rende folles !

Mais je n'étais pas inquiète. Je n'oubliais pas que c'était Aigle Gris qui m'avait guidée vers ce chiot. J'en étais persuadée. Insupportable ou non, les choses devaient être ainsi.

Je l'ai prénommé Karma, d'après le mot hindou signifiant la force générée par les actes d'un être humain ou, comme le diraient certains, la force de vie. Force, énergie, vibration, souffle, quel que soit le mot employé, je sentais que ce petit chiot qui m'était destiné les représentait en partie.

Il allait avoir un an lorsque j'ai décidé qu'il

avait besoin d'un camarade de jeu. Je me suis donc mise en chasse et, cette fois, j'ai trouvé beaucoup plus aisément Jasper, un autre cavalier King Charles. Ils ont sympathisé tout de suite, et pendant trois ans, je les ai observés grandir et jouer ensemble.

Bien que de la même race, leurs différences de caractère étaient stupéfiantes. Jasper était vif et bondissant, toujours prêt à sauter sur mes genoux dès que je m'asseyais, alors que Karma, après ses premiers mois agités, s'était transformé en un petit chien plus sombre, plus calme, plus doux.

Quand Karma et Jasper ont eu deux ans et demi, j'ai su que l'un des deux allait mourir. J'étais en train de parler d'eux à une amie lorsque j'ai eu une vision ou, pour être plus exacte, j'ai vu en image l'esprit de Jasper monter vers le ciel. Cette image m'a bien sûr bouleversée. J'ai demandé à Aigle Gris de m'éclairer davantage, me disant que la mort de Jasper pouvait peut-être être évitée si j'en connaissais les circonstances, mais il ne m'a apporté aucune précision. Ma vision faisait donc partie des choses inévitables de la vie.

Cela ne nous empêche pas de nourrir éternellement des espoirs. Trois mois plus tard, après avoir attrapé et secoué à mort un gros rat dans mon verger, Jasper a failli succomber à une hémorragie. (Nous avons découvert par la suite que le rat avait ingéré un poison.) Je me suis convaincue que cet accident correspondait à l'image que j'avais vue.

Deux mois après, à la suite de tempêtes et de vents violents, une partie de la clôture du jardin s'est déplacée. Un trou s'y est formé, de trop petite taille pour que je le remarque, mais par lequel pouvait passer facilement un petit animal aussi curieux que Jasper. Il s'est enfui sur la route, au moment même où arrivait un poids lourd.

Le chauffeur du camion a freiné mais n'a pu l'éviter. Jasper a respiré assez longtemps pour que je le prenne dans mes bras, que je lui chuchote d'une voix tendre que je l'aimais. Il m'a regardée une dernière fois et j'ai vu ses yeux devenir vitreux. Dans un dernier soupir, il s'en est allé. Le cœur brisé, j'ai pleuré des jours durant. Pendant des semaines, voire des mois, chaque fois que nous entrions dans la maison, Karma se précipitait partout à la recherche de son ami.

Moi aussi, je le cherchais, mais d'une autre façon. Je voulais tenter d'apercevoir Jasper dans le monde des esprits. Il m'a fallu plusieurs mois pour y parvenir, de manière inattendue. Un matin, alors que j'allais me lever, Karma installé dans le lit près de moi, j'ai senti quelque chose de froid et de mouillé sur ma nuque. Je me suis tournée d'étonnement et j'ai vu Jasper, très nettement. Comme il avait l'habitude de le faire, il a enfoncé sa truffe en reniflant dans mes cheveux. J'ai senti son souffle, son odeur, et la réaction de Karma m'a frappée. Il agitait la queue comme un fou et gémissait d'excitation. Pendant une dizaine de minutes, nous nous sommes

69

retrouvés tous les trois, mes « garçons » et moi. Puis, aussi vite qu'il était apparu, mon Jasper s'est volatilisé.

Au fil des ans, il m'est souvent arrivé de l'apercevoir et de constater qu'il allait bien. Je n'ai jamais adopté d'autre chien, même si l'idée m'en est venue à plusieurs reprises. Je sentais que Karma était heureux et, pendant dix ans, il est resté mon unique et fidèle compagnon.

Karma vieillissant, ses membres ont commencé à se raidir, il a développé un souffle au cœur et s'est transformé en une espèce de chose grinçante percluse de douleurs. Mais il est toujours resté, même quand il souffrait, une âme aimante, un tendre petit être.

Je l'ai souvent soigné au fil des ans. C'était, on ne s'en étonnera pas, un petit animal doué de télépathie. Souvent, sans raison apparente, il se redressait et fixait le plafond ou l'un des angles de la pièce. Sa tête se déplaçait brutalement d'un côté et de l'autre, comme s'il suivait un mouvement. Cette habitude énervait les gens qui ne nous connaissaient pas. Je me contentais alors de leur dire en souriant que Karma avait juste un visiteur.

Au cours des derniers mois de sa vie, son état de santé a empiré. Il avait de l'eau dans les poumons et le cœur faible. Tous les jours, parfois plusieurs fois par jour, je le soignais et parvenais à le calmer et à le réconforter. Comme toujours, je sentais le centre de ma paume se réchauffer et palpiter, signe que mon énergie se transmettait à mon petit chien.

Karma n'était pas particulièrement séduisant. Il louchait, il s'était mis à sentir mauvais en vieillissant, et il perdait ses poils par plaques. Mais c'était un petit animal doux et aimant, auquel Samantha et moi tenions beaucoup. Lorsqu'il est tombé malade, j'ai éprouvé une forme de réconfort d'être capable d'adoucir sa souffrance, par imposition des mains, grâce à mon énergie mélangée à celle de Dieu, auquel j'adressais des prières.

Je suis persuadée que, parmi mes lecteurs épris des animaux, nombreux sont ceux qui souhaiteraient être également capables de les soigner et les guérir. D'ailleurs, je ne parle pas uniquement des personnes qui ont des animaux, mais aussi de celles qui ont un être cher qui souffre près d'eux.

Je suis convaincue que nous possédons tous, à un degré ou à un autre, le don de guérir, avec lequel nous naissons. Lorsqu'un enfant tombe et s'érafle le genou, nous le prenons d'instinct dans nos bras, posons doucement la main sur l'endroit où il s'est fait mal et lui disons : « Je vais souffler dessus, ça te fera du bien. » Lorsque nous avons mal à la tête, nous portons d'instinct nos mains à notre front pour nous masser doucement les tempes. Nous possédons une faculté innée de donner — par le toucher, par l'énergie — la guérison. Dans mon prochain livre, je développerai ce sujet et vous montrerai comment il est possible, à l'aide de simples exercices, de développer en partie ce don.

Le jour fatal a fini par arriver. Ce jour que nous

71

redoutons tous, nous qui aimons les animaux. Le moment est venu de prendre une décision définitive, que j'avais demandé dans mes prières de ne pas avoir à prendre. Je n'ai pas été étonnée que Karma soit mourant, car Aigle Gris m'avait prévenue, tout comme pour Jasper, et m'avait même annoncé le mois. Là encore, mon chien m'est apparu lors d'une vision, allongé, comme s'il dormait, dans l'herbe. Le soleil brillait, nous étions au mois de juin.

J'avais eu cette vision un peu moins d'un an plus tôt. En ce début juin par conséquent, il était clair que l'état de Karma empirait. C'était l'heure fatidique. Il ne pouvait plus s'allonger, il avait du mal à s'asseoir, uniquement en s'adossant à un mur. Lorsque je le regardais, ses yeux me suppliaient : « Fais quelque chose, aide-moi. »

J'ai composé le numéro, le cœur lourd comme du plomb. « Comment vais-je faire cela ? » me suis-je demandé. Ceux d'entre vous qui sont passés par cette situation le savent : c'est l'amour qui nous procure cette force.

Je l'ai emporté dans le jardin, je me suis assise dans l'herbe et je l'ai posé sur mes genoux, bien enveloppé dans mes bras. Lorsque la vétérinaire a approché l'aiguille, j'ai failli hurler « Non ! Non ! » l'espace d'un moment d'égarement. Mais je me suis mordu les lèvres et, les larmes aux yeux, j'ai serré encore plus fort mon Karma en lui chuchotant des paroles affectueuses. Je l'ai regardé mourir dans mes bras.

Je n'ai pas entendu la vétérinaire s'en aller. Une amie s'était chargée de la raccompagner.

Un bon moment, je suis restée tranquillement assise, seule, refusant de me séparer de ce petit animal qui avait été mon ami pendant treize années.

Pour finir, je l'ai posé par terre. Il me restait à l'emmener dans son endroit favori, le petit bois où il adorait vagabonder, et à l'enterrer sous le grand rhododendron à fleurs blanches. Je me suis retournée vers lui alors que je me dirigeais vers la voiture. Il semblait dormir paisiblement dans l'herbe, exactement comme dans la vision que m'avait transmise Aigle Gris un an auparavant, et j'ai éprouvé un réconfort. Son heure était bien venue.

La maison était à présent vide. Samantha était partie deux ans plus tôt, et c'était au tour de mon petit chien. Tous les soirs, j'allais me coucher le cœur triste, car en dépit de son odeur et de son pelage miteux dans ses dernières années, Karma dormait toujours près de moi et mon dernier geste, avant de m'endormir, était de le caresser.

Au milieu de la troisième nuit, je me suis réveillée, retournée, et j'ai glissé la main sur le côté du lit pour rassurer Karma d'un tapotement. Je l'ai caressé en murmurant les mots doux habituels : « Tout va bien, mon garçon, je suis ici », « Essaie de t'endormir, je vais te soigner » et « Oui, oui, tu es beau ».

Quelques minutes plus tard seulement, réalisant que Karma n'était plus de ce monde, je me suis réveillée pour de bon. Je me suis assise en sursaut, ma main, celle qui avait caressé Karma, figée en l'air. Et c'est alors que je l'ai vu, assis bien droit sur un côté du lit, comme à son habitude. J'ai tendu le bras et j'ai senti son corps ferme sous ma main et les poils soyeux de sa tête entre mes doigts. Il a détourné à moitié la tête pour me contempler, l'air content. Il avait une respiration forte et régulière, une haleine chaude et agréable.

Une nouvelle fois, je l'ai caressé et je lui ai répété qu'il était mon petit chien adoré. Puis, satisfaite, sachant que mon Karma avait bien atteint le but de son voyage et qu'il était heureux, je me suis rallongée et rendormie.

Est-ce que les animaux survivent après la mort ? Eh bien, comme mon histoire vous le montre, j'y crois, oui.


## Une autre vie

Je suis allongée dans le cercueil, épouvantée. Je hurle en silence et je comprends que mon cri ne s'entend que dans ma tête.

Incapable de respirer, je commence à racler frénétiquement le couvercle des mains. Geste vain, mais que je ne peux m'empêcher d'effectuer, car il est impossible que je meure sans rien faire, même si la mort est descendue sur moi. Je cambre le dos et, grâce au peu de force qui me reste, pousse une ultime fois. Mes ongles raclent une dernière fois le bois, je sens les larmes couler sur mon visage.

Vidée de toute mon énergie, je gis, épuisée. Je

constate que mes ongles sont brisés, la peau de mes doigts arrachée et sanguinolente, mais cela n'a plus d'importance. Plus rien n'a d'importance. Plus d'espace pour crier, plus d'espace pour pleurer, plus d'espace pour respirer, plus d'air, plus d'air, plus d'air... une dernière pensée : ma robe de mariée, à présent toute souillée et ensanglantée aussi. Mon alliance toute neuve, étincelante à mon doigt. Jeune mariée, jeune mariée... enterrée vivante... plus d'air, plus d'air... plus...

Le vide, les ténèbres, le noir, puis la souffrance... encore la souffrance, toujours plus de souffrance. Pourquoi est-ce que je tourne, pourquoi... Une minute... que se passe-t-il? Ligotée à une roue, une roue qui tourne. Les bras écartelés, les jambes aussi. Les poignets et les chevilles étroitement attachés, impossible de bouger. Aidez-moi, mon Dieu. Aidez-moi, mon Dieu. On m'écartèle vivante. Dans ma tête, il n'y a rien que de la douleur, j'ignore comment ou pourquoi. Je suis un homme solide, musclé, grand, mais réduit à la douleur. Je ne suis plus que douleur.

Le vide, les ténèbres, le noir, puis la lumière... mais non, mais non! Je veux ma maman, je veux ma maman. Je hurle, je pleure, obsédée par cette idée fixe. Je veux ma maman. Je ne pars pas sans elle, je ne peux pas. Vous ne pouvez pas m'y obliger, je hurle, puis j'entrevois, l'espace d'un instant, à l'intérieur de la tente à oxygène sous laquelle je gis, une toute petite fille, un tunnel, une lumière et un petit garçon qui m'appelle. Il veut jouer avec moi, mais je ne pars pas sans ma maman, et il peut pas m'obliger, non, il peut pas.

Je le vois se détourner, je l'entends dire que cela ne va pas l'empêcher de jouer quand même. Attends, attends, je veux y aller... et puis la lumière, et les ailes d'anges qui me soulèvent, et les voix d'anges qui m'appellent... elles m'appellent... et à présent, je suis en sécurité, et à présent, je suis en sécurité.

Le vide, les ténèbres, le noir, puis la lumière et je me réveille et désormais, je suis moi.

Je prends mon temps pour ouvrir les yeux. Pour commencer, j'examine mes mains, mes doigts. Mes ongles longs sont intacts, ni brisés ni en sang. Le soulagement m'envahit.

— Ça va ? me demande Mick en me tendant un verre d'eau.

Je le remercie de sa prévenance d'un hochement de tête.

— Je suis revenue, lui réponds-je seulement, laissant entière la question de savoir d'où je viens.

La réponse est simple : d'une transe. Mais qui s'en contenterait ? Ni moi ni vous. Je vais m'efforcer de vous l'expliquer, même si je me demande pourquoi j'ai entrepris ce chapitre, alors même que je le rédige. Mais mon stylo semble presque se déplacer en écriture automatique.

J'ai souvent eu l'occasion de faire l'expérience de la transe, cet état au cours duquel je quitte mon corps afin de permettre à ceux du monde des esprits de l'utiliser, le plus souvent pour révéler leur identité et les conditions dans lesquelles ils sont morts. Je viens de vous raconter brièvement trois de ces transes. Tandis que je vivais ou revivais ces vies, j'étais *vraiment* cette personne, je sentais, réfléchissais, voyais, entendais à sa place. J'allais même jusqu'à dégager *son* odeur.

Quelques-uns de mes amis, comme Mick McGuire, Adèle Campion et d'autres, m'entouraient, ils enregistraient la séance et analysaient mon comportement. Dans chaque cas, c'était moi – ou le sujet – qui exprimait mes – ses – pensées, racontait mon – son – histoire.

« Je suis allongée dans le cercueil, épouvantée. Je hurle en silence et je comprends que mon cri ne s'entend que dans ma tête.

Incapable de respirer, je commence à racler frénétiquement le couvercle des mains. Geste vain, mais que je ne peux m'empêcher d'effectuer, car il est impossible que je meure sans rien faire, même si la mort est descendue sur moi. Je cambre le dos et, grâce au peu de force qui me reste, pousse une ultime fois. Mes ongles raclent une dernière fois le bois, je sens les larmes couler sur mon visage.

Plus d'espace pour crier, plus d'espace pour pleurer, plus d'espace pour respirer... plus d'air... plus d'air... plus d'air... »

Mes amis et moi étions engagés dans ce que nous considérions comme une opération de secours : aider ces âmes qui éprouvent la nécessité de réitérer l'expérience de la mort afin de l'accepter. Le médium – moi, en l'occurrence – quitte son corps et, sous la surveillance et la

77

protection d'Aigle Gris, laisse certaines âmes s'en servir pour exprimer leurs besoins.

La question posée par ce chapitre est la suivante : ces vies sont-elles mes vies antérieures ? S'agit-il d'une espèce d'état de régression, au cours duquel je revis mes vies passées ? Ou ces vies, ces âmes, n'ont-elles rien à voir avec moi et se contentent-elles d'utiliser mon corps comme véhicule de communication ?

Le sujet de la réincarnation a fait l'objet de recherches fouillées. Dans son ouvrage *De nombreuses vies, de nombreux maîtres*[1], le Dr Brian Weiss nous fait effectuer un voyage fascinant au cours duquel sont abordées toutes sortes de possibilités et d'explications.

Bien évidemment, je me suis interrogée à propos de la théorie des autres vies, des vies passées, et il m'est arrivé de me demander si je n'avais pas été jadis princesse ou dame de compagnie d'un splendide et célèbre personnage. Cette idée me fait sourire, car sans vouloir dénigrer le sujet de la réincarnation – vous constaterez en effet que je pense exactement le contraire – le récit que font certains de leurs vies passées m'amuse et m'amène parfois à douter de son authenticité. Comment ne pas m'interroger sur le fait qu'ils n'ont été que fort rarement balayeurs de rues, dames pipi, ou simples quidams ?

---

1. J'ai lu, 1998.

« Le vide... les ténèbres... le noir, puis la souffrance... encore la souffrance... toujours plus de souffrance. Ligotée à une roue... les bras écartelés, les jambes aussi. Les poignets et les chevilles étroitement attachés... impossible de bouger, je ne peux pas bouger. Aidez-moi, mon Dieu. Dans ma tête, rien d'autre que de la douleur, aucun souvenir du comment ou du pourquoi. Je suis un homme solide, musclé, de haute taille, mais réduit à la douleur. Je ne suis plus que douleur. »

Je me rappelle un Australien qui était venu me consulter lors de l'un de mes séjours à Hong Kong. Je garde un souvenir très net de cette séance car, pour commencer, il était si grand qu'il a dû s'incliner pour franchir la porte de mon appartement. La consultation s'était révélée fructueuse. Nous avions établi le contact avec sa famille du monde des esprits, qui avait répondu à ses questions, hormis la dernière. Après m'avoir demandé combien d'anges il y avait près de lui à présent, il avait affirmé, sans même attendre ma réponse : « Six. Au moins six. Ils m'accompagnent tout le temps, vous savez. »

Sans remarquer que j'en restais sans voix, mon patient avait continué. « J'ai vécu beaucoup de vies, vous comprenez. » Je savais qu'il manifestait cette assurance apparente à l'égard de qui voulait bien lui prêter attention. « En fait, j'espérais que vous alliez me guérir. Vous comprenez, j'ai été un centurion romain dans une vie antérieure. Pendant une bataille, je suis tombé et j'ai été piétiné par toute une armée. J'ai eu la colonne

79

vertébrale écrasée, et dans toutes mes vies suivantes, j'ai souffert de terribles douleurs au dos. »

J'ai observé cet homme qui approchait de la quarantaine, cultivé, et j'ai hoché la tête, sachant que ce que j'avais à lui dire ne trouverait aucun écho.

— J'ai bien un conseil à vous donner, ai-je commencé, tandis qu'il se penchait vers moi d'un air impatient. En ce qui concerne vos anges, je ne peux rien faire, car comme je vous dois la vérité, il faut que vous sachiez que je n'en vois aucun. En revanche, en ce qui concerne votre douleur au dos, je peux vous aider. Que vous ayez ou non été un centurion romain n'a aucun rapport avec la douleur que vous éprouvez aujourd'hui. En vérité, vous mesurez presque deux mètres, votre posture est très mauvaise et vous ne faites pratiquement aucun exercice. Rectifiez ces deux problèmes et je vous garantis que vos douleurs disparaîtront.

Mon patient s'en est allé. Quelque part, je savais qu'il s'en tiendrait à ses croyances, car elles apportaient un réconfort et un sens à son existence, par ailleurs terne.

Mais je m'éloigne de ma question de départ. Ces trois expériences que j'ai vécues en état de transe relevaient-elles de mes vies antérieures ou n'avaient-elles rien à voir avec moi personnellement ?

« Le vide... les ténèbres... le noir, puis la lumière... mais non, mais non. Je veux ma maman, je veux ma maman. Je hurle, je pleure, obsédée par cette idée fixe... juste une toute petite fille, un tunnel, une lumière, et un petit garçon qui m'appelle... et puis la lumière... et puis la lumière... et les ailes d'anges... qui me soulèvent... qui me soulèvent... et les voix d'anges... qui m'appellent... elles m'appellent... et à présent, je suis en sécurité, et à présent, je suis en sécurité. »

J'ai la conviction, sur la base de mes conversations avec Aigle Gris, que ces trois expériences que je vous ai décrites, ainsi que bien d'autres que j'ai vécues, n'ont rien à voir avec moi : il s'agissait de visiteurs du monde des esprits, d'âmes en quête de mon aide. Et si cela peut m'arriver lorsque je suis en transe, je pense qu'il en va de même avec d'autres personnes en état de régression, état d'hypnose ressemblant, à bien des égards, à une transe. On aurait tort de conclure qu'une expérience vécue en état de transe a quelque chose à voir avec notre passé. Une entité du monde des esprits, apercevant un véhicule vide (ce qu'est un corps en transe), a la faculté d'utiliser ce corps pour établir un contact avec nous.

Je sais bien que j'ai l'air de rejeter la théorie de la réincarnation, mais il n'en est rien. Au lieu d'utiliser mes propres mots pour vous transmettre mes convictions, je devrais peut-être vous parler des enseignements que j'ai tirés de mon maître, Aigle Gris.

Tout d'abord, nombreux sont ceux qui, lorsqu'ils tentent d'expliquer la réincarnation, évoquent un mécanisme selon lequel nous vivons, mourons, allons vers la lumière, y demeurons un certain temps, revenons, vivons, mourons, allons vers la lumière, y demeurons un certain temps, revenons, vivons, mourons, etc. Syndrome que je qualifie de yo-yo.

Aigle Gris dirait que nous existions, avant même de venir dans le monde terrestre, que nous existons, pendant que nous vivons sur terre, et que nous continuerons à exister après l'avoir quittée. Nous sommes une âme. Comme cela était le cas avant de venir sur terre. Nous avions le choix et nous avons choisi cette vie. À notre mort, des choix se présenteront donc de nouveau à nous. Et, avant d'opter pour l'un d'eux, nous réfléchissons aux besoins de notre âme, car ce voyage a pour objectif de la développer. Lorsque nous pénétrons dans la lumière, nous pouvons décider de rester un certain temps tranquilles, et c'est ce que nous faisons pour la plupart, car cela nous permet de nous focaliser davantage, d'apprendre davantage. Au moment adéquat − ce moment diffère pour chacun d'entre nous − se présente à nous le choix d'aller de l'avant. Certains d'entre nous optent pour un retour sur terre, une réincarnation physique. D'autres, dont je fais partie (et vu mes connaissances limitées, je le dis en ayant conscience que je peux changer d'avis), choisissent d'explorer l'univers, et les innombrables autres univers.

Nous commettons fréquemment l'erreur de penser que notre monde est le seul qui ait de l'importance, alors même que nous savons que notre planète n'est qu'un grain de poussière dans l'immense univers.

Je suis une exploratrice, curieuse des autres, trait de caractère qui m'est utile dans ma profession. Je suis également une voyageuse, j'aime découvrir de nouveaux endroits, vivre des aventures inédites. Forte de mon expérience limitée, je dirais que je préférerais voyager dans l'univers, l'explorer, plutôt que de réitérer une expérience sur la Terre. Mais qui sait ? Dieu seulement, j'imagine.

Entre-temps, je ne m'intéresse pas à mes vies passées, si tant est que j'en ai eu. Je préfère me concentrer sur mon existence actuelle. J'essaie de la vivre pleinement, d'apprendre mes leçons le mieux possible. D'élever davantage mon âme, de faire rayonner ma lumière, de constituer un exemple pour les enfants de cette planète. De m'amuser, d'emplir ma vie de rires et d'amour.

# 2
# LEÇONS ET PERSPECTIVES

> *« Toutes ces leçons,*
> *destinées à nous apprendre. »*

Et nous sommes une âme. CETTE VÉRITÉ, JE LA CONNAIS, CETTE VÉRITÉ, JE L'ACCEPTE. Comme je l'ai écrit dans le chapitre précédent, je pense que chacun de nous a choisi cette vie avant de naître sur cette terre.

Chaque âme a besoin de grandir, d'être éclairée, et si nous avons choisi l'existence ici-bas, c'est en sachant que nous y trouverons de nombreuses occasions de vivre une multitude d'expériences dont nous pourrons tirer des leçons. Si nous décidons de croire que les choses se passent de la sorte — et tel est mon cas — nous nous retrouvons alors confrontés à d'autres choix. Reconnaissons-nous ces leçons, admettons-nous que chaque nouveau jour nous en apporte de nouvelles? Prenons-nous ce qui nous est donné, et essayons-nous de comprendre, d'apprendre, de grandir? Ou fermons-nous les yeux, arpentons-nous le chemin les yeux clos, refusons-nous de considérer la vie comme notre maître, nions-nous que l'âme possède sa lumière, son développement, son édification?

Nous sommes une âme. Et chaque âme doit procéder à son choix. En fait, elle y procède chaque jour, car il nous appartient de décider comment nous vivons au quotidien.

Lorsque je reviens sur des expériences que j'ai vécues, je prends conscience d'un grand nombre de leçons reçues. Dans le chapitre suivant, je vais partager avec vous une partie de ces expériences, et cela me permettra peut-être d'éclairer un peu les vôtres, d'élargir un peu vos perspectives : vous découvrirez peut-être, vous aussi, certaines vérités.

# Viol

Nous étions en 1986. J'étais en vacances avec Richard, mon petit ami. Les dernières vacances que nous passerions ensemble.

Nous avions loué une voiture et l'une des deux villas adjacentes, situées à environ cinq kilomètres du cœur d'une petite ville de Crète. Notre première semaine de vacances avait été idyllique : le soleil, la mer, les bons repas, beaucoup de repos, la compagnie d'un Richard aimable et détendu. Aucune de ces humeurs sombres et de ces crises de colère auxquelles il m'avait régulièrement habituée au fil des derniers mois. Tout se déroulait bien.

Richard était entré dans ma vie environ deux ans après le départ de mon mari. Au début, il était tout ce que je pouvais attendre d'un homme : tendre, prévenant, aimant. Et il plaisait aussi à Samantha, alors âgée de douze ans ! Il était aussi gentil avec elle qu'avec moi. Jusqu'au jour où commencèrent ses sautes d'humeur.

Dès notre arrivée à la villa, nous avons fait la connaissance de nos voisins, des personnes sympathiques, mais qui ne sont restées qu'une semaine. C'est alors que les ennuis ont commencé. Quatre Gallois y ont emménagé. Quatre grands joueurs de rugby. De gros malabars, buveurs de surcroît.

Le premier soir, ils sont rentrés complètement avinés en s'apostrophant bruyamment. Les murs de la villa étaient fins comme du papier. Ce tohu-bohu a duré plus de deux heures.

Le lendemain, alors qu'ils prenaient leur petit déjeuner sur la terrasse, Richard a décidé de leur en toucher un mot.

— Vous avez fait un sacré potin hier soir, leur a-t-il dit sans agressivité, ça m'embêterait de gâcher votre plaisir, mais pouvez-vous mettre un peu la sourdine ? Vous nous avez empêchés de dormir.

— Excusez-nous, mon vieux, bien sûr, a répondu l'un d'eux.

Tard dans la nuit, même scénario. Ils sont rentrés complètement saouls. Et de plus, ils s'étaient donné une mission : nous empêcher de dormir. Ils s'y sont consacrés à fond : coups dans le mur, obscénités lancées à grands cris, rires gras, ils ont fait en sorte que nous ne puissions pas trouver le sommeil.

Les trois nuits suivantes se sont déroulées de façon identique, mais les choses ont empiré. Ils se chamaillaient et se battaient, il y eut des meubles cassés et des bris de verre. Pour finir, ils nous ont menacés de plus en plus bruyamment, sont passés à l'arrière de la villa et ont cogné contre les vitres de la véranda. Nous n'étions pas restés les bras ballants durant ces quelques jours. Nous avions contacté notre agence de voyages pour déménager. Elle avait refusé d'accéder à notre demande. Nous avions exigé que nos voisins soient renvoyés. Sans succès. Notre agence nous avait répondu que tout était complet. Ni les Gallois ni nous n'avions aucun autre endroit où séjourner.

Les habitants de la petite ville étaient au courant de nos ennuis puisqu'ils subissaient les mêmes. Ces types démolissaient les bars et se bagarraient avec les gens du coin. Le propriétaire de l'un des hôtels, navré de ne pas disposer de chambre libre, nous a néanmoins déclaré que, si nous nous sentions en danger, nous pouvions nous rendre dans son établissement, à n'importe quelle heure du jour ou de la nuit, et qu'il nous trouverait un lit.

Chaque soir, la violence et les menaces s'intensifiant, j'ai vu grandir la terreur de ma fille que je serrais contre moi. C'était une adolescente de seize ans plutôt timide. Je l'avais un peu surprotégée du fait de l'absence de son père, et je ne supportais pas de voir son désarroi. Le dernier soir, j'ai eu peur moi aussi lorsque nous avons rassemblé nos affaires en hâte et nous sommes précipités vers la voiture pour être en sécurité. Samantha, épouvantée, sanglotait dans mes bras.

À notre arrivée à l'hôtel vers 3 heures du matin,

on nous a donné une chambre. Samantha était terrifiée. J'ai eu du mal à la calmer. Elle a fini par s'endormir. Quant à moi, malgré tous mes efforts, je ne parvenais pas à trouver le sommeil. Je luttais. J'étais furieuse, sans doute comme je ne l'avais jamais été de ma vie. J'avais envie de détruire ces hommes à cause du mal qu'ils infligeaient à mon enfant. J'imaginais qu'il leur arrivait des tas de choses horribles et je n'avais qu'une idée en tête : me venger.

L'enseignement d'Aigle Gris a pourtant pris le dessus. Je savais parfaitement que j'avais tort d'éprouver de tels sentiments. Nous ne possédons rien de plus puissant que nos pensées, et j'avais conscience d'avoir la faculté de les transformer en arme redoutable, de la même manière dont j'avais fait appel à mon énergie pour soulever le vent en Égypte, comme je l'ai raconté dans *Une longue échelle vers le ciel*. Dans cet état de colère, j'étais également capable de rassembler mon énergie pour accomplir le mal. Si je focalisais toutes mes pensées négatives sur ces hommes, ils en pâtiraient affreusement. Durant toute cette longue nuit, j'ai eu envie de leur faire du mal. Ils avaient blessé mon enfant.

Mais l'enseignement d'Aigle Gris est solide. Au fil des ans, il m'avait appris que toutes les pensées que je déverserais dans l'univers, positives ou négatives, me reviendraient démultipliées. Par conséquent, si j'envoyais des pensées blessantes et destructrices, je me ferais du mal à moi-même. Je disposais donc là d'une raison suffisante pour ne pas chercher à me venger. Mais il existait une autre raison de contrôler mon énergie mentale, que j'avais apprise au fil du temps : l'importance de la tolérance et la mise en œuvre, lorsque cela est possible, de la paix et de l'harmonie. Seuls Dieu et l'univers sont capables de porter un jugement exact.

J'étais donc là à me battre mentalement entre la bonne et la mauvaise attitude. J'étais consciente que chaque acte a des conséquences, je luttais pour créer un équilibre de paix et d'harmonie en moi, je faisais appel à Dieu pour m'aider à trouver la lumière et j'échouais sans cesse.

Le jour a fini par se lever. Lorsque je suis descendue prendre mon petit déjeuner, mes idées étaient toujours aussi embrouillées. J'avais l'impression d'avoir mené une bataille contre mon diable intérieur, et j'étais encore déchirée. Je savais que j'avais tort d'être en colère, que cela faisait autant de mal aux autres qu'à moi-même, et j'essayais toujours de me dominer.

Pour des étrangers, nous avions l'air d'une gentille famille en vacances comme les autres. Aucun de nos tourments n'était visible durant ce petit déjeuner. Mais en observant ma fille, si calme et réservée, la colère m'a de nouveau submergée. Richard a réagi comme moi. Il nous a suggéré de rester à l'hôtel pendant qu'il irait chercher d'autres affaires à la villa, dont nous allions avoir besoin les jours suivants. D'une voix tranquille, pas du tout teintée de colère, sans trahir ses véritables intentions. Mais je savais bien qu'en réalité, il voulait avoir une confrontation avec ces hommes.

— Je vais t'accompagner, lui ai-je dit. Samantha peut rester seule ici avec le personnel de l'hôtel pendant une heure. J'ai un ou deux trucs à
prendre.

Richard ne voulait rien entendre. Il a fallu
que j'insiste lourdement et menace de le suivre
en taxi pour qu'il finisse par accepter de m'emmener.

Nous sommes arrivés discrètement à la villa.
Un des Gallois avait étendu une serviette sous la
véranda et s'apprêtait à prendre un bain de soleil.
En nous voyant, il est rentré dans la maison.

Nous avons monté les marches de la villa. J'ai
ouvert la porte, Richard m'a poussée à l'intérieur
et l'a claquée derrière moi. Je savais où il se rendait, et je m'attendais à ce qu'il se retrouve face à
quatre joueurs de rugby prêts à le tabasser.

J'ai fouillé frénétiquement pour trouver une
arme dans la villa. Mon regard est tombé sur le
pied du parasol que nous avions acheté quelques
jours auparavant. Il mesurait environ un mètre
et était très solide. Je l'ai saisi et je me suis
précipitée dehors. De l'arrière de la villa, j'ai
entendu Richard crier. Il leur hurlait de sortir.

— Sortez et battez-vous comme des hommes !
Vous avez menacé ma famille ! Vous ne vous en
tirerez pas comme ça !

J'ai contourné l'arrière des deux villas pour le
rejoindre, en passant devant les fenêtres de leurs
chambres. Le plus costaud d'entre eux feignait de
dormir sur son lit. Toutes les portes de la maison
étaient ouvertes. Richard était tellement furieux
qu'il n'a même pas remarqué que je passais

93

devant lui pour gagner l'avant de la maison. J'ai regardé par la porte d'entrée. L'un des gros costauds se tenait juste à l'intérieur, face à Richard. Je voyais d'un bout à l'autre de la maison dont les portes-fenêtres étaient grandes ouvertes. J'ai entendu Richard hurler : « Sortez tous ! » Mais celui qui se trouvait dans la cuisine n'en a rien fait.

Le pied de parasol bien serré dans la main, j'ai bondi dans la cuisine. J'oubliais tous les dangers.

— Alors, me suis-je entendue l'apostropher d'une voix glaciale, il est trop balèze pour vous ? Et moi ? Je suis plus petite et plus faible que vous, juste comme ça vous convient à tous.

Froidement déterminée, j'ai levé le bâton, prête à me battre. C'est alors que Richard, constatant que je m'étais vraiment mise en danger, est entré comme un fou dans la pièce. L'homme, rapide comme l'éclair, a foncé dans la chambre où j'avais vu son copain somnoler et a claqué la porte dans son dos.

— Viens, m'a dit Richard. On leur a dit notre fait. Ça ne sert à rien de traîner ici.

Mais nous ne leur avions pas dit notre fait et ça ne me suffisait pas.

— Non ! ai-je répliqué.

Le pied du parasol bien serré dans les mains, j'ai foncé vers la chambre et ai découvert un spectacle pathétique. L'homme que j'avais affronté était étendu sur son lit, dégoulinant d'huile de bronzage. L'autre, ce gros lard, le dos tourné, faisait semblant de dormir sur l'autre lit.

D'un geste calme, très calme, j'ai levé le bâton

94

et l'ai fait retomber sur le lit où était allongé « huilette ». Je me suis exprimée d'une voix calme, mais énergique. À plusieurs reprises, d'un côté du lit, puis de l'autre, j'ai donné des coups de bâton près de l'homme qui se tortillait, les muscles tressaillant de peur. J'avais les mots d'une mère défendant son petit, en révolte contre le viol. Le gros tas de lard n'a pas bougé jusqu'à ce que je lui donne un coup de bâton dans le dos.

— Et toi ? ai-je dit. Toi, le trouillard sans nom ? Je sais bien que tu ne dors pas. Qu'est-ce que tu réponds ?

Lentement, il a roulé sur lui-même pour me regarder droit dans les yeux. Je lui ai rendu son regard sans tressaillir, et je lui ai dit que, toute sa vie de brute minable, il ne m'oublierait jamais, car il ne pourrait pas effacer de sa mémoire une femme qui l'avait regardé de haut. Il a baissé les yeux et s'est retourné dans l'autre sens.

J'ai reporté mon attention sur l'autre. Une fois de plus, j'ai abattu le bâton de toutes mes forces en lui disant qu'on ne pouvait pas s'en tirer comme ça quand on épouvantait ma fille et que lui non plus ne m'oublierait pas jusqu'à la fin de son existence, que jamais plus il ne pourrait tyranniser personne sans revoir mon image et savoir qui il était.

La dernière fois que j'ai abattu le bâton, j'ai entendu la voix d'Aigle Gris, calme et douce, à mon oreille :

— Vous pouvez faire ça, mon enfant, mais ne

le touchez pas, ne lui faites pas de mal, car vous n'en ferez qu'à vous-même.

Quelques jours plus tard, la police est venue arrêter ces quatre hommes pour les expulser de l'île. Deux d'entre eux avaient un bras cassé, l'autre la clavicule. Ils étaient tous couverts de bleus et d'hématomes. Les autochtones en avaient eu par-dessus la tête et avaient fini par leur donner une correction.

Je n'ai pas pu m'empêcher de me dire que, pour une fois peut-être, justice avait été rendue.

Et j'ai entendu la voix d'Aigle Gris, calme et douce, à mon oreille :

— Vous pouvez faire ça, mon enfant, mais ne le touchez pas, ne lui faites pas de mal, car vous n'en ferez qu'à vous-même.

En général, quand on prononce le mot « viol », on pense automatiquement à « viol physique », au viol d'un enfant, au viol d'une femme, expérience tellement épouvantable et traumatisante qu'elle ne peut être comparée à aucune autre, car cet acte n'implique pas uniquement une terrible violation du corps, mais également de l'esprit et de l'âme. Mais il ne faut ni oublier ni minimiser le viol de l'esprit, que nombre d'entre nous subissent souvent. Les auteurs de cet acte, loin d'être de violents criminels, mais pour la plupart des gens ordinaires, ne manqueraient pas de lever les bras au ciel à la simple idée qu'on songe à les traiter de violeurs.

Et pourtant ils en sont bien, car tout geste

accompli pour nous dépouiller de notre propre valeur, de notre amour-propre et de notre assurance est un acte de viol. Et, dans ce viol-là, nombre de victimes sont consentantes : des personnes qui n'ont déjà qu'une piètre opinion d'elles-mêmes, qui ne s'accordent aucune valeur, qui pensent ne pas mériter autre chose.

De nombreuses années durant, j'ai été une victime consentante puisque mon éducation m'avait appris à croire que je n'étais rien du tout. J'ignorais totalement la signification du mot amour-propre et, devenue adulte, je me suis laissé abuser. J'entends par là que je n'ai rien fait pour empêcher que l'on ne m'abuse. Comme beaucoup d'autres femmes, je me suis dit après mon divorce que je ne laisserais plus jamais personne se servir de moi, et j'ai fait exactement le contraire. Je n'ai jamais été battue physiquement, mais j'avais des bleus à l'âme.

Richard était un homme bon. Sous bien des rapports, aimant et prévenant. Mais il était de plus en plus souvent d'humeur sombre. Une double personnalité, un véritable Dr Jekyll and M. Hyde. L'être le plus affable et le plus câlin, capable de se transformer, en une seconde et sans raison apparente en ogre. J'ai fini par ne plus pouvoir le supporter.

C'était la dernière fois de mon existence que je ne réagirais pas et me laisserais traiter en victime. D'une certaine façon, je n'avais pas vécu pire situation depuis les sévices subis dans mon enfance ; d'une autre façon, je n'en avais pas vécu de meilleure...

Dix jours avaient dû s'écouler depuis l'incident avec les Gallois. Nous avions réussi à déménager dans une autre villa, dans la montagne, et avions noué de bonnes relations avec ses propriétaires. Ils nous ont invités à un barbecue. Comme il s'agissait d'une fête à caractère sacré, tout le village y était convié. Sur des tréteaux dressés au milieu des bosquets d'oliviers nous attendaient de délicieuses salades grecques et du bon pain croustillant. Des agneaux entiers rôtissaient lentement.

Au début, j'avais pensé refuser cette invitation. Cela faisait six mois que mes règles me faisaient souffrir. Mon cycle menstruel était complètement sens dessus dessous et mes saignements duraient des semaines. Une fête en plein air me semblait très peu appropriée à mon état.

Richard a pourtant insisté.

— Je pourrai te ramener ici, m'a-t-il dit. On reviendra autant de fois qu'il le faudra, si tu en as besoin. Tu n'as pas à t'inquiéter.

Craignant malgré tout ses sautes d'humeur, je lui ai fait promettre qu'il ne ferait pas d'histoires, et j'ai obtenu gain de cause.

De pénétrants parfums flottaient dans l'air tiède de la nuit. De jolies filles à la peau olive et de beaux garçons aux yeux noirs chantaient et dansaient. Les vieilles femmes regardaient leurs époux danser avec les jeunesses en claquant des mains pour marquer le rythme. Samantha, ravie de bien s'amuser, dansait avec les plus jeunes des filles.

Au bout d'une heure, Richard m'a suggéré de faire un tour à la villa pour me rafraîchir. Ravie de sa prévenance et de sa bonne volonté, j'ai acquiescé et, après avoir vérifié que tout se passait bien du côté de Samantha, nous nous sommes dirigés vers la voiture. Notre villa ne se trouvait qu'à cinq minutes de là.

Nous nous étions garés le long d'un fossé, à l'intérieur du bosquet d'oliviers dont il nous fallait sortir. Pendant que nous attendions que la voie se dégage pour tourner à droite, il a brutalement changé d'humeur.

— Saloperie d'embouteillages ! a-t-il hurlé. Ils s'imaginent qu'on a toute la nuit ?

Sur ce, il a tourné violemment vers la gauche.

Les ennuis commençaient. Je l'ai supplié d'effectuer un demi-tour pour regagner la villa, mais au lieu de me répondre, il a continué à lancer des jurons. Au bout de cinq kilomètres à peu près, il s'est garé sur le bord de la route et a éteint le moteur.

— Voilà, m'a-t-il dit. Tu peux faire ça ici.

Je l'ai regardé, horrifiée, sachant qu'il le pensait vraiment. Vu mon état, j'avais toujours des tampons, des serviettes hygiéniques et des Kleenex sur moi, mais quand même ! Je n'arrivais pas à le croire.

Refoulant mes larmes, je l'ai à nouveau supplié de me reconduire à la villa.

— Je ne peux pas me changer ici, ai-je argumenté. C'est une route très passante. Richard, je t'en prie, ramène-moi à la maison.

À mon grand soulagement, il a rallumé le

moteur, mais ce répit n'a pas duré longtemps. Au bout de quelques dizaines de mètres, il s'est engagé sur une petite aire de parking, a coupé le moteur et est descendu de la voiture.

— Point final ! Je ne bougerai plus, alors monte derrière et arrange-toi.

D'autres véhicules étaient garés là. Accroupie à l'arrière du nôtre, j'ignorais si on pouvait ou non me voir. Je n'ai pas osé allumer la lumière intérieure et j'ai obéi à Richard. En tâtonnant dans le noir, sans savoir vraiment ce que je faisais, je me suis déshabillée et changée, avec la sensation d'être toute poisseuse et pleine de sang.

De temps en temps, Richard passait la tête par la vitre pour m'insulter, me traiter de salope et de pire encore, et m'ordonner de me presser. Je lui ai répondu une fois sur le même ton. J'entends encore mon cri. Je le haïssais de me rabaisser ainsi, et je me haïssais encore davantage de m'être transformée en cette espèce de chose dégoûtante et servile.

Dès que j'en eus terminé, j'ai repris ma place sur le siège avant. Dans le noir, j'ignorais si mes sous-vêtements étaient tachés ou mes mains maculées de sang. J'avais besoin de me laver, et pas seulement les mains. J'éprouvais la nécessité de me purifier.

Nous avons regagné le bosquet d'oliviers sans prononcer un mot. Richard n'a repris la parole que lorsque nous sommes redescendus de la voiture pour rejoindre notre groupe d'amis. Il m'a prise par la main et m'a suppliée de lui pardonner d'une voix désespérée.

— Je sais que cette fois c'est fichu, je suis allé trop loin...

J'étais trop engourdie pour répondre. Je n'avais plus qu'une idée en tête : ne pas gâcher la soirée de mes amis et de ma fille. Comme nous sommes tous capables de le faire dans de telles situations, j'ai affiché un air décontracté et personne n'a rien deviné.

La dernière danse est arrivée. Tout le monde allait y participer. Richard m'a tendu les bras. Si je refusais, Samantha décrypterait tout de suite mon attitude. Il m'a donc étreinte, m'a serrée contre lui et m'a chuchoté à l'oreille qu'il était navré et qu'il m'aimait. L'air était toujours aussi parfumé et la nuit propice au flirt et à l'amour. Ma haine, celle que je ressentais pour lui et pour moi, s'était envolée, car elle était trop puissante, trop dévorante, et m'aurait anéantie.

J'ai senti ses bras se refermer encore, ses lèvres dans mes cheveux... et des images me sont passées dans la tête comme un éclair. J'ai entendu la voix de mon ex-mari, je me suis vue sortir nue de la baignoire, humiliée, essayer de me couvrir pour échapper à son regard baladeur. J'ai entendu ses paroles, vu son visage ricaneur : « Je ne vois rien, absolument *rien* de séduisant chez toi. »

Une autre image. J'avais presque quinze ans. C'était le matin. Je portais un pyjama dont la veste était ouverte sur un tee-shirt. J'avais apporté une tasse de thé à ma mère et, la croyant endormie, je m'apprêtais à ressortir. D'un grognement, elle m'a fait signe de me rapprocher

101

du lit. Puis elle a tendu la main à une vitesse inouïe pour saisir mon tee-shirt. Elle l'a soulevé et a contemplé ma poitrine encore plate d'un regard débordant de mépris. Elle a ronchonné, lâché mon tee-shirt et m'a fait signe de sortir. Je me suis enfuie, brûlant de honte et d'humiliation.

Ces images me sont venues dans les bras de Richard.

Une autre image. À présent, je suis petite. Peut-être âgée de quatre ou cinq ans. Dans mon sommeil, je place la main entre mes jambes, et comme le font sans doute toutes les petites filles, mais je l'ignorais à l'époque, je me caresse. Je me réveille et la peur m'empoigne, je sais que mon père est rentré. Je me vois debout, minuscule, la tête baissée, j'entends la voix de mon père :

— Lève les mains pour que je puisse sentir tes doigts.

Je sais qu'il va sentir quelque chose, je sais qu'il va me battre parce que je suis tellement sale... c'est ça qu'ils me disent... c'est ça qu'ils me disent... ils doivent avoir raison... c'est ça qu'ils me disent.

Je sens ses bras qui m'enlacent, si tendres, si aimants, et au milieu de ce bosquet d'oliviers, une solitude infinie emplit mon âme. Ma résolution est prise : On ne me violera plus, plus jamais je ne me laisserai violer passivement.

En rentrant en Angleterre, j'ai rompu avec Richard et entamé une relation avec moi-même.

Cela paraît facile. Les mots paraissent faciles. Pourquoi est-ce si difficile ? Parce que nous devons nous débarrasser de vieux démons. Parce que nous devons nous regarder en face. Faire preuve d'honnêteté.

En réalité, nous avons tous été victimes, consentantes ou non, à un moment donné de notre vie. Pire encore, nous avons tous occupé, à un moment donné, le rôle du violeur : cette réalité, nous devons la regarder sans détour si nous voulons entretenir une bonne relation avec nous-mêmes. C'est difficile à admettre, et la plupart d'entre nous commencent par le nier. Pourtant, il s'agit d'un fait avéré. Lorsque nous sommes en colère, nous donnons des coups, nous blessons, nous « prenons ». Parfois, lorsque nous faisons une plaisanterie aux dépens d'un tiers, nous lui dérobons quelque chose.

Au cours de ma vie, la colère et la frustration m'ont poussée à dire beaucoup de choses. Je ne suis pas toute blanche. J'ai un bon fond, mais je ne me suis pas toujours montrée irréprochable. Je n'ai pas un casier vierge. Il m'est arrivé de donner des coups, sans raison valable, même si je me suis accordé à l'époque quelques bonnes excuses. Lorsque deux êtres se disputent violemment, chacun peut être, selon le point de vue que l'on adopte sur leur altercation, considéré comme la victime ou le violeur, car chacun prend quelque chose à l'autre et réciproquement.

Dans le domaine des convictions, qu'elles soient d'ordre religieux, politique, éducatif ou professionnel, personne n'a jamais entièrement tort ou raison. Quiconque essaie d'imposer ses convictions par la force à un tiers veut dépouiller cette personne de ce qu'elle estime juste. Lorsque je suis parvenue au point de ma vie où ma relation vis-à-vis de moi-même comptait davantage que celle à l'égard des autres, j'ai compris que je devais procéder à une auto-analyse sans concessions. Je devais découvrir celle que je m'étais laissée devenir.

Il n'est pas facile de se regarder en face, et j'aurais pu me donner de sacrés coups de bâton sur la tête. Mais Aigle Gris m'a enseigné à faire preuve de bonté envers moi-même, si bien que cette entreprise s'est révélée moins ardue qu'elle ne paraissait au premier abord. J'ai découvert que j'avais honte de nombreux événements de ma vie. Il ne s'agissait d'aucun acte véritablement malveillant, mais de nombreux gestes que je pouvais me reprocher, d'attitudes qui me procuraient un sentiment de gêne car, en la circonstance, j'avais tenu le rôle du violeur. Cependant, l'un de ces actes se détache des autres.

Cela s'est passé il y a bien longtemps, presque trente ans. Je n'avais pas encore vingt et un ans. J'avais été souffrante au point de frôler la mort. Mon chirurgien avait découvert que j'étais née avec un rein défectueux et que j'étais depuis toujours, à mon insu, malade.

Quelques semaines après être sortie de l'hôpital, je suis allée rendre visite à mes parents en compagnie de mon ex-mari. Mes sœurs étaient venues également. J'ignore si c'est à cause de ma maladie, mais après le déjeuner, nous avons placé nos chaises autour de la cheminée et entamé une

104

conversation d'une force rare. Mon père, d'humeur tout à fait inaccoutumée, a abordé le sujet de ma maladie. Lorsqu'il a évoqué la douleur et l'inconfort que j'avais dû ressentir, petite, dans le dos et les reins, sans que personne s'en aperçoive, on sentait, entre les mots, la culpabilité que lui inspirait son comportement paternel.

J'étais assise face à lui, tout près. Sans réfléchir, j'ai prononcé ces paroles que j'allais regretter jusqu'à la fin de mes jours :

— Oui, ai-je dit. Sans compter tous les coups que tu m'as donnés alors que j'étais déjà tellement souffrante.

J'avais parlé en le regardant fixement dans les yeux. Je n'aurais pas obtenu pire effet si je lui avais assené un coup de poignard en plein cœur. Il a frémi et son visage a blêmi sous le choc. Mais c'est son regard que je n'oublierai jamais. Je l'avais profondément blessé, il saignait, et la souffrance, l'immense souffrance que je venais de lui infliger s'y lisait ouvertement.

J'ai raconté cette anecdote à plusieurs reprises et, chaque fois, j'obtiens la même réaction, surtout de la part des lecteurs de mon premier livre.

— Vous aviez tout à fait le droit de faire ça. Vu ce qu'il vous avait fait. Il le méritait.

En toute honnêteté, j'ai eu honte, une fois ces paroles prononcées, à la vue de la réaction de mon père. Profondément honte d'avoir fait cette réflexion, car je me suis rendu compte, en cet instant, de sa vulnérabilité. Il essayait, à sa manière, de me présenter des excuses, et alors qu'il tendait la main vers moi, je m'en étais prise

105

à lui. Du coup, je ne valais pas mieux que lui, lorsque jadis, il s'attaquait à la petite fille vulnérable que j'étais.

On peut me fournir tous les arguments qui me permettront de me justifier, on ne me convaincra pas que j'ai eu raison. J'ai saisi l'occasion d'achever quelqu'un qui était déjà à terre. Je savais que cette attitude était indigne de moi. J'ai une âme généreuse et j'ai rejeté mon père, je me suis privée moi-même de la bonté nécessaire à sublimer et éclairer l'âme.

Je ne peux ni annuler mon geste ni effacer mes paroles. Je ne peux pas adoucir le chagrin de mon père, le chagrin que j'ai causé. Je peux uniquement affirmer que, la compassion m'ayant fait défaut, je dois tout faire pour en montrer davantage. Car si je refuse d'être une victime consentante, je dois tout autant me garder d'être une violeuse.

## « On t'aime plus »

L'une des leçons évidentes du chapitre précédent, c'est qu'en blessant les autres nous nous blessons nous-mêmes. Je vais à présent essayer de démontrer comme il est facile, par le biais d'actes et de pensées négatifs, de causer du mal, non seulement aux autres ici-bas, mais aussi à ceux du monde des esprits.

Nous étions vendredi, jour où se tient le cours du soir de mon association de guérison. Une dizaine d'étudiants étaient réunis autour de moi. Comme à l'ordinaire, je n'avais rien prévu de précis. Je savais qu'un guide m'inspirerait, en la personne d'Aigle Gris. Tandis que nous attendions, mes élèves et moi, mes sens, toujours à l'affût, m'ont appris que nous avions des visiteurs.

Au début, je les ai entendus entrer tranquillement dans la pièce en chuchotant entre eux. Puis je les ai aperçus, un par un, jusqu'à ce qu'ils forment un petit groupe compact. Des enfants, dont l'âge allait de quatre à dix ou onze ans environ. Ils étaient une vingtaine. L'un d'eux, un garçonnet d'environ sept ans, s'est avancé d'un pas. Je me suis doutée qu'il allait être leur porte-parole et notre maître pour la soirée.

Tout au long de ladite soirée, il n'a pas plus que les autres décliné son nom. Il estimait manifestement que leur identité ne présentait aucune importance pour nous. En revanche, il était essentiel que nous les écoutions.

J'ai transmis à mes étudiants ce qui se passait, puis nous avons attendu. Les enfants nous préviendraient quand ils seraient prêts à commencer.

Le garçonnet s'est rapproché. J'ai perçu son énergie et j'ai compris d'instinct qu'il voulait communiquer. En de telles circonstances, je dois souvent entrer en état de transe pour permettre à l'être du monde des esprits d'utiliser mon corps ; cela aboutit souvent à des résultats étonnants, car cette forme de fusion, d'union abolit toutes les barrières.

Le garçonnet a continué de se rapprocher. En définitive, nous n'allions pas communiquer par le

biais de la transe, mais par ce que je ne peux définir que comme une osmose mentale. C'est différent de la télépathie, dans le sens où chaque pensée et chaque sentiment sont échangés. Je suis
presque devenue ce petit garçon, et au fur et à
mesure que ses propos emplissaient mon esprit,
je me suis complètement détendue et unie à lui
de telle sorte que ses mots se sont déversés avec
fluidité par ma bouche, sans que je leur oppose la
moindre résistance. Dans ces cas-là, mes mouvements sont très ralentis et mon corps se fige au
point qu'un observateur inexpérimenté pourrait
se dire que je suis endormie. Mais mon esprit
est parfaitement éveillé. Cette fusion atteinte, le
cours a commencé.

— T'étais en train de faire le ménage, on t'a
vue, dehors, dans la serre. T'avais une serpillière
et un baquet d'eau, et tu récurais.

C'était une affirmation, non une question, lancée par le garçonnet à l'une des étudiantes, Pat
Mason. Elle a pris un air embarrassé, tout en
acquiesçant de la tête. Manifestement, elle se
demandait à quoi ces commentaires allaient
mener.

— Tes filles, Jenny et Helden (les filles adoles-
centes de Pat), sont entrées, a poursuivi le petit
garçon. Elles voulaient juste te parler. Tu leur as
hurlé dessus et crié de dégager. T'avais pas envie
de récurer et de nettoyer. T'étais de mauvaise
humeur, mesquine. On t'a vue, on t'observait, et
tes filles aussi... et on t'aime plus.

Tandis qu'il affirmait cela, le groupe d'enfants

s'est resserré autour de lui en opinant de la tête. Ils étaient d'accord.

De saisissement, Pat a baissé la tête. Une larme a coulé sur sa joue. Honteuse, elle n'a rien répondu.

Sans transition, le petit garçon s'est alors approché de Betty, une autre de mes élèves.

— T'étais en train de décorer la chambre. On t'a regardée faire, avec ton mari. Il est gentil. Vous travailliez tous les deux très dur. Vous étiez assis par terre. Quelque chose clochait et t'as piqué une crise de rage. Tu lui as hurlé dessus et tu lui as dit que c'était de sa faute, alors qu'il y était pour rien. T'as été mesquine avec lui. On t'a vue, on te regardait, avec ton mari... et on t'aime plus.

Betty, qui avait porté la main à sa bouche de suffocation durant cette diatribe, a opiné de la tête, car elle se rappelait effectivement son comportement. Elle éprouvait un choc d'avoir été vue et entendue.

Il est ensuite passé à Joan, à qui il a raconté comment un petit incident l'avait incitée à ronchonner et à se plaindre. Une fois de plus, il a répété :

— On t'a vue, t'as été vilaine... et on t'aime plus.

Au cours des quarante minutes suivantes, chacun de mes élèves a reçu un message de ce petit garçon. Chacun a réagi à sa manière, mais tous avaient honte. Peter Boulton, président de notre association de guérisons, *The Rosemary Altea Association of Healers* (RAAH), était également

109

présent dans la salle ce soir-là. Tout comme les autres, il a été confronté au fait qu'au cours de la semaine précédente il ne s'était pas conduit correctement, mais méchamment et avec indélicatesse, à l'égard d'une personne chère.

Sans répit, au fil de la soirée, nous avons entendu le petit garçon répéter : « On t'a vu(e), on te surveillait, et eux aussi, et t'as été méchant(e)... et on t'aime plus. »

Pendant qu'il transmettait le dernier message, j'ai constaté que tous les enfants s'étaient rapprochés de moi. Ils hochaient tous la tête et affichaient une mine sombre. Déception et tristesse émanaient d'une partie d'entre eux.

Je les ai tous regardés et j'ai demandé au petit garçon :

— Et moi ? Qu'est-ce que vous avez à me dire ?

Il a souri, pour la première fois, et les autres l'ont imité.

— Rien, a-t-il répondu. La leçon est pas pour toi. Car tu fais partie de ceux qui nous voient, qui savent qu'on est là. Quand tu cries, quand tu hurles, quand t'es vilaine, tu vois qu'on t'observe et tu t'en rends compte. On te voit, on t'observe et on t'entend te dire... je ne m'aime plus.

Le silence régnait dans la salle. Chaque élève réfléchissait à ce problème, à la fois honteux et luttant contre le chagrin d'avoir été dévoilé et d'avoir fait de la peine à ces enfants. Aucun de nous n'a demandé pardon, car nous savions tous que « pardon » n'est qu'un mot.

Cependant, nous éprouvions tous de la reconnaissance malgré notre honte et notre peine.

Cette leçon était dure à avaler, mais nous nous battons pour apprendre et apprécions cet enseignement, indépendamment de la forme qu'il prend. Mais davantage encore, nous remercions nos maîtres du monde des esprits qui nous accordent assez d'attention pour mettre davantage en lumière le comportement des êtres humains.

Vous devez à présent comprendre que tous ces élèves sont des guérisseurs — en tout cas, potentiels —, des êtres ayant emprunté un chemin spirituel, qui ont voulu suivre un enseignement, comprendre l'immense responsabilité que portent les guérisseurs. D'où la raison pour laquelle il leur arrive de recevoir de rudes leçons — en apparence, du moins.

Si je m'étais contentée de m'asseoir parmi eux et de leur raconter que ceux du monde des esprits nous observent et sont affectés par nos actes, sans qu'ils aient d'abord vécu cette expérience avec ce groupe d'enfants attristés par notre comportement, mes élèves auraient été moins émus. La leçon est d'autant plus profitable, son impact d'autant plus grand qu'elle est donnée de la sorte, d'une manière qu'ils n'oublieront jamais.

Nous appartenons à l'univers. L'univers, c'est nous. Indivisible, inséparable, un. Nos actions suscitent des réactions. Et chacun d'entre nous, chaque individu, est responsable de ses actions.

À mon avis, Dieu n'exige pas que nous nous conduisions comme des surhommes. L'univers comprend et accepte nos erreurs et nos

111

faiblesses. Si nous nous montrons parfois méchants, parfois en colère, agacés, agités et agressifs, ceux appartenant à l'univers poseront sur nous des regards emplis de tristesse, mais aussi d'une vive compassion et de compréhension à l'égard de notre fragilité bien humaine. Mais nous devons aussi savoir, ne pas oublier qu'en ces instants-là l'univers tremble un peu, s'assombrit, car nous en faisons partie. Lorsque nous agissons avec mesquinerie, l'intensité de notre lumière, de notre esprit, baisse légèrement, si bien que l'univers, et notre âme, perdent un peu de cette lumière.

L'inverse est cependant exact. Lorsque nous accomplissons un acte de bonté, de gentillesse, de joie, notre lumière, notre moi spirituel s'éclairent davantage et brillent, tel un phare, à travers l'univers. Alors l'univers tressaille, absorbe cette lumière gaiement et s'éclaircit.

Les enfants du monde des esprits sont venus à nous ce soir-là par bienveillance. C'était Aigle Gris qui les avait choisis. Ils ne se sont pas portés volontaires parce qu'ils ne nous aimaient pas vraiment, ni parce qu'ils voulaient nous blesser ou nous faire honte. Ce n'était en aucun cas leur intention. Mais lorsqu'un maître attentif a besoin de transmettre la connaissance nécessaire à ses élèves, que le temps qui lui est imparti est court et que la leçon doit porter, il se demande : « Comment puis-je obtenir le meilleur impact? » Dans le cas présent, pour ces élèves donnés, la réponse a été « par la bouche d'enfants ». Ils allaient peut-être voir plus clairement à travers des yeux d'enfants.

Cette leçon a été fructueuse, puisqu'aucun de mes élèves n'est resté de glace. Aucun ne l'a rejetée. Aucun n'a omis de remercier ces enfants et de se montrer reconnaissant d'avoir bénéficié de leur aide. La faculté d'un enfant à nous éduquer est immense, si nous, adultes, savons simplement prendre la peine de l'écouter.

J'aimerais terminer ce chapitre par un commentaire de Pat Mason, l'une de mes élèves ce soir-là :

« Comme les autres élèves du cours, j'ai été un peu stupéfaite de découvrir ces vérités à propos de moi-même, mais l'acceptation de cette leçon et la tentative de l'appliquer à ma vie quotidienne ont affermi ma résolution de garder un point de vue positif et gai, quels que soient les désagréments que je dois affronter.

Dans chaque situation que je dois gérer, le fait de savoir que je suis en présence d'enfants confiants et impressionnables m'oblige à garder mon calme et à rester rationnelle, à réfléchir clairement et à attendre, de moi et des autres, des choses réalistes. Cela m'aide aussi à éviter toute tentation d'auto-apitoiement et de plainte.

Je sens un petit enfant de trois ans me tenir la main, même s'il s'agit d'un enfant du monde des esprits, et je lui dois de remarquer ou partager gaiement avec lui toutes les choses qui m'ont un jour rendue heureuse, afin de rendre son monde aussi beau que possible. Le résultat, c'est que la recherche d'anciennes et de nouvelles joies ne laisse aucune place dans ma vie à l'angoisse et aux doutes sur moi-même, et que ces sentiments, qui ne me laissaient pratiquement aucun répit jadis, appartiendront bientôt au passé.

Comme toujours, l'enfant guide l'adulte et lui donne une leçon.

Et voici un poème :

*Une nuit où il t'entendait chanter*
*L'amour, l'espoir et la joie*
*Il s'est approché pour voir si tu avais besoin*
*D'un autre petit garçon*

*Il veut te réconforter quand tu as peur*
*Apaiser ton chagrin*
*Mais tu ne peux pas recevoir son réconfort*
*Car tu ignores qu'il est venu*

*Tu ne savais pas, quand tu t'énervais*
*Quand la colère et la frustration*
*Rendaient ta voix perçante*
*Qu'un petit enfant se tenait près de toi*

*Ne te trompe pas, tu l'as repoussé*
*Tu as refusé son affection*
*Par trop-plein d'apitoiement égoïste*
*Et pourtant il est toujours proche*

*Pourquoi ne vois-tu pas que tu passes à côté de la*
   *joie*
*Qu'il vient t'ouvrir les yeux*
*À travers toi il regarde le monde*
*Devrait-il lui aussi être amer ?*

*Il a besoin de t'offrir son affection*
*Autant que tu as besoin de lui donner la tienne*

*Alors découvre-toi toi-même, découvre ta joie*
*Et ouvre-lui de nouveau les bras*

*Désormais chaque fois que tu ressentiras du*
  *chagrin*
*Chaque fois que tu verseras une larme*
*Ne passe pas à côté de l'essentiel*
*Car un petit enfant se tient près de toi.*

Patricia MASON
Guérisseuse, membre de la RAAH »

## Mes propres petits miracles

Est-ce que cela m'arrive à moi ?

On me pose si souvent cette question que j'ai estimé intéressant d'en parler brièvement et sans détour.

Un très grand nombre de personnes s'imaginent que, comme je suis très privilégiée, que j'ai un don très particulier, je n'ai pas de problèmes dans ma vie privée. Des gens me demandent : « Aigle Gris ne vous fournit-il pas toutes les réponses ? N'aplanit-il pas toutes les épreuves ? » Eh bien non !

J'ai répété à l'envi que le chagrin et les conflits nous en apprennent autant que la joie et l'enthousiasme. Le bonheur et la peur vont souvent de pair. Ce sont des émotions dont nous faisons l'expérience, et les émotions sont source d'enseignements.

115

Comment pourrais-je apprendre, comment pourrais-je grandir, si je ne vis pas des expériences diverses, agréables et désagréables? Comment pourrais-je procéder à l'exploration de moi-même par le biais de mes émotions si ces émotions ne m'apportent que du plaisir? Cela équivaudrait à fréquenter une école où je n'étudierais que mes matières préférées. Plus de maths, plus de sciences, plus d'efforts pour essayer de comprendre des choses qui ne m'intéressent pas, même si le bon sens me souffle que les sujets qui me déplaisent demeurent nécessaires, me sont toujours utiles au quotidien. Par conséquent, si j'étais dispensée de toutes ces difficultés, mon propre développement en serait inhibé. Résumons-nous : j'ai des problèmes, comme tout le monde. Les mêmes soucis dans le domaine de la santé, des relations amoureuses, des enfants, du travail, de l'argent, de l'organisation domestique. Somme toute, les soucis d'une personne ordinaire. Ce que je suis, à mon avis.

J'ai cependant la chance d'être consciente de certaines choses que les autres ignorent. Et j'ai celle de bénéficier de la présence d'Aigle Gris qui, loin de me fournir les réponses aux multiples questions que je lui pose, me montre comment explorer mon esprit et le don que j'ai reçu à la naissance. Grâce à lui, j'ai appris une chose essentielle : il n'est pas une seule question pour laquelle n'existe pas une réponse, tout au fond des replis de notre âme.

Je pense également que chacun de nous, dans

n'importe quelle circonstance de sa vie, dispose de quelqu'un pour l'aider, d'un ami ou d'un parent du monde des esprits, ou d'un ange, qui restera près de lui dans les cas de besoin, prêt à le guider et à le diriger, à condition qu'il sache l'écouter. Mais j'aborderai ce sujet plus tard, dans un autre livre.

Je pourrais vous citer de nombreuses situations dans lesquelles Aigle Gris et le monde des esprits m'ont soutenue, mais comme je manque de temps et d'espace, je n'en choisirai que quelques-unes.

Au tout début, lorsque j'ai découvert mon don de médium après ma rencontre avec Paul Denham et Mick McGuire, j'ai commencé à faire confiance à la main de Dieu et au monde des esprits. Parfois, me sont apparus de la façon la plus infime la sagesse, la perspicacité et le pouvoir que peut détenir l'univers.

## Une petite chose

Je faisais la queue à la poste, parmi une foule de gens qui, comme moi, étaient venus chercher leur RMI. Je détestais cela. Je détestais être pauvre, je détestais cette situation honteuse et humiliante mais, comme bien d'autres, je n'avais pas le choix. Cela faisait longtemps que mon mari était parti avec sa nouvelle amie. Il nous avait laissées, ma fille de dix ans et moi, sans un sou. Pour la première – et dernière – fois de ma vie, j'avais donc fait une demande d'aide sociale,

117

équivalente à trente-cinq euros par semaine. Je devais me débrouiller avec cette somme pour nous vêtir, nous nourrir, payer les factures. Tâche évidemment impossible, si bien que de nombreuses factures restaient impayées.

Le postier m'avait tendu l'une d'elles, la facture d'électricité, alors que je sortais du jardin pour me rendre au village. J'avais ouvert l'enveloppe le cœur serré : quel qu'en soit le montant, même minime, je ne serais pas en mesure de le régler. C'était un rappel. Si vous ne payez pas *par retour,* l'électricité sera coupée, disait-elle. Elle s'élevait à l'équivalent, à peu de chose près, du montant total de mon allocation. Je m'étais mordu les lèvres, en proie à un stress de plus en plus grand, et bien décidée à ne pas fondre en larmes, j'avais remis la facture dans son enveloppe que j'avais rangée dans mon sac à main.

La file d'attente diminuait. Il ne restait plus à présent que cinq personnes devant moi. J'ai sorti mon livret d'allocations de mon sac. Par inadvertance, j'en ai également sorti la facture d'électricité, que j'ai vite remise à sa place.

C'est alors que j'ai entendu la voix qui disait : « Réglez cette facture. »

Bien sûr, c'était une plaisanterie ! Je n'allais pas écouter cette voix.

Il ne restait plus que trois personnes devant moi, mais cette attente était interminable.

Un autre pas, plus que deux personnes devant moi. Puis encore cette voix, une voix masculine, à présent beaucoup plus forte : « Réglez cette facture, payez votre facture d'électricité. »

J'ai remué la tête pour essayer de me débarrasser de cette voix. Je n'avais jamais rien entendu de plus ridicule. Premièrement, je n'avais pas un sou dans mon porte-monnaie. Deuxièmement, l'argent que j'allais toucher me servirait à nourrir mon enfant. Il n'y avait pas que mon porte-monnaie qui était vide, mes placards l'étaient aussi. Troisièmement, qui était cet homme, de toute façon ? Qui était-il, pour me donner ainsi cet ordre ? Je savais ce que je devais faire passer en premier, et pour l'instant, ma priorité était de me procurer de quoi manger.

Un autre pas. Plus qu'une seule personne devant moi. Dieu merci, ai-je songé, tandis que mon humiliation s'amplifiait de seconde en seconde.

Mon tour est arrivé. Je me suis présentée au guichet et j'ai avancé mon livret.

« Réglez cette facture, réglez cette facture ! » La voix sonnait à présent bien davantage comme un ordre que comme une suggestion, si bien que j'ai sorti la facture de mon sac pour la poser sur le comptoir. Tandis que l'employée s'en saisissait, je me suis entendue déclarer d'une voix étouffée :

— Et j'aimerais bien aussi régler cette facture.

Les yeux écarquillés, je l'ai regardée sortir la facture de l'enveloppe, prendre un peu d'argent dans un tiroir et le compter, puis estampiller l'enveloppe du cachet « payé ». Sans voix, incapable d'arrêter ce processus, j'ai attendu ma monnaie. Des petites pièces, rien que des petites pièces. Le visage radieux, l'employée les a poussées vers moi.

119

Je me suis enfuie. La boule énorme que j'avais dans la gorge était sur le point de m'étouffer. Dans ma hâte, j'ai pratiquement plongé dans la rue, les pièces de monnaie toujours serrées dans la main.

Une fois dehors, seule sous le lourd soleil estival, j'ai ouvert la main et contemplé ces pièces. J'étais totalement désemparée. « Mon Dieu, ai-je songé, qu'est-ce que je vais faire, qu'est-ce que je vais faire ? » Il n'y avait rien à manger à la maison, juste un peu de lait, rien pour le dîner de Samantha. J'ai même du mal à croire, à présent que je raconte cette anecdote, à quel point nous étions démunies et désespérées à l'époque, mais je me souviens de l'état dans lequel je suis rentrée à la maison. Le trajet, qui prenait vingt minutes à pied, m'a paru interminable. Je pleurais comme une madeleine, sans me soucier d'être vue par quiconque. J'ai gravi péniblement la colline, sans cesser de me reprocher d'avoir fait preuve d'une telle sottise.

En arrivant à la maison, je suis tout de suite allée dans la cuisine mettre la bouilloire sur le feu. À l'époque, je buvais du thé. J'avais l'impression que, si j'en buvais beaucoup, j'aurais moins faim. J'ai apporté le thé dans le salon où je me suis affalée dans un fauteuil. Toujours en pleurs, je me suis demandé ce que j'allais bien pouvoir donner à manger à Samantha quand elle rentrerait de l'école. Je n'avais guère le choix. Il n'y avait que des toasts et de la margarine à la maison. Mes larmes ne tarissaient pas.

Je suis restée recroquevillée dans ce fauteuil

pendant une demi-heure. On a frappé à la porte. Je n'attendais personne ce jour-là, mais les huissiers ne prévenaient jamais de leur visite et, au cours des derniers mois, j'en avais vu beaucoup passer. Cette fois cependant, je n'avais pas l'intention de faire la morte comme je l'avais souvent fait. Quand on a frappé une seconde fois, je me suis levée péniblement pour aller ouvrir.

Le jeune couple qui se tenait sur le seuil devait à peine avoir plus de vingt ans. Il était grand, blond et très beau ; elle était petite, brune et ravissante. Leur couple formait un joli contraste. Comme ils ne correspondaient pas du tout à ce que j'attendais, je suis d'abord demeurée muette, troublée.

— C'est la propriétaire de la quincaillerie qui nous envoie, a bégayé le jeune homme, qui prenait manifestement mon silence pour de l'hostilité. Elle nous a dit que vous pourriez peut-être nous louer une chambre. Nous avons essayé partout sans succès. Nous sommes désespérés.

Je restais pétrifiée, la bouche close. Les mots me manquaient à présent pour une autre raison. Une chambre à louer ? Qu'est-ce qu'ils entendaient par là ? De quoi parlaient-ils ? Je ne louais pas de chambres. J'ai fini par retrouver ma voix et par le leur dire. La jeune femme a pris la parole.

— Ma mère nous a jetés dehors, m'a-t-elle dit en pleurant. Et lui, poursuivit-elle en désignant son compagnon, travaille sur une plate-forme pétrolière non loin d'ici. Nous ne trouvons pas d'endroit où loger. La dame du magasin nous a

121

dit que vous pourriez peut-être nous aider. Je vous en prie, a-t-elle insisté, nous n'avons nulle part où aller !

Sa détresse crevait les yeux, tout comme celle du jeune homme.

— Entrez, leur ai-je dit gentiment. Je ne suis pas sûre de pouvoir vous aider, mais je peux vous écouter.

Ils sont donc entrés. Je les vois encore, jeune couple désespéré, amoureux, sans foyer. Ils se sont assis sur le canapé et m'ont raconté leur histoire, qui n'avait rien de bien exceptionnel. Disputes avec la maman, incompréhension... Et ils étaient partis.

— Si vous acceptez de nous héberger, m'a dit le jeune homme, ça ne sera que pour quinze jours, un mois tout au plus. Et je vous promets qu'on ne vous causera aucun ennui.

— Mais je ne loue pas de chambre, ai-je répondu. J'ignore comment on fait. Je ne sais vraiment pas quoi vous répondre.

— On vous paiera selon les tarifs en vigueur, et je vous réglerai un acompte de deux semaines.

Sur ce, il a sorti plusieurs billets de son portefeuille.

— Quarante livres par semaine. Par conséquent, deux semaines, ça fait quatre-vingts livres. Dites-moi si ça vous convient ou non. On ne vous demande que le gîte, pas le couvert. Vous êtes d'accord ?

Pour la troisième fois en moins d'une heure, je suis restée sans voix. J'ai seulement réussi à opiner de la tête.

La jeune femme s'est remise à pleurer, de soulagement cette fois. Son ami l'a enlacée et soulevée du canapé pour lui faire un câlin.

— On va chercher nos affaires ! a-t-il lancé, ajoutant, après avoir remarqué mon air étonné : ne vous inquiétez pas, c'est juste deux petits sacs. Nous voyageons léger.

Sur ce, ils ont pris la porte et j'ai contemplé les billets qu'il m'avait fourrés dans la main. Je n'avais plus à me soucier du repas que j'allais donner à ma fille ce soir-là !

Ils sont restés six mois, jusqu'au jour où il a été transféré sur un autre site de forage. Leur souvenir me fait sourire, car ils étaient adorables, agréables, amusants et épris l'un de l'autre. J'espère que, là où ils sont, ensemble ou séparés, ils sont toujours heureux.

Je repense à cette époque et je me souviens de cette voix : « Réglez cette facture, réglez cette facture. » Un si petit montant ! J'ai du mal à croire aujourd'hui que vingt-deux livres, ou plutôt un déficit de vingt-deux livres, suffisaient à me faire craquer.

Mais j'ai entendu cette voix. J'ai failli l'ignorer, et je remercie Dieu de n'en avoir rien fait. Cela a été une grande leçon, qui m'a enseigné la confiance.

À cette époque, cette facture d'électricité était la goutte d'eau qui a failli faire déborder le vase. Un tel problème et pourtant... une si petite somme. Un petit miracle.

## Vraiment incroyable

Nous étions au mois de décembre. Cette année-là, Noël aurait lieu sous un manteau blanc. Balayé par le vent et le blizzard qui soufflaient en tempête, le pays entier se retrouvait peu à peu paralysé. Les spécialistes de la météo recommandaient de ne sortir qu'en cas de nécessité. Plusieurs semaines auparavant, je m'étais organisée, comme les autres années, pour rencontrer Andrew quelques jours avant Noël. Je n'avais aimé personne autant que lui depuis mon premier amour — il s'appelait John — quand j'avais seize ans. Andrew était écossais et nous vivions loin l'un de l'autre. De nombreuses raisons rendaient impossible une relation à plein temps. Les années passant, cette séparation géographique ne nous empêchait pas de continuer à nous aimer tendrement.

C'était à Noël que nous faisions tout pour nous voir, mais cette année-là, la chose se révélait difficile. Lorsque vint le mardi, les intempéries s'étaient encore aggravées. Je suivais avec inquiétude les bulletins météo, dans l'espoir que le temps allait s'améliorer. Le mardi soir, un dilemme s'est posé à moi : devais-je ou non y aller? Les routes allaient-elles être praticables? Sans compter la question la plus sérieuse : ma voiture survivrait-elle à ce voyage?

Antédiluvienne et très caractérielle, elle tombait souvent en panne. Je ne m'étais encore jamais retrouvée en plan, mais cela risquait de m'arriver pour la première fois. Que faire? Je ne pouvais pas joindre Andrew, car il était en déplacement. À cette époque, les portables n'existaient pas encore !

Je me suis posé la question : est-ce que tu as envie d'y aller ? La réponse a jailli : oui, sans la moindre équivoque. Question suivante : est-ce que tu as envie de risquer ta vie ? Réponse nette et claire : non. J'en étais parvenue à ce point lorsque, incapable de prendre la moindre décision, je me suis tournée vers mon guide. Il m'a adressé un gentil sourire, m'a effleuré la joue et m'a dit : « Si vous devez y aller, nous vous protégerons. Ne vous inquiétez pas, mon enfant, vous arriverez à bon port, et vous reviendrez. Nous veillerons sur vous et tout ira bien. » Cela m'a suffi, car je faisais confiance à Aigle Gris. Le mercredi en tout début de matinée, je me suis donc lancée.

Je devais d'abord emprunter des routes de campagne pendant une quarantaine de kilomètres. Comme les chasse-neige ne les dégageaient pas, elles posaient des problèmes de conduite, sans être impraticables. Au bout de vingt kilomètres à peine, j'ai commencé à me demander si je n'étais pas folle d'avoir entrepris ce voyage. J'étais en train d'interroger une fois de plus Aigle Gris pour savoir si tout se passerait bien quand un événement s'est passé.

Il n'y avait pas d'autres voitures sur la route. Sur les bas-côtés défilaient les champs enneigés. Après que la neige fut tombée sans discontinuer durant toute la nuit, seules quelques rafales accompagnaient ma traversée des villages déserts, sur cette route tortueuse qui menait à l'autoroute. Soudain, il y eut une déflagration violente, comme la détonation d'un canon, suivie d'un éclair de lumière mauve vif, qui a illuminé le ciel sur ma gauche. Je me suis détournée un instant, à la fois aveuglée et un peu décontenancée, en m'agrippant d'instinct au volant. La lumière a disparu aussi vite qu'elle était apparue, sans que rien n'indique qu'elle avait existé. J'ai reporté le regard sur la route et j'ai vu... l'incroyable.

À de nombreuses reprises dans ma vie, j'ai sérieusement douté de ma santé mentale. J'ai vu des choses et vécu un grand nombre d'expériences inouïes, qui dépassaient mon entendement. Je vous raconte cette anecdote, sans être en mesure de vous apporter la preuve que je vous dis la vérité. Je peux juste vous relater ce que j'ai vu.

Un petit garçon me tournait le dos, assis en tailleur. J'ai estimé, au vu de sa taille, qu'il avait environ cinq ans. Il portait une culotte noire et une chemise blanche aux manches bouffantes, dans le style oriental, un chapeau conique à large bord et une longue écharpe de mousseline blanche agrafée d'un côté, dont le vent faisait flotter l'autre bout derrière son épaule.

Mon étonnement était tel que je suis restée un moment les yeux écarquillés, bouche bée, avant de me ressaisir pour lui demander qui il était. C'est lorsqu'il a entendu ma question, non pas émise à voix haute, mais transmise mentalement comme je le fais souvent quand je parle avec ceux du monde des esprits, qu'il a tourné la tête et m'a regardée par-dessus son épaule, le visage réjoui devant ma stupéfaction. J'ai constaté qu'il ne s'agissait pas d'un enfant mais d'un homme aux yeux pétillants, qui s'est adressé à moi en caressant son bouc :

— On m'a envoyé m'occuper de votre voiture, m'a-t-il dit. M'assurer que votre voyage se déroulera bien et que vous rentrerez chez vous saine et sauve.

Il m'a annoncé cela d'un ton si alerte que je n'ai pas douté une seconde qu'il me disait la vérité.

J'ai regardé en direction d'Aigle Gris, car je ne comprenais pas pourquoi j'avais besoin de quelqu'un d'autre que lui pour me guider, et son intervention m'a tout de suite rassurée :

— Ayez confiance, mon enfant, nous savons ce dont vous avez besoin. Pas la peine de vous poser d'autres questions.

Je me suis donc contentée d'accepter.

Sur l'autoroute, j'ai vécu des moments cauchemardesques. Deux des trois voies étaient fermées et la troisième à peine praticable, si bien que la circulation progressait au compte-gouttes. J'ai fini par atteindre ma bretelle de sortie, mais alors que j'arrivais en haut, mon moteur a calé. Horrifiée, j'ai constaté que mes jauges étaient à zéro et que je ne pouvais pas échapper à une descente en roue libre.

Au moment où je cédais à la panique, j'ai aperçu le garage, en bas de la côte, et j'ai braqué le volant dans sa direction.

Il s'agissait d'une panne sans gravité, facile à réparer.

— Mais ça ne tiendra pas, m'a prévenue le mécanicien. Faites réviser le moteur pour de bon le plus tôt possible.

J'ai déjeuné avec Andrew. Nous avons célébré notre petit Noël en tête à tête et, en milieu d'après-midi, j'ai repris la route dans l'autre sens, avec l'espoir que ma voiture allait tenir le coup.

Les trois heures du trajet de retour m'ont paru interminables. Le chauffage ne marchait plus. Je gelais et je priais...

Parvenue à une quarantaine de kilomètres de chez moi, à la fois soulagée d'être dans la dernière ligne droite et inquiète, car la neige s'était remise à tomber à gros flocons, je me suis arrêtée à un feu rouge.

— Tournez à droite, m'a ordonné Aigle Gris alors que j'avais l'intention de continuer mon chemin tout droit.

— Mais ce n'est pas la bonne direction, ai-je répliqué.

— Cette route-là est barrée un peu plus loin mais ne vous inquiétez pas, on va emprunter un itinéraire dégagé.

À partir de là, j'ai suivi les instructions d'Aigle Gris – tournez à gauche, tournez à droite, ralentissez, la chaussée est glacée, et ainsi de suite. La voiture pétaradait et hoquetait de temps à autre, et j'avais des palpitations à l'idée qu'elle allait me lâcher complètement.

J'ai fini par tourner dans la rue où je résidais. La voiture a alors renâclé légèrement, avant de se taire complètement lorsque je l'ai engagée dans l'allée, puis d'aller « mourir » juste devant la porte du garage. Les paroles d'Aigle Gris résonnaient dans mes oreilles : « Vous arriverez à bon port, et vous reviendrez. Nous veillerons sur vous et tout ira bien. »

Je me rappelle avoir raconté plus tard cette anecdote à mes amis. « Incroyable... c'était simplement *incroyable*. »

Deux ou trois ans plus tard, je volais en plein ciel vers un pays étranger, je ne sais plus lequel. Je lisais, sans penser à rien de particulier. Quelque chose m'a incitée à regarder par le hublot, à me tourner vers l'aile de l'appareil. Imaginez mon ravissement, suivi d'une inquiétude puis de plaisir, lorsque j'ai aperçu le petit homme assis en tailleur sur l'aile, un peu comme un génie sur son tapis magique, avec sa longue écharpe qui flottait par-dessus son épaule. Il m'a adressé un large sourire que je lui ai rendu. Je suis restée un peu songeuse avant de continuer ma lecture. « Peut-être qu'on a des problèmes de moteur ou des ennuis mécaniques, me suis-je dit. Mais de toute façon, je sais qu'on ne court aucun risque. » Pendant un certain temps encore, j'ai embrassé du regard les autres passagers en me demandant comment ils réagiraient s'ils savaient, s'ils étaient capables, eux aussi, de voir mon ami assis sur l'aile. En reprenant mon livre, je me suis encore retournée pour lui adresser un geste de remerciement. Je souriais, car je savais que mes compagnons de voyage n'en auraient pas cru leurs yeux. Et s'il me fallait leur dire que le petit homme assis sur l'aile était réel, mon

129

histoire, cela ne faisait pas le moindre doute, paraîtrait aussi incroyable qu'un conte des *Mille et une nuits...* tout simplement incroyable. Eh oui... un petit miracle supplémentaire.

## Détails minuscules

Lorsque je repense à certains épisodes de ma vie, je constate qu'à de nombreuses reprises tout semblait perdu et que, inopinément, une petite chose est survenue, une aide est arrivée, sous une forme ou une autre. Il s'agissait parfois d'une expérience stupéfiante, comme dans mon récit précédent. Parfois d'un détail minuscule. Mais une grande explosion n'accompagne pas toujours les miracles. Dieu, à mon sens, nous les prodigue souvent de la plus infime des façons.

Je me souviens de Samantha, bébé âgé d'à peine quelques semaines. Elle dormait dans sa poussette que j'avais installée dans le jardin. Son père et moi paressions au soleil, mais je n'étais pas si sereine, car je me demandais ce que nous allions bien pouvoir manger. Nous avions dépensé tout notre argent pour acheter de quoi nourrir le bébé. Mon mari, qui ne se souciait jamais de ce genre de problèmes, savait que je trouverais une solution. Quant à moi, je savais qu'il ne servirait à rien que je lui demande de m'aider.

« Nous avons au moins du pain, me suis-je dit. Et de la margarine. Mais rien pour faire un sandwich. Je me contenterai de griller le pain, ça pourra passer. » Je m'étais habituée depuis long-temps à avoir faim et je n'avais plus d'efforts à faire pour ignorer les gargouillis de mon estomac vide.

L'heure avançait. Samantha continuait de dormir. À 17 heures, mon mari a levé la tête pour me demander ce qui était prévu pour le dîner.

— Eh bien, ai-je répondu au prix d'un effort désespéré pour rester gaie, tu as le choix entre du pain et de la margarine, ou un toast à la margarine. Personnellement, je préfère le toast. Et toi ?

Il m'a répondu d'un haussement d'épaules et je me suis levée pour rentrer dans la maison, en proie à une grande lassitude. Ce faisant, j'ai regardé par-dessus la barrière le jardin de mon amie Kathy, dont le mari faisait pousser des légumes. J'aurais tout donné pour un oignon ou deux !

J'étais tellement plongée dans mes pensées que je n'ai réagi qu'en entendant Kathy crier mon nom.

J'ai levé la tête et lui ai adressé un sourire, qui s'est figé quand elle a pris la parole et désigné son potager d'un geste de la main.

— Est-ce qu'une laitue vous ferait plaisir, Rosemary ? Nous en avons tellement qu'elles vont monter en graine.

Une laitue, bien sûr que j'avais envie d'une laitue ! Mais j'étais si fière que je me suis entendue répondre d'un ton désinvolte :

— Non, non, je ne peux pas accepter, Kathy. Mais merci quand même.

Elle a insisté. Dieu merci, elle a insisté ! Tandis

qu'elle me tendait la laitue la plus ronde et la plus fournie que j'aie jamais vue, j'ai marmonné avec humilité et dignité :

— Bon, si vous y tenez...

Prenant bien soin de marcher d'un pas nonchalant, j'ai fini de traverser le jardin jusqu'à la maison. J'ai refermé la porte sans bruit et là, seulement là, j'ai poussé un hurlement de soulagement, j'ai jeté la laitue en l'air et, en la rattrapant, j'ai dit : « Merci mon Dieu, des sandwiches à la laitue pour ce soir. » Merci, mon Dieu... pour les miracles !

À mon avis, ces petites occasions se présentent à nous tous chaque jour, et il nous suffit de les reconnaître pour ce qu'elles sont. De petits miracles, auxquels nous ne devons pas accorder davantage d'importance qu'aux grands. Cela me fait penser à une anecdote que m'ont racontée, il y a bien longtemps, deux vieilles filles célibataires, Betty et Joan Burkett, qui s'occupaient de l'église que je fréquentais. À l'époque, je devais avoir quatorze ou quinze ans.

Betty, la plus calme et la plus timide des deux, était à son domicile, occupée à vaquer à son train-train quotidien. En ce milieu de matinée d'un jour de semaine comme les autres, elle a subitement entendu une voix : « Allez chercher de la glace, allez chercher de la glace, et apportez-la à l'église. »

Décontenancée, Betty a balayé la pièce du regard, mais il n'y avait personne. La voix s'est refait entendre, plus pressante cette fois : « Allez chercher de la glace, allez chercher de la glace, et apportez-la à l'église. »

— Mais, mais... a-t-elle bégayé, l'église est à cinq kilomètres et je n'ai que ma bicyclette. Elle sera fondue avant que j'aie le temps d'arriver.

Pour la troisième fois, la voix a répété le même ordre, avec davantage de fermeté encore. Betty était si croyante qu'elle a tout de suite reconnu la voix de Dieu et, sans plus hésiter, est allée dans la cuisine prendre de la glace dans le congélateur pour en remplir un sac. Elle a enfourché sa bicyclette et foncé vers l'église. Elle n'avait pas parcouru trois kilomètres, lorsqu'une femme est sortie de sa maison en hurlant et en agitant les bras, et s'est pratiquement jetée sur elle.

— Mon mari, bégayait-elle... Mon mari... Il vient d'avoir un accident. Aidez-moi, aidez-moi, il me faut de la glace, de la glace !

Betty lui a donc tendu la glace.

Miracles, miracles...

Est-ce que ma vie se déroule sans à-coups ? Non. Je continue à élargir mes connaissances, à grandir, comme tout le monde. Mais, au fil des années, j'ai appris à faire un peu plus confiance. J'ai appris que, quoi qu'il arrive, ceux du monde des esprits, ceux qui m'aiment, mes anges et mon guide, se tiendront toujours à ma disposition pour me soutenir, me guider et me protéger, ainsi que pour m'aider, si besoin est, à assimiler mes leçons.

Je vous ai dit au début de ce chapitre qu'il n'existe pas une seule question dont nous ne

133

possédions la réponse quelque part dans les replis de notre âme.

Tout comme vous, j'accomplis un voyage de découverte. Je dois atteindre mon âme et j'ai conscience que les leçons que je reçois, en dépit de leur dureté, m'aideront à en trouver la clé.

Une des leçons que j'ai retenues, à travers toutes mes expériences, passées et présentes, c'est que Dieu possède vraiment une voix.

## Ce ne sont que des enfants

Lorsque Dieu intervient dans nos vies, nous déclarons : « C'est un miracle » et je pourrais être la première à le dire, comme vous l'avez appris au chapitre précédent. Mais lorsqu'une voix humaine intervient, de quoi s'agit-il ? D'une interférence ? Considérons-nous le propriétaire de cette voix comme un fouineur ? Il est évident que nous ne voyons pas Dieu sous ce jour. Je n'ai jamais entendu personne le qualifier de fouineur. Pourquoi ? Parce qu'il est omniscient ? Parce qu'il donne avec générosité ? Parce qu'il fait preuve de bienveillance ? Il y a pourtant des moments où nous devons intervenir et dire : « J'appartiens au genre humain et j'en suis en partie responsable. »

Hier soir, pendant le dîner, je débattais du genre humain avec des amis.

— Il n'existe pas d'autre créature sur cette terre, a déclaré Cook, que nous, les humains, capable de commettre de telles atrocités envers les siens et de faire preuve d'une pareille cruauté à leur égard. Nous en commettons depuis l'origine des temps. Nous avons tué, pillé, atrocement torturé, a-t-il poursuivi, nos frères humains, et même aujourd'hui (il se référait à la guerre en Bosnie), l'homme est tout aussi cruel et méchant qu'il l'était au début des siècles.

Il avait raison, bien sûr. Comment aurais-je pu nier toutes les atrocités qui se déroulent de nos jours dans le monde?

J'avais envie d'argumenter, de répondre : « Oui, mais nous apprenons, mais nous sommes à présent davantage éclairés, mais nous grandissons sur le plan spirituel... mais... mais... mais... » Dans mon cœur, pourtant, je savais bien qu'en dépit de tout ce que nous avons appris et développé, en dépit de nos discours sur la bonté, nous avons un très long chemin à parcourir.

Le sujet paraissait désespéré et je suis donc allée tristement me coucher.

Mais le jour s'est levé. Et avec lui le soleil. Le spectacle de la vallée et des montagnes verdoyantes du Vermont qui se déployait devant ma fenêtre a fait pénétrer la lumière dans mon cœur. J'ai prêté attention à la pulsion intérieure de mon âme et l'espoir m'a envahie.

« Il faut bien commencer quelque part », ai-je chuchoté à mon âme et, me souvenant que j'enseigne, que je fais partie du genre humain, que je ne suis pas cruelle, que d'autres ne le sont pas davantage que moi, que si nous parvenons d'une manière ou d'une autre à nous unir, à avoir un but commun, à nous dire qu'il est parfois juste de

135

« s'ingérer » ou « d'intervenir », et de le faire en suivant l'exemple divin, alors nous sommes peut-être capables, chacun d'entre nous, d'offrir ou d'effectuer nos propres petits miracles.

Par ce week-end férié, mon amie Kay et moi avions décidé d'aller nous promener toute la journée. Nous emmenions les trois filles de Kay, Anna, Chloé et Jessica (seize, treize et huit ans), visiter les jardins et les bâtiments de l'une des plus vieilles abbayes anglaises, Rufford Park.

Le temps était agréable, ensoleillé, les jardins étaient parsemés de parterres magnifiques. Malgré la présence d'une foule assez dense, constituée avant tout de familles, rien n'aurait pu atténuer la splendeur de cette journée. Enfin, jusqu'à l'heure du déjeuner.

Un grand restaurant était situé sur le domaine. Lui aussi bondé et bruyant, mais offrant une prestation de qualité : gâteaux et pâtisseries maison, salades fraîches, de quoi satisfaire tout le monde. Les filles ont déniché une table pendant que Kay et moi nous occupions du menu et des boissons. Nous mourions toutes de faim et nous nous sommes jetées sur notre repas en bavardant et riant joyeusement, comme la plupart des familles qui nous entouraient.

Nous allions terminer notre repas lorsque mon attention a été attirée par une table voisine. Y étaient installés un adolescent, une femme bien en chair, d'une quarantaine d'années, et une petite fille d'environ quatre ans. Je me suis dit — et je ne me trompais pas — que cette femme était la mère de la fillette. Elle avait une façon de s'adresser à l'enfant qui m'a rappelé ma propre mère. Rude, agressive, presque brutale. « Fais attention à ton verre... assieds-toi correctement, arrête de remuer ! » aboyait-elle.

J'observais et j'écoutais, attristée pour cette enfant et pour cette mère qui se privait de tant de choses. Je regrettais qu'elle ne fît pas preuve de davantage de douceur. Puis j'ai vu la fillette essayer de se hisser pour saisir son verre. Incapable de l'atteindre, elle s'est laissée retomber sur sa chaise, mais comme celle-ci était en plastique et glissante, elle a dérapé et s'est cogné le menton brutalement contre la table avant de tomber par terre. Sous le choc, elle s'est mise à hurler de douleur.

À cet instant, sa mère aurait dû la prendre dans ses bras pour la consoler. Mais, agacée au plus haut point par ce geste qu'elle estimait stupide, elle l'a tirée violemment par le bras pour la relever. Elle s'est mise à la secouer comme un prunier, à la traiter d'idiote, en hurlant assez fort pour que tout le restaurant l'entende : « Ferme-la, sinon tu vas en recevoir une qui te donnera une bonne raison de chialer ! »

Comme toutes les autres personnes présentes dans le restaurant, j'ai alors vu l'enfant, en plein désarroi, repousser sa mère et se précipiter vers la porte en criant : « Je veux ma mamy ! » Et la mère : « T'as qu'à y aller, espèce de petite casse-pieds ! Va voir ta grand-mère ! Dégage ! » Sur ce, elle a marmonné à l'adolescent qui l'accompagnait : « Cette connasse ! Elle n'a qu'à aller voir sa grand-mère. »

Pendant tout le temps de cet incident, un silence absolu s'était abattu dans la salle, tous les yeux étaient tournés dans la même direction. Les clients se sont subitement agités, peut-être mal à l'aise, gênés, ne sachant trop quoi faire, pour beaucoup dégoûtés et se parlant à mi-voix. J'ai regardé la mère de la petite fille ramasser leurs affaires et prendre la porte.

Mon amie Kay et ses filles étaient dans tous leurs états. Kay était en colère, les filles, désarmées. Elles n'avaient pas l'habitude de ce genre de sévices, d'autant plus difficiles à supporter qu'un enfant en était la cible.

En revanche, j'y étais accoutumée. J'avais déjà vu tout ça, à maintes et maintes reprises. J'assistais simplement à une scène de mon enfance, à une différence près : moi, je n'avais personne vers qui me précipiter.

Combien de secondes, voire de millièmes de secondes, sont nécessaires pour être envahi par des souvenirs ? Pas seulement des souvenirs, mais des pensées sur le pourquoi et le comment... Tandis que j'étais assise là, subitement, cette question me vint : que pouvais-je y faire, que pouvais-je faire ?

Un millième de seconde, et la colère que m'inspirait cette femme s'est dissipée et a été remplacée par une grande détermination. Un millième de seconde a suffi pour que je me lève et me penche à l'oreille de Kay.

138

— S'il te plaît, attends-moi ici quelques minutes avec les filles, lui ai-je chuchoté.

Sur ce, je me suis dirigée vers la femme, vers la porte.

Je l'ai rattrapée juste à l'extérieur du restaurant. Je ne voyais l'enfant nulle part. J'ai posé la main sur son bras et, d'un geste ferme, je l'ai obligée à se retourner.

— Excusez-moi, mais j'aimerais vous parler un instant, lui ai-je dit. Au sujet de la scène qui vient de se dérouler dans le restaurant.

Je la regardais droit dans les yeux, et je m'exprimais d'un ton calme, doux, mais très assuré.

— C'est juste une enfant, poursuivis-je, une toute petite fille, et elle a besoin de bonté. Je vous en prie, ne criez pas comme ça contre elle. Je vous en prie, soyez plus gentille avec elle. C'est juste une enfant, une toute petite fille et elle a besoin de votre amour.

La femme, bouche grande ouverte, semblait stupéfaite. Désarmée par mon attitude sereine, elle ne savait quoi répondre. Mais tandis que je m'éloignais, la grand-mère, une dame très corpulente suivie d'une ribambelle d'enfants, a crié :

— Qu'est-ce que tu fais à rester bouche bée, comme ça ?

Cette apostrophe a ramené la femme à ses sens et elle a gesticulé dans ma direction, en braillant si fort que tout le monde pouvait de nouveau l'entendre :

— C'est elle, c'est elle ! Pour qui elle se prend, celle-là, à me dire comment je dois traiter mes gosses !

139

J'ai soupiré et rebroussé chemin vers les deux femmes, cette fois avec davantage d'agressivité. J'avais bien l'intention de leur dire ce que j'avais sur le cœur.

Il se peut que ce soit ma mâchoire serrée ou ma démarche assurée, pleine de détermination, qui lui ait rabattu le caquet. Je ne le saurai jamais. En tout cas, lorsque je me suis approchée et me suis plantée devant elle, elle s'est tue, a saisi sa mère par le bras, a tourné le dos et s'est enfuie.

Je ne vais pas nier que son attitude m'a soulagée, car une altercation ne m'aurait pas plu, mais je savais que j'aurais tenu bon, car je ne pouvais pas faire autrement.

« Pour qui se prend-elle ? » avait-elle hurlé. Qu'aurais-je pu répondre ?

« J'appartiens au genre humain, j'ai vu beaucoup d'injustices au cours de ma vie et souvent, je suis restée un témoin silencieux. Dans ma vie, je me suis montrée parfois peu équitable, j'ai hurlé sans raison contre ma fille, crié quand j'aurais dû me taire, porté des jugements quand je n'en avais pas le droit, été méchante quand j'aurais dû faire preuve de gentillesse. »

Qu'aurais-je pu dire d'autre ?

« J'ai occupé votre place, j'ai occupé celle de votre enfant et je vais essayer de ne pas porter de jugement. Mais j'appartiens au genre humain. Je suis responsable de cette planète, du monde dans lequel nous vivons, et je vais essayer, jusqu'à la fin de ma vie, de ne plus jamais rester les bras ballants quand je vois quelqu'un subir une injustice. »

Et je me souviens de la question que j'ai posée à mon guide au sujet de notre monde, de cette planète sur laquelle la colère et la frustration ne paraissent connaître aucune limite. Où la violence et l'agressivité font la loi. Un monde où les chiens dévorent les chiens :

— Les choses doivent-elles se passer ainsi ? lui ai-je demandé.

— Non, m'a répondu Aigle Gris. Mais chaque homme, chaque femme, chaque enfant doit tenir son rôle.

Sa voix, dans ma tête, répète : « Chaque individu, chaque femme, chaque homme, chaque enfant, est la mère du monde, bercera le monde et dictera son destin »... *Et dictera son destin.*

Il est tellement ardu de faire passer la spiritualité avant le reste dans notre vie. Nous savons ce qui est juste, ce que nous devrions faire, la conduite que nous devrions adopter. Notre cœur nous le dit, notre conscience nous le dit, notre âme nous le dit. Mais la société nous dit souvent autre chose. Si nous élevons la voix, nous risquons de passer pour des fauteurs de troubles, voire des agitateurs.

L'histoire montre que les anticonformistes ou ceux qui ont osé s'opposer à l'injustice ont souvent fait l'objet d'ostracisme, lorsqu'ils n'étaient pas tout bonnement mis à mort. Les chrétiens jetés dans la fosse aux lions. Les guérisseurs et médiums « hérétiques » cloués au pilori. Les Juifs dans l'Allemagne nazie et ceux qui les soutenaient, dépouillés de leurs moyens d'existence,

141

envoyés dans des camps, massacrés dans des chambres à gaz. Martin Luther King, assassiné. Regardons les choses en face : lequel d'entre nous souhaite-t-il être un héros ?

Il y a quelques années, j'ai entendu une histoire terrible au sujet d'un homme qui avait porté secours à un individu qui venait d'être attaqué par une bande de casseurs armés de rasoirs. Son intervention lui avait non seulement valu d'être sévèrement rossé, mais pendant que plusieurs membres du gang s'asseyaient à califourchon sur lui, les autres avaient cisaillé avec minutie les tendons entre chacun de ses doigts. Les deux victimes s'étaient retrouvées côte à côte dans un lit d'hôpital. L'un avait perdu l'usage de ses yeux ; l'autre, le « bon Samaritain », ne pourrait plus jamais se servir de ses mains.

Une autre anecdote. Mon ami Peter a été attaqué, lui aussi, par une bande de racailles. Comme sa coiffure ne leur plaisait pas, ils se sont servis de sa tête comme d'un punching-ball. Il a failli en mourir et est ressorti de l'hôpital avec une plaque de métal dans la tête.

Plus récemment, un jeune homme a été battu à mort parce qu'il s'était porté au secours de l'un de ses voisins.

Les histoires de ce genre abondent. Elles sont nombreuses, beaucoup trop nombreuses.

Je reviens à ma question : qui souhaite être un héros ? Qui veut être différent ? Lequel d'entre nous est-il prêt à oser ?

Mais si une voix collective s'élevait... Suis-je réaliste ? N'est-il pas trop facile de dire que, si tous les Allemands qui entendaient ou voyaient se passer des choses manifestement mauvaises et qui savaient qu'elles l'étaient, avaient osé s'y opposer dès le premier jour, ce mal aurait pu être arrêté? Hitler aurait-il pu être arrêté?

Je veux dire oui. Je veux croire que oui.

Combien de crimes ne sont-ils pas commis, d'assassinats, de viols, combien de femmes ne sont-elles pas frappées, d'enfants martyrisés, de chiens battus, au vu et au sus de voisins? Quand avez-vous vu pour la dernière fois un chauffeur en apostropher un autre et pensé, sans réfléchir plus avant : « C'est la vie, la vie citadine »? Et quand la société dans laquelle nous vivons vous a-t-elle inspiré un désespoir suffisant pour que vous éprouviez le besoin d'agir pour changer les choses? Même s'il ne s'agissait de rien d'autre que d'une petite prière dans laquelle vous demandiez à Dieu de vous aider à être simplement une petite voix qui dit *non*.

J'ai l'impression de faire du prêchi-prêcha et du pharisaïsme. Pourtant, Dieu sait qu'il n'en est rien. Je suis restée silencieuse lorsque j'aurais dû élever la voix. J'ai fait partie de ceux qui prétendaient ne pas voir, refusaient de voir ou pensaient ne rien pouvoir faire, dire, parce que cela n'y changerait rien. Mais je me trompais.

La voix d'Aigle Gris, encore une fois : « Chaque homme, chaque femme, chaque enfant, doit remplir son rôle. C'est à vous de choisir, et vous... et vous... et vous. »

Je pense que vous saisissez tous ce que je viens d'essayer d'expliquer, mais nous estimons pour la plupart ne pas avoir le droit de nous « ingérer ». Si bien que lorsque nous sommes dans un bureau, comme l'une de mes amies, et que nous entendons un collègue passer son temps à réprimander, intimider et martyriser sa timide secrétaire, cela nous déplaît, nous éprouvons même de la sympathie pour la secrétaire, mais nous gardons bouche close. Parce que nous avons l'impression que cela ne nous regarde pas. La situation est identique lorsqu'un client agressif s'en prend verbalement à un vendeur, lorsqu'un conducteur de bus crie contre un passager, lorsqu'un professeur maltraite un enfant. Leur attitude ne nous plaît pas, nous sympathisons peut-être avec la victime... mais nous ne disons pas « Non ». Parce que « ça ne nous regarde pas ». Mais est-ce exact ? En fait, bien évidemment, cela nous regarde.

Je lance ici un appel aux armes. Il sort de la bouche de quelqu'un qui a réfléchi, qui, souvent, n'a pas agi correctement, mais qui essaiera jusqu'à la fin de ses jours de faire ce qui est juste. C'est Aigle Gris qui me l'a enseigné... Tout ce que Dieu et l'univers nous demandent, c'est d'essayer.

Il reste une anecdote que j'aimerais vous conter. Elle m'est propre et j'en ressens le besoin.

Jim était allé skier à Stratton, dans le Vermont, avec des amis à moi, Joann et Kenny. Après une matinée formidable, ils ont décidé de faire une pause déjeuner dans un restaurant de la station.

Imaginez la scène : les skis, les bottes, le

vacarme, les bavardages de tous ces skieurs, adultes et enfants aux yeux brillants et au nez rougi par le froid. Un endroit où régnait la gaieté. Enchantés d'être tous ensemble, Joann, Kenny et leurs deux enfants, Jenny et Colin, ont déniché une table libre et ont fait un bon repas, profitant pleinement de cette ambiance festive.

Vers la fin du déjeuner, Joann a pris conscience d'un brouhaha à une table proche, occupée par un père et ses trois enfants. Un des enfants, un petit garçon d'une dizaine d'années, se faisait insulter par le père. Tête baissée, écarlate, il sanglotait, tandis que le père lui reprochait avec une extrême violence de ne pas être arrivé à leur rendez-vous à l'heure convenue.

— Je t'avais dit d'être ici à quelle heure? Tu as vu l'heure qu'il est? Tu te prends pour qui? vociférait-il.

Le garçonnet essayait de s'expliquer, mais le père refusait de l'écouter et criait de plus en plus fort en pointant un doigt sur son visage.

Le père n'avait pas totalement tort. Il est vrai que dans une station comme Stratton, pleine de touristes, vingt minutes se transforment en une éternité lorsqu'un enfant s'est égaré. Et quand on est inquiet, comme l'était manifestement ce père, il est naturel de réagir violemment. On ouvre une vanne, et les cris jaillissent.

Cependant, ce père ne se calmait pas et ses critiques ont pris de plus en plus d'ampleur. Il a poursuivi sa diatribe sur un ton à présent railleur. D'un geste violent, il a arraché la

145

serviette de papier derrière laquelle le petit garçon dissimulait son visage.

— Ne crois pas que tu vas te cacher comme ça !
Je veux que tout le monde te voie. Que tout le
monde sache ce que tu as fait. Je me fiche que tu
aies honte !

Et il a continué de la sorte jusqu'à ce que
Joann, de plus en plus bouleversée pour le petit
garçon et les autres enfants, sente que la coupe
était pleine.

Jusque-là, Jim n'avait rien remarqué, car il
conversait avec des amis venus saluer sa femme.
Il s'est tourné vers elle et s'est rendu compte
qu'elle était bouleversée.

— Qu'est-ce qui se passe ?

— Écoute ce type, a répondu Joann. Il n'a pas
le droit de parler à son fils comme ça. Je sens que
je dois intervenir.

Jim a jeté un coup d'œil à l'autre table, à l'instant même où le petit garçon levait la tête dans
sa direction. Son visage était encore plus écarlate
et de grosses larmes coulaient sur ses joues. Jim
a entendu le père qui continuait exprès à le
railler sans répit, le plus fort possible pour que
tout le monde l'entende.

Jim s'est approché de la table et, tout en restant à distance raisonnable de l'homme, s'est
adressé à lui d'une voix ferme et énergique.

— Ça suffit comme ça ! a-t-il lancé. J'aimerais
que vous laissiez ce garçon tranquille.

— Occupez-vous de vos affaires, a répliqué le
type avec arrogance, bien que surpris. Ça ne vous

146

regarde pas. Il était en retard et je règle mes comptes avec lui.

— Je me fiche de ce qu'il a fait, a rétorqué Jim sans perdre son calme. Ce n'est qu'un enfant et vous le bouleversez, et tous les gens qui vous entourent avec. Alors arrêtez!

Tous les consommateurs fixaient le garçonnet qui pleurait à chaudes larmes. Son frère et sa sœur gardaient la tête basse, gênés eux aussi, quoique probablement habitués aux éclats de leur père.

Joann était allée se placer au côté de son mari pendant l'altercation. Leur repas terminé, ils s'apprêtaient à ressortir dans la neige. Le type s'est levé d'un bond et leur a emboîté le pas en hurlant et en fulminant. Manifestement, il cherchait la bagarre.

— Pour qui tu te prends? a-t-il aboyé en direction de Jim. Tu t'imagines que la façon dont je traite mes gosses te regarde?

Il a brandi les poings comme s'il allait cogner Jim.

— Je vais vous répondre en quoi ça me regarde, a dit Jim. Les enfants me concernent, ils concernent tout le monde, et je ne vais pas rester les bras ballants à en regarder un subir des sévices.

Sur ce, il s'est penché plus près de l'individu.

— Allez-y, cognez-moi! Ça vous plaît de vous en prendre à plus faible que vous. Pourquoi ne pas essayer de vous attaquer à quelqu'un de votre taille? Allez-y, cognez-moi! Je serai la dernière personne que vous cognerez.

147

Cette brute a reculé. Quelqu'un avait fini par lui tenir tête. Il s'est retourné en titubant et, l'oreille basse, est rentré dans le restaurant.

Je me trouvais en Angleterre au moment de cet incident, où je venais tout juste moi-même de rentrer du Vermont. C'est Joann qui m'a appelée pour m'en faire le récit, semblable en bien des points avec l'histoire que je vous ai rapportée en début de chapitre.

Joann avait été clairement très impressionnée, non seulement par le comportement de Jim, par sa prise de position en faveur de la justice, mais aussi par la maîtrise dont il avait fait preuve, face à ce fou furieux dans la neige.

Quelques heures plus tard, j'ai également parlé à Jim au téléphone et je l'ai questionné sur l'incident.

— Je ne regrette pas mon intervention, m'a-t-il répondu d'une voix sombre. Ce type était une brute et je me devais de réagir. En revanche, je m'en veux de l'attitude que j'ai eue dehors. J'étais en colère et je voulais qu'il me frappe pour pouvoir lui rendre ses coups. J'avais tort, et j'en éprouve de la honte. J'aurais pu mieux gérer la situation mais je ne l'ai pas fait.

Lorsque j'avais parlé à Joann, je m'étais sentie fière de connaître ce défenseur des enfants, cet homme aux convictions assez fortes pour se manifester et faire entendre sa voix. Mais en l'entendant, lui, me dire qu'il avait honte de son attitude agressive, quand j'ai senti poindre dans sa voix son humilité lumineuse et que j'ai compris qu'il fallait rester bienveillant dans les

148

circonstances les plus ardues, j'ai su que j'avais bien raison d'éprouver de l'affection pour lui. Et puis le fait que, lui aussi, ait de l'affection pour moi m'a procuré une grande fierté.

## Ma fierté

En vieillissant, va-t-il regretter ses actes, son comportement ? Et l'enfant ? En devenant adulte, ressentira-t-il cette envie de persécuter, comme son père le lui a enseigné, ou l'intervention d'un petit miracle lui rappellera-t-elle sa souffrance et lui apprendra-t-elle la compassion ?

Les expériences de notre enfance peuvent nous servir de véritable enseignement, comme le prouve l'anecdote suivante.

Dans la pièce ne résonne que le clic-clic-clic des ciseaux. Malheur à moi si je sanglote ! Les larmes salées coulent en silence sur mes joues. Le cliquetis devient de plus en plus fort.

J'ai onze ans. Comme toutes mes sœurs, je porte mes cheveux longs jusqu'à la taille. Ils font ma fierté. On nous force à avoir des nattes. Plus tôt dans la journée, mon père les a brossés sans ménagement pour les démêler, comme d'habitude, et j'ai poussé un petit cri de trop.

La chose n'a pas pris longtemps, elle s'est même passée très vite.

Le bruit a changé en un éclair.

C'est celui de la tondeuse dont il se sert pour me raser la nuque.

— À présent, tu auras une raison pour pleurer, m'a-t-il lancé en me poussant de la chaise.

Je vois encore le sourire de gaieté sur leurs visages. Les visages des membres de ma famille.

À l'école, cela ne m'a pas posé de problème. J'ai menti. Nous lisions à l'époque un des romans de la série *Le Club des cinq,* d'Enid Blyton, dans lequel l'un des personnages, Claudine, détestait être une fille. Elle portait des vêtements de garçon et avait les cheveux courts. J'ai raconté à mes amies que je voulais être comme elle et il n'a pas fallu longtemps pour qu'elles me surnomment Claude.

Partout où j'allais – chez les guides, à l'église – je portais un foulard de soie de ma mère bien serré autour de ma tête pour qu'il ne glisse pas. Je refusais de l'enlever, sauf à la maison. Il me semble que mes cheveux ont mis une éternité à repousser !

*Quel chagrin, quelle souffrance*
*Quelle humiliation, à vif et saignante*
*Toutes ces leçons, destinées à nous enseigner*
*Toutes ces épreuves, destinées à nous forger*

Ces mots tournent en rond dans ma tête au fur et à mesure que je sollicite ma mémoire, que des souvenirs remontent à la surface. Je me demande ce que j'ai appris, alors que toute ma colère s'est dissipée et que demeure uniquement l'ombre de la douleur évocatrice de cette blessure d'enfant.

Il était minuit passé lorsque le téléphone a sonné. Je ne dormais pas, j'étais juste dans un état de bien-être. Mais dès que j'ai soulevé le combiné, les hurlements m'ont mise sur le qui-vive.

— Aidez-moi! Aidez-moi! Ne le laissez pas mourir, ne cessait-elle de crier.

J'ai commencé par lui parler doucement, puis avec fermeté, pour essayer d'interrompre sa crise d'hystérie et de comprendre ce qu'elle me disait.

Son fils avait huit ans. Trois ans plus tôt, on avait découvert qu'il souffrait d'un cancer. Après l'avoir opéré et lui avoir appliqué plusieurs protocoles, les médecins avaient baissé les bras. On lui avait dit que seul un miracle pouvait à présent le sauver. D'où la raison pour laquelle elle m'appelait.

En l'écoutant, j'ai tout de suite compris que je ne pouvais pas lui apporter le miracle qu'elle souhaitait. Le moment de cet enfant était arrivé. Je le savais d'instinct.

— Vous devez le voir, m'a-t-elle implorée. Vous devez nous aider. Je vous en supplie, je vous en supplie, juste le voir!

Cela s'est passé il y a tellement longtemps! Quinze ans exactement. Mark était mon premier patient enfant et je priais Dieu de pouvoir lui apporter quelque chose, une toute petite partie de moi susceptible de les soulager un peu, lui et sa mère, de leur douleur.

Il était tout petit et d'une maigreur extrême, beaucoup trop petit pour son âge. D'une pâleur atroce. Dans les yeux sombres qu'il a posés sur moi, le regard était presque désintéressé.

J'ai surtout été frappée par sa calvitie ; le traitement lui avait fait perdre tous ses cheveux.

Un vague souvenir m'a traversée. D'instinct, j'ai porté une main à ma tête et je suis restée là sans bouger, à me remémorer :

*Quel chagrin, quelle souffrance*
*Quelle humiliation, à vif et saignante*
*Toutes ces leçons, destinées à nous enseigner*
*Toutes ces épreuves, destinées à nous forger*

Mark est parti quelques jours plus tard. Il a rejoint les nombreux enfants qui meurent, tandis que nous, qui restons, en sommes réduits à nous poser des questions.

J'aimerais pouvoir vous dire que j'ai revu Mark depuis son décès, mais je vous mentirais, à moins, bien entendu, qu'il ne fasse partie des nombreux enfants qui m'ont rendu visite au fil des années, tous en bonne santé, en sécurité et heureux, les yeux vifs et les cheveux brillants. Je les vois clairement. Tous des anges. Ce sont les enfants de demain.

Instinctivement, je porte la main à mes cheveux et je me souviens.

Je me demande ce que j'ai appris, alors que toute ma colère s'est dissipée et que demeure uniquement l'ombre de la douleur évocatrice de cette blessure d'enfant.

J'ai appris la compassion.

Ne trouvez-vous pas étrange cette manière que nous avons d'emmagasiner les souvenirs d'enfance ? Ils demeurent quelque part dans un recoin de notre esprit, dans l'attente qu'une expérience, un parfum, un bruit, le son d'une voix... que quelque chose ne les fasse resurgir, parfois avec une netteté sidérante, au premier plan de nos pensées.

C'est par le biais de Mark que me sont revenues mes blessures d'enfance, mais c'est d'une autre façon que je me suis souvenue récemment de Mark et que j'ai rédigé son histoire, d'une certaine manière, comme un tribut à l'association « Les Enfants de Demain ».

J'ai pris pour la première fois conscience d'eux dans une librairie du New Jersey, en octobre 1995. Après avoir donné une conférence devant un auditoire de plusieurs centaines de personnes, j'ai commencé ma dédicace. La queue était longue, et malgré la joie de constater que tant de personnes avaient acheté mon premier livre, j'étais très lasse. Je savais que la signature allait s'éterniser, car chacun avait quelque chose à me dire. Malgré tous mes efforts, le temps me manquait. Je ne pouvais pas en accorder à chacun autant que j'aurais voulu. Je savais que nombre d'entre eux voyaient dans cette rencontre une occasion d'avoir un échange avec un être aimé qu'ils avaient perdu, et qu'ils allaient être déçus. Beaucoup ne cachaient pas leurs larmes, et bien que je ne fusse pas insensible à leur chagrin, je pouvais difficilement leur offrir davantage qu'un regard de compassion.

153

Un couple m'a particulièrement fendu le cœur. Tandis que je dédicaçais leur exemplaire, ils m'ont dit qu'ils avaient perdu leur enfant. Ils se serraient si étroitement l'un contre l'autre, elle avait un regard tellement perdu, que je leur ai dit que, s'ils voulaient bien attendre jusqu'à la fin de la dédicace, je leur consacrerais un peu de temps.

Je les ai oubliés un moment. Une heure a dû passer, j'avais des crampes dans la main, quand j'ai pu me tourner vers eux. J'avais proposé à une autre femme de se joindre à eux. Elle était en fauteuil roulant, accompagnée de son fils de huit ans. Elle aussi, je le savais, avait perdu un enfant.

Fort heureusement, cette librairie était équipée de confortables fauteuils et un employé du magasin m'a apporté un rafraîchissement dont j'avais bien besoin. Le premier couple m'a demandé si deux de leurs amis pouvaient se joindre à nous, ce que j'ai accepté. Tous se sont approchés de moi. Nous avons formé un petit groupe compact, soudé par le chagrin et l'espoir.

J'ai tendu les bras vers le petit garçon et lui ai demandé de venir s'asseoir avec moi dans le fauteuil. Il s'est assis sur mes genoux et j'ai perçu les efforts qu'il faisait bravement pour maîtriser ses émotions, afin d'essayer de rester fort pour sa mère, tout en pleurant désespérément la mort de son frère.

Le plus beau cadeau que j'ai reçu ce soir-là est la visite de ce petit frère, âgé de trois ou quatre ans, qui est venu du monde des esprits apporter des messages d'espoir et de réconfort à son frère et à sa mère. J'ai transmis le dernier message en étreignant tendrement le petit garçon de huit ans.

— Dites-lui que je suis à présent son ange, ai-je nettement entendu son frère dire, et que je l'accompagnerai toujours.

Subitement, mon attention a été attirée, non par le couple qui attendait si patiemment, mais par une petite fille du monde des esprits, pleine de délicatesse et de douceur, mais un peu moins patiente que ses parents.

— C'est mon tour, à présent. C'est mon tour, à présent, l'ai-je entendue réclamer.

Je me suis gentiment conformée à sa demande, elle attendait depuis si longtemps ! Elle m'a raconté comment elle était morte du cancer, l'horreur de sa maladie et les pleurs de douleur qu'elle avait versés. C'était dur pour ses parents. Mais après quoi, cette petite fée a continué, fourni beaucoup de détails qui leur prouvaient qu'elle avait survécu à la mort. Bien vite, ils se sont mis à rire du petit cinéma qu'elle faisait. Elle leur avait bien fait comprendre qu'elle les surveillait et qu'elle était en vie.

Durant ma conversation avec cette enfant, j'ai remarqué à un certain moment qu'un grand nombre de gens s'étaient assis à proximité pour observer la manière dont je m'y prenais et en constater les effets. Ils s'étaient rendus dans cette librairie afin d'écouter ma conférence et de faire signer leurs livres, puis ils avaient pris conscience qu'il se passait autre chose. Sans s'immiscer, ils avaient désiré en quelque sorte y

155

prendre part. Ils ne pouvaient pas entendre tout ce qui se disait, mais ils se rendaient manifestement compte, à un petit degré, que quelque chose de merveilleux se déroulait, et ils voulaient le partager.

En y réfléchissant par la suite, je me suis dit que régnait en ce lieu une forme de révérence, que le sentiment du sacré nous avait tous envahis, et j'ai eu la certitude que nous avions tous pris conscience de la présence infinie de Dieu.

La petite fée a continué à s'adresser à ses parents et leur a même dit qu'elle serait à leurs côtés pour la célébration de Noël.

Plus d'une heure s'était écoulée lorsque je me suis subitement aperçue que je perdais mon énergie. De légères palpitations dans la tête, une douleur sourde, sont venues me rappeler ma fatigue. Je devais mettre un terme à la séance.

Les parents de la petite fille, émus aux larmes, m'ont remerciée et m'ont parlé de l'organisation à laquelle ils appartenaient, qui avait rassemblé des fonds pour construire un hôpital destiné aux enfants victimes de cancers rares. Cette organisation gérait également un groupe de soutien pour les familles de ces enfants. Cette entreprise m'a tout de suite intéressée et j'ai accepté, sans la moindre hésitation, d'aller parler devant leur groupe.

Deux semaines avant Noël, le 11 décembre, mon amie Joann et moi-même nous sommes rendues sous la neige à Hackenzack, dans le New Jersey. Après la température glaciale qui régnait dehors, on nous a accueillies dans une salle d'hôpital bien chauffée. Trente-cinq personnes environ avaient pris place sur des chaises installées le long des murs de la pièce. Des hommes et des femmes, des parents qui avaient perdu un enfant. Au milieu de la pièce, des sandwiches et des pâtisseries avaient été disposés sur deux tables basses.

« Jamais je ne pourrai satisfaire tous ces gens » : voilà quelle a été ma première pensée au moment où je suis entrée dans cette salle. J'espérais que nous parviendrions à entrer en contact avec trois ou quatre enfants. Vu le temps dont nous disposions (j'avais accepté de donner une conférence de deux heures), je ne pouvais guère attendre davantage. Malheureusement, ces parents ne seraient pas satisfaits d'avoir des nouvelles d'un enfant qui n'était pas le leur, même s'ils l'avaient connu. Et je pouvais parfaitement les comprendre.

Avant de me présenter devant ce groupe, je leur avais fait savoir clairement, comme je le fais toujours, que je ne peux en aucune manière prévoir ce qui va se passer. Je ne peux jamais garantir qu'un contact sera établi avec le monde des esprits. Cet a priori bien posé, j'ai entamé mon travail.

Il ne m'a pas fallu longtemps, à ma grande joie, pour entendre ma première voix, mon premier contact. J'ai pris conscience qu'un garçon du monde des esprits se tenait derrière moi et voulait parler à Tom.

— Je suis Tom, m'a appris l'homme assis à côté de moi.

157

— J'entends le prénom David, ai-je ensuite dit.

— C'est nous! a répondu un couple assis un peu plus loin à ma droite.

J'étais un peu désarçonnée. Apparemment, deux garçons du monde des esprits voulaient me parler en même temps. Je ne suis pas parvenue à éclaircir les choses tout de suite, et les minutes s'égrenaient.

Pourtant, je n'aurais pas dû m'inquiéter. Car, un par un, alors que je passais lentement d'une personne à l'autre, les enfants de l'autre monde sont venus parler à leurs parents.

Une petite fille a évoqué les soins dentaires que sa mère venait de subir. Un autre enfant a décrit le récent déménagement de ses parents. Une fille, après avoir décrit sa mort, a enlacé ses parents et leur a dit à quel point elle était fière que son père ait gagné une coupe dans un tournoi de golf. Par la suite, il nous a confirmé qu'il l'avait effectivement gagnée le samedi précédent.

Nous avons poursuivi, fait le tour de la pièce, jusqu'à ce que chaque personne présente ait reçu un message de son fils ou de sa fille bien-aimé(e).

J'étais enchantée. Personne n'avait été oublié. Bien sûr, je ferais preuve de naïveté si je me disais que tous ceux présents dans la salle y ont vraiment cru, même s'il ne leur a pas été facile de nier les preuves qui leur avaient été fournies. Je sais que plusieurs personnes sont restées sceptiques, tout en ayant au moins conclu que le contact avec le monde des esprits n'était pas du simple domaine de l'hypothèse.

Pour ma part, j'avais assumé ma responsabilité à l'égard de ces enfants « morts ». Je m'étais attelée à mes préoccupations, qui se dirigent toujours vers ceux du monde des esprits. Je leur avais servi de voix, de messagère, non pas parfaite, mais aussi efficace que possible.

La faculté dont j'avais pu faire cadeau à leurs parents me faisait plaisir, tout en demeurant au second plan. Le cadeau que j'avais fait aux enfants était un honneur et une joie.

Le moment était arrivé de mettre un terme à cette séance. J'ai regardé l'enfant qui avait provoqué ma présence en ce lieu, la petite fille à laquelle j'avais parlé en premier dans la librairie. Elle était à présent prête à transmettre un autre message, qui ne concernait pas seulement sa famille, mais qui venait de tous les enfants à l'attention de leur papa et de leur maman.

J'ai souri à cette petite fée, tandis que je répétais ses paroles, l'une après l'autre.

— Et c'est Noël, a-t-elle dit, et le matin de Noël, quand vous vous réveillerez, ouvrez les yeux et regardez l'endroit le plus lumineux de la pièce, car c'est là qu'on sera. Vous nous entendrez même peut-être lancer : « Joyeux Noël, maman ! Joyeux Noël, papa ! » Et nous serons heureux de savoir que vous pouvez voir notre lumière.

J'ai de nouveau regardé cette enfant-fée dans les yeux, puis je suis passée à chaque enfant présent dans la pièce. J'ai croisé le regard de chacun, nous avons échangé un sourire et ils m'ont remerciée. Et la paix m'a envahie, tandis que je les rassemblais autour de moi pour leur donner mon affection et qu'ils m'offraient la leur. Car ils étaient véritablement les Enfants de Demain, à l'abri près de Dieu.

Puis la petite fée m'a transmis un dernier message, qui m'a fait sourire. La lumière dansait autour d'elle.

— J'allais oublier. Dieu vous dit bonjour.

# 3
# UN VOYAGE VERS LA GUÉRISON

Il existe de nombreuses sortes de guérison, mais dans cette partie, nous ne nous intéresserons qu'à la guérison de l'esprit, apportée la plupart du temps par l'imposition des mains telle que la pratiquait le Christ, même s'il arrive, vous le verrez, qu'elle soit donnée par d'autres moyens.

Avant de commencer, je vais vous expliquer comment l'Association de Guérisseurs Rosemary Altea (RAAH) envisage l'art de la guérison. En qualité de fondatrice et d'enseignante de ce groupe, je souhaiterais partager avec vous mes sentiments et pensées sur la guérison.

Pour ce faire, je dois d'abord vous dire que tout être vivant possède une aura. Notre aura, ou champ d'énergie, nous entoure, s'étend sur plusieurs mètres au-delà de notre enveloppe charnelle. Ce champ d'énergie peut être photographié à l'aide d'un appareil qui a été inventé par un couple russe, Semyon et Valentina Kirlean, il y a de nombreuses années.

L'âme possède aussi son aura, son champ d'énergie. Nous nommons esprit cette énergie, cette lumière qui nous entoure et éclaire l'âme.

Lorsque nous tombons malade physiquement,

notre aura reflète notre maladie, l'affecte, affecte même souvent notre esprit. Lorsque l'âme est en manque, son aura, notre esprit, le reflète aussi et s'assombrit. La lumière faiblit et l'âme lutte dans les ténèbres.

Lorsque nous pratiquons la guérison, nous commençons donc par demander l'aide de Dieu, son énergie, sa lumière, de manière que cette énergie soit d'abord conférée à l'esprit, pour que l'aura de l'âme puisse s'élargir peu à peu et illuminer cette dernière. Lorsque cela se produit, survient une importante guérison. Lorsque l'âme absorbe cette énergie salvatrice et qu'elle découvre la paix et l'illumination dont elle a si souvent besoin, une guérison physique intervient alors également souvent.

Un guérisseur « spirituel » s'attache donc d'abord à apporter la guérison à l'esprit, la lumière de l'âme. Et non, comme le supposent beaucoup de gens, au cancer, à l'arthrite, à la migraine. À l'esprit pour commencer, qui à son tour, si Dieu le choisit, nous permettra de guérir physiquement.

J'entamerai cette troisième partie par une question de mon guide, Aigle Gris, qui est lui-même un guérisseur, un chaman. Cette question, si souvent posée, y compris par moi-même, trouve une réponse qui, je l'espère, vous aidera à percevoir le message le plus important, surtout pour ceux qui sont malades et mourants, et pour ceux qui sont sur le point de perdre quelqu'un d'une maladie... message est que nous ne mourons pas, que nous sommes une âme... et que nous continuons vraiment à vivre.

# Question

**Question :** Aigle Gris, comment se fait-il que la guérison spirituelle guérisse certaines personne et pas d'autres?

**Réponse :** Une âme humaine se tend vers une autre âme humaine, munie pour seuls instruments d'amour et de compassion. Elle touche le cœur de l'autre âme humaine, et l'âme de celui en plein désarroi est sensible à ce geste d'amour et y répond... elle va l'englober et s'en servir pour se développer.

Aucune personne qui fait don de l'amour n'échoue à guérir l'âme.

Pour répondre à votre question, il nous faut, une fois encore, nous tourner vers votre concept de la mort... votre concept du bien-être. Un enfant de Dieu dont le corps physique est handicapé peut posséder un esprit lumineux, qui plane à travers les cieux, en toute liberté. Cette âme accepte et sait que le véhicule à l'intérieur duquel elle a choisi d'être enfermée ne durera qu'un temps.

Tous ceux qui regardent vers la lumière... les handicapés... les éclopés... les déprimés... les

165

angoissés... peuvent tous faire l'expérience de ce cadeau de la guérison.

Lorsque l'enveloppe charnelle meurt, nous vous entendons déclarer : « Il est mort, il n'existait pas de remède. » Mais la mort n'est-elle pas une guérison ? Car l'âme n'est-elle pas alors libérée, capable de continuer à se développer... à vivre... à sentir... à exister ?

Par conséquent, je vous le dis sincèrement du fond du cœur, la guérison que vous cherchez n'est peut-être pas celle que Dieu considère comme la meilleure pour l'âme... peut-être pas celle que l'âme considère comme la meilleure pour l'âme.

Et nous admettons qu'avec votre vision limitée vous n'avez peut-être qu'un aperçu de la vérité de mes propos.

## Chris

J'étais un médium, un médium spirite, et mon ami, Mick McGuire, était, quant à lui, le guérisseur. Nos rôles étaient bien distincts et j'en étais heureuse. « Je ne pourrais jamais être guérisseuse, m'étais-je souvent dit. De plus, la maladie m'effraie. Je n'aurai jamais la force. Dieu merci, je n'ai pas été choisie pour effectuer ce travail. » Comme ils ont dû rire, avec gentillesse bien évidemment, ceux du monde des esprits qui étaient au courant de mes pensées! Ils me guidaient et me dirigeaient en douceur vers le rôle dont ils savaient déjà qu'il était le mien, avec une bienveillance infinie. Ils me prodiguaient leur enseignement, ferme mais doux.

Cela fait à présent de nombreuses années que j'ai ouvert la RAAH. Nous avons inauguré notre premier centre en 1986 et, depuis lors, j'ai développé une petite organisation, mais entièrement dévouée, qui compte des patients dans le monde entier.

Le premier séjour que j'ai effectué à Hong Kong a duré six semaines. Par la suite, ils se sont de plus en plus prolongés et ma clientèle s'est élargie. C'est sur l'invitation de l'une de mes clientes, Kay Frost, que je me suis rendue pour la première fois en Extrême-Orient. Kay et son époux Peter avaient quitté l'Angleterre pour Hong Kong à la suite de la promotion de Peter. Cette décision de déménager à l'autre bout du monde était d'une extrême importance pour leur couple, car ils avaient deux enfants, Charlotte et le jeune Peter. Kay était donc venue me consulter à propos de ce changement de vie. Elle voulait savoir s'ils avaient raison d'accepter, si cela ne nuirait pas à leurs enfants et ainsi de suite... Kay était à mes yeux une cliente comme les autres, et quand elle est revenue me consulter une deuxième fois (elle était rentrée deux semaines en Angleterre pour rendre visite à sa famille) et qu'elle m'a invitée à venir à Hong Kong, à rester là-bas quelque temps, je ne l'ai pas vraiment prise au sérieux.

Plusieurs lettres et coups de téléphone plus

tard, j'ai compris, à son insistance, qu'elle m'offrait une chance à saisir qui ne se présenterait pas deux fois. Sans la moindre arrière-pensée d'en tirer quelque chose à son propre profit, elle souhaitait véritablement me procurer l'occasion d'élargir mon environnement professionnel. Au cours de son deuxième appel téléphonique, sur une impulsion, sans réfléchir, j'ai répondu oui. Ainsi ont débuté mes voyages. Le bouche à oreille a permis à ma clientèle de s'élargir, et à la liste de mes patients de s'allonger.

Je me suis bien vite retrouvée presque autant engagée dans la guérison à Hong Kong qu'en Angleterre. En revanche, ma charge de travail là-bas était très lourde, car je ne disposais pas, comme en Angleterre, d'une équipe de guérisseurs pour me seconder.

L'une de mes premières patientes, Lynne, était une Américaine traitée pour un cancer depuis deux ans lorsque je l'ai rencontrée. Ce fut en sa compagnie que j'ai effectué ma première visite aux États-Unis. Elle m'avait offert l'hospitalité à Hong Kong pendant plusieurs semaines et j'avais noué une solide amitié avec elle et son mari, Geoff.

Lynne m'avait entendue parler pour la première fois à la radio, lors d'un entretien que j'accordais à Valérie Whitehead, l'une des présentatrices les plus populaires des programmes de la matinée à Hong Kong. J'y évoquais la guérison et, au cours de l'émission, j'avais fait savoir que j'avais vraiment besoin d'un point de chute à Hong Kong, où je pourrais recevoir les personnes en souffrance pour pratiquer ma méthode sur eux. Les réactions à mon appel avaient été stupéfiantes. De nombreux auditeurs m'avaient proposé de disposer de leur maison ou de leur bureau. Lynne en faisait partie. Nous avions donc organisé une soirée hebdomadaire, où les patients pourraient venir me consulter gratuitement chez elle.

C'est également grâce à cette émission radiodiffusée que j'ai fait la connaissance de Chris. On avait découvert que cet homme d'une quarantaine d'années, marié et père de deux enfants, souffrait de tumeurs mortelles aux poumons, car elles se développaient et étaient inopérables. Notre première rencontre a eu lieu dans le vaste hall de l'un des hôtels les plus chics de Hong Kong. Nous avons pris ensemble un ascenseur qui nous a amenés à un appartement réservé à l'un des amis de Chris. Après une séance de guérison d'une heure, nous nous sommes liés d'amitié. De nombreuses autres séances ont suivi, mais l'une de celles que je garde le plus nettement en mémoire a eu lieu après que Chris m'eut emmenée voir le Dr Woo. Ce dernier, prêtre bouddhiste qui pratiquait la phytothérapie, traitait également Chris. C'était un homme hors du commun, d'une intelligence remarquable et d'une grande vivacité malgré ses quatre-vingts ans passés. Il restait assis en tailleur sur un petit tabouret en osier (exploit que je n'aurais jamais eu l'agilité d'accomplir !) et étudiait son patient en lui posant quelques questions, avant d'établir son diagnostic et de décider du remède approprié.

Ce jour-là, je suis venue le voir en patiente, et en dépit de la brièveté et du flou apparent de ses questions, il a bien vite mis le doigt sur la douleur que je ressentais au ventre. Il m'a également décrit avec justesse mes problèmes rénaux. Quoique impressionnée et curieuse de voir le traitement qu'il allait me prescrire, j'ai eu du mal à prendre ses remèdes. Une fois que j'avais fait bouillir les herbes qui ressemblaient à des espèces de bouts d'écorce rabougris, accompagnés d'innommables insectes séchés et d'asticots, il se dégageait de cette mixture boueuse une telle puanteur que je n'arrivais pas à l'avaler. J'ai l'estomac fragile et mes nausées, chaque fois que j'étais sur le point d'en ingurgiter une toute petite gorgée, ont mis un terme à tous mes espoirs de suivre un traitement par phytothérapie. Je me hâte de préciser que tous les remèdes prescrits dans cette discipline ne ressemblent pas à ceux-là ! Il y en a au contraire un grand nombre qui sont faciles à ingérer et qui peuvent donner de très bons résultats.

Mais je m'égare. Ce fameux jour où nous avons rencontré le Dr Woo, Chris et moi nous sommes rendus chez le pharmacien pour acheter les herbes prescrites. Pendant que nous attendions, Chris m'a demandé si j'avais le temps de prendre un verre avec lui et, nos petits sachets à la main, nous avons emprunté les rues de Wan Chai, un faubourg de Hong Kong, à la recherche d'un café. Tandis que nous nous frayions un chemin dans les ruelles étroites où régnait une circulation bruyante, Chris m'a dit qu'il comptait sur une séance de guérison ce jour-là. Malheureusement, notre visite au Dr Woo avait pris plus longtemps que prévu.

— Je ne vois pas où nous pourrions trouver un coin tranquille, a cependant ajouté Chris en embrassant les lieux du regard.

C'est alors que j'ai repéré un petit établissement, l'équivalent chinois de l'un de nos cafés, avec des tables disposées sur le trottoir. Les volets en avaient été relevés tout le long de sa façade, si bien que toute la pollution provoquée par la circulation se faisait une joie d'y pénétrer. Mais nous étions à Hong Kong, nous devions nous y faire. Afin que Chris puisse m'entendre malgré le vacarme des voitures et des camions, j'ai dû lui hurler que nous pouvions essayer ce café.

Chris a acquiescé avec un haussement d'épaules, parfaitement conscient qu'il nous faudrait encore parcourir un bon bout de chemin avant de trouver un endroit mieux adapté. Nous avons pris place à la table la plus éloignée de la chaussée, ce qui n'y changeait pas grand-chose, puisque l'établissement était situé à un angle de rue, et nous avons passé commande de nos boissons.

— Alors, Rosemary, vous pouvez me recevoir quand au plus tôt ? m'a demandé Chris.

— Pourquoi pas maintenant ? lui ai-je répondu. Je bois mon café, et si ça vous convient, on commence.

— Quoi ? a-t-il, répliqué, stupéfait. Vous voulez dire, ici, au milieu de tout ce tohu-bohu ?

Dans un éclat de rire, je lui ai expliqué que nécessité faisait loi, même si nous ne nous trouvions effectivement pas dans l'environnement le plus adapté... S'il était prêt, je l'étais aussi.

— Très bien, a répondu Chris, légèrement perplexe, mais confiant.

Quelques minutes plus tard, nous avons donc commencé notre séance.

Chris a approché sa chaise de la mienne pour que je puisse le toucher facilement. Pendant que je posais mes mains, la droite sur sa poitrine, la gauche sur son dos comme je le fais toujours, j'ai demandé à Dieu de m'apporter son aide et de diriger son énergie curative vers mon patient. La prière contient à mon sens un pouvoir immense, et j'ai alors prié pour que la lumière et l'amour de Dieu viennent éclairer l'esprit de mon patient, de manière que son âme soit plus apte à recevoir les rayons de guérison divins et universaux à l'œuvre, j'en avais la conviction.

Le guérisseur sert de conduit à cette énergie curative, qui passe de lui au patient.

Comme je l'ai déjà précisé, la guérison spirituelle s'adresse d'abord à l'esprit du patient. L'esprit est la lumière de l'âme. S'il brille, s'il est pur, il éclaire et illumine l'âme. On reconnaît volontiers dans les cercles médicaux que le stress et le manque d'harmonie affective sont les plus grands tueurs du genre humain, et qu'ils sont à la source de nombreux maux. Pour nous débarrasser du manque d'harmonie qui nous habite, nous disposons d'un moyen : faire en sorte que notre âme possède de la lumière, nous souvenir que nous sommes, d'abord et avant tout, des êtres doués de spiritualité.

Comment l'âme peut-elle se développer sans lumière? De la même façon qu'un bulbe a besoin de lumière et de soleil pour produire des feuilles vertes et des fleurs splendides, l'âme a besoin de lumière et de chaleur. L'esprit qui enveloppe l'âme, qu'on l'appelle aura ou champ d'énergie, a juste besoin que nous ayons conscience de son existence pour briller davantage. Une fois que nous en avons conscience, nous pouvons agir et penser en fonction de lui. Si nous lui accordons l'attention juste et nécessaire, il brillera de plus en plus et aidera l'âme à s'épanouir davantage. Au fur et à mesure que nous donnons notre amour à notre esprit, que nous devenons plus attentifs à ses besoins, l'harmonie de notre cerveau, de notre corps et de nos émotions s'intensifie, et nous permet de connaître la paix et la sérénité.

C'est ainsi que se sont passées les choses avec Chris, alors que nous étions assis dans une rue bruyante de Hong Kong, encerclés par les voitures, les camions, le vacarme et les gaz d'échappement. Pendant que je posais mes mains sur lui, il a cessé de s'interroger, il a senti l'amour de Dieu circuler dans son être, il s'est laissé aller à la lumière et à la paisible solitude de cette séance de guérison, au cours de laquelle il a trouvé une forme de sérénité.

Au fil des mois qui ont suivi, nous avons souvent reparlé de cette expérience. Chris disait toujours que c'était l'une des plus profitables

173

séances de guérison qu'il ait connues. Cela lui a également permis de s'apercevoir qu'il se trompait en imaginant – comme beaucoup de gens – que la guérison ne peut être apportée que dans les conditions « adéquates ». Chris a appris que Dieu est vraiment omniprésent et qu'il peut mettre en œuvre partout le miracle de l'amour.

« L'âme est plantée comme un bulbe. Dans un bon terreau, ses racines s'enfoncent dans la terre. Elle n'a besoin que d'amour et de lumière. Si elle en dispose, elle ne peut que s'épanouir. »

## Wendy

Peut-être est-ce en compagnie de Chris que j'ai envisagé pour la première fois de divulguer une cassette sur la guérison. En effet, qu'allais-je pouvoir faire pour mon patient lorsque je serais de retour chez moi, en Angleterre ?

De plus, j'en avais beaucoup d'autres. Un vieil homme qui devenait aveugle, plusieurs personnes souffrant d'un cancer ; Bob, un Américain dont je suis devenue très proche, qui était sous traitement dans un hôpital de Hong Kong lorsque je l'ai vu pour la première fois ; David, un homme merveilleux, et sa femme, Heather. Comment pourrais-je les aider lorsque je serais en Grande-Bretagne ? Comment pourrais-je leur procurer l'inspiration nécessaire pour qu'ils puissent s'aider eux-mêmes ? Une cassette, peut-être, une cassette de méditation, une méditation source de guérison. Mais il faut de l'argent pour fabriquer ce genre de matériel et je n'en avais pas. J'ai donc repoussé cette idée dans un coin de mon esprit. « Un jour, me suis-je dit, un jour, peut-être. »

Les deux années suivantes, j'ai effectué des allers-retours entre la Grande-Bretagne et Hong Kong, toujours occupée, toujours frustrée de ne pas pouvoir accomplir davantage de choses, de ne pas être en mesure de voir davantage de personnes. De temps en temps, je pensais à mon premier livre, qui était déjà bien avancé, et à ma première cassette sur la guérison. « Un jour », pensais-je dans mes moments d'oisiveté, le plus souvent juste avant de m'endormir. « Un jour... »

Mes voyages en Extrême-Orient avaient élargi mon horizon. En rencontrant tant d'êtres admirables, j'avais réalisé l'évolution du regard que portait le monde sur le « paranormal » ou le « surnaturel ». En tout cas, j'en avais l'impression. Au cours de mes voyages, je rencontrais de plus en plus de personnes à l'esprit ouvert, et surtout, à mon grand ravissement, je constatais presque partout, non seulement de la curiosité, mais un intérêt sincère pour mon travail. C'est toutefois en revenant en Angleterre, par l'intermédiaire de l'une de mes patientes, Wendy, que ma première cassette de guérison a enfin vu le jour.

J'ai soigné Wendy pendant presque trois ans. Comme bien des cancéreux, elle s'était entendu dire par ses médecins qu'elle n'avait aucun espoir de s'en sortir. C'est donc à ce stade qu'elle est venue dans l'un de nos centres de guérison situés dans le nord de l'Angleterre. Chaque semaine elle arrivait, déterminée et battante, et chaque semaine, elle nous donnait quelque chose. Un échange se produisait. Elle affichait un sourire spontané, elle savait prononcer la parole de gratitude adéquate, elle montrait de l'empressement à aider les autres patients, à leur parler, à les écouter, y compris lorsqu'elle se sentait au plus mal et qu'elle avait peur. Peu à peu, mon affection pour Wendy a grandi. Lorsque est arrivé le moment où elle ne pouvait plus effectuer le déplacement jusqu'à notre centre, je me suis rendue le plus possible à son chevet.

J'ai fait la connaissance de son mari, Mick, et de ses deux fils, adolescents à l'époque. Mes visites sont devenues importantes pour eux. Thé, biscuits, longues conversations et, bien évidemment, séances de guérison de Wendy, nous attendions tous ces moments avec impatience. La maladie de Wendy se chargeait cependant de nous rappeler la raison de ma présence chez eux. Elle projetait une ombre qui ne disparaissait jamais, et je cherchais constamment des moyens de la dissiper.

Wendy faiblissait de plus en plus. J'observais la lutte de cette courageuse jeune femme pour rester en vie. Elle s'est mise à me poser davantage de questions sur ma foi en une vie après la vie et sur le sens de notre existence ici-bas. Nos discussions se sont approfondies, ses questions se sont affinées, au fur et à mesure qu'approchaient les ultimes semaines de sa vie.

Lors de l'une de mes visites à Wendy, son mari m'a raconté qu'ils m'avaient écoutée ensemble le matin même donner une interview à la radio. Mick m'a précisé que Wendy, affreusement mal en début de journée et dans l'incapacité de quitter son lit, était parvenue à rassembler assez de forces après m'avoir entendue pour réussir à se lever et s'habiller afin de me recevoir.

— Stupéfiant, m'a confié Mick. On aurait dit que le simple fait d'entendre votre voix exerçait un effet curatif sur elle.

Wendy, qui avait écouté son mari me narrer cette anecdote, a hoché la tête et simplement ajouté qu'entendre ma voix à la radio lui avait fait presque autant de bien que ma présence.

Des pensées m'ont traversé l'esprit. À propos de ma fameuse cassette de guérison, des pensées familières, toujours pas mises en œuvre. « Un jour, un jour... » En regagnant mon domicile, je me suis dit que ce jour était peut-être venu. Mais comment ? Mes finances n'étaient toujours pas brillantes, et je n'avais aucun moyen de payer la production d'une cassette. De toute façon, aurais-je été en mesure de le faire que cela n'aurait pas aidé Wendy, car je savais que son heure allait bientôt arriver.

Je suis rentrée chez moi en proie à un grand trouble. Wendy n'avait plus que quatre à six semaines à passer ici-bas.

— Que faire de plus ? ai-je demandé à Aigle Gris. Que puis-je faire d'autre ?

J'ai alors aperçu mon magnétophone, posé sur la table de la cuisine, et j'ai obtenu ma réponse.

Sans réfléchir, j'ai pris du papier et un crayon et je me suis installée à la table, sachant que l'inspiration allait me venir. Il était inutile que je questionne encore Aigle Gris. Il allait me guider. Lui, Dieu et mon amour du Christ, mon ami et maître depuis le début de ma vie, le plus grand de tous les guérisseurs, allaient me soutenir dans mon travail et me donner les idées nécessaires pour méditer sur la guérison.

J'ai écrit pendant deux heures environ, et l'enregistrement m'a pris un petit peu plus de temps. En toile de fond, j'ai utilisé un accompagnement musical apaisant, très léger, sur lequel j'ai prononcé les premières paroles d'une série de cassettes de guérison qui seraient par la suite distribuées dans le monde entier.

Le lendemain, j'ai apporté une copie de la cassette à Wendy. Elle l'a accueillie avec une joie immense et l'a écoutée à plusieurs reprises quotidiennement, jusqu'au jour de son départ. Elle disait que ma voix la rassurait et l'aidait à trouver la sérénité. Mes conseils sur la visualisation et l'usage de certaines couleurs lui permettaient de se calmer toute seule et lui apportaient une aide très bénéfique, à l'entendre, quasi magique.

— Le bleu est-il vraiment la couleur universelle de la guérison? m'a-t-elle demandé un jour que je lui expliquais que de nombreux guérisseurs ont recours aux couleurs pour donner davantage de force à leur méthode de guérison.

J'ai acquiescé et lui ai expliqué que, chaque fois que je traitais quelqu'un, je le visualisais dans un nuage protecteur ou une bulle bleue. Cela l'a également aidée. Lorsqu'elle écoutait ma cassette, elle s'imaginait souvent dans une bulle bleue. Au fil des jours, Wendy s'affaiblissait mais devenait de plus en plus sereine, paisible, en phase avec son destin. Jusqu'à ce jour fatal, l'avant-veille de sa mort.

Wendy était pratiquante. Ses convictions religieuses comptaient énormément pour elle. Elle vouait un grand respect à son pasteur et lui avait demandé si je pouvais la soigner avant d'entamer son traitement. Il lui avait laissé entendre qu'il n'y voyait pas le moindre inconvénient, bien au contraire. Pendant tout son traitement, Wendy, qui continuait à fréquenter assidûment l'église, évoquait régulièrement avec lui les sentiments que lui inspirait ma méthode de guérison, et ses résultats. Pas une fois, il ne lui avait suggéré qu'elle faisait une chose qu'il n'approuvait pas.

Jusqu'à l'avant-veille de sa mort. Ce jour-là, lors de la dernière visite qu'il lui rendit, il lui parla du paradis et de l'enfer. Et il choisit alors de lui déclarer qu'elle avait eu tort d'avoir recours à moi et à mes soins, qu'ils allaient à l'encontre de Dieu et que, si elle ne reniait pas tout, elle ne pourrait pas entrer dans le Royaume de Dieu.

J'étais passée voir Wendy un peu plus tôt dans la journée. Comme j'avais d'autres visites de patients dans le secteur, je lui avais promis de repasser plus tard. Je savais que c'était peut-être la dernière fois que je la verrais, sur le plan terrestre en tout cas, et j'étais prête à lui dire adieu. En entrant dans la cuisine Mick est venu à ma rencontre et j'ai tout de suite compris qu'il y avait un grave problème.

Il était extrêmement nerveux. Wendy ne lui avait pas confié la teneur de sa conversation avec le pasteur, mais il voyait bien qu'elle était bouleversée. Elle lui avait demandé de la réveiller, le cas échéant, quand je viendrais, car elle tenait absolument à me voir et me parler en tête à tête.

Le mari de Wendy devait souffrir de nous laisser seules toutes les deux. Il voyait le désarroi de sa femme, se doutait que j'en étais probablement à l'origine et se retrouvait néanmoins exclu de ce moment crucial. Étant donné l'amour qu'il lui portait, son désir de la protéger, il a dû éprouver beaucoup de peine à refermer la porte de la chambre et à nous laisser face à face.

Je me suis assise au chevet de ma patiente et lui ai pris la main. Elle semblait si petite, si frêle, si pâle ! Elle parvenait à peine à soulever sa tête de l'oreiller, et encore moins à parler. Tandis que je vous rapporte notre conversation, à jamais gravée dans mon cœur, je la revois, déterminée, lutter pendant plus d'une heure pour trouver le souffle nécessaire à prononcer les mots que quelques instants vont me suffire à répéter.

Elle m'a rapporté la visite du pasteur, son trouble, son incapacité de comprendre pourquoi il ne lui avait jamais tenu de tels propos jusquelà. Elle a évoqué sa peur, épouvantable, d'avoir commis un acte terrible contre Dieu et d'être condamnée à l'enfer.

— Il m'a dit que vous êtes une tricheuse, une menteuse, m'a-t-elle dit. J'ai essayé de vous

180

défendre. Je lui ai répondu que c'était faux, que s'il vous rencontrait et vous parlait, il s'en rendrait compte par lui-même. Il m'a répondu que ce n'était pas nécessaire, que vous n'étiez qu'une mystificatrice qui passait sa vie à tromper les gens, que vous commettiez des actes impies.

Sans rien dire, je continuais à lui tenir la main, profondément émue par son désarroi. Elle m'a rapporté tous les propos de cet « homme de Dieu », sans quitter un instant mon visage de ses yeux immenses et craintifs. J'éprouvais une tristesse infinie, car il était évident qu'un seul instant avait suffi pour la priver brutalement de toute la paix et l'harmonie spirituelles qu'elle avait conquises. Il y a eu alors ce moment terriblement pénible, où elle m'a posé la question suivante, à la fois honteuse mais en proie au besoin désespéré d'en avoir le cœur net :

— Est-ce qu'il dit vrai, Rosemary ? Est-ce que vous nous trompez ? Est-ce que tout ça n'est qu'une illusion ?

Le regard un peu moins craintif et débordant de compassion à mon égard, elle a alors ajouté de sa voix toujours oppressée :

— Ne vous inquiétez pas, vraiment. Dites-moi juste s'il a raison. Je n'en parlerai pas. Je ne dirai rien à Mick ni à personne, je vous le jure. J'ai juste besoin de savoir la vérité.

Son corps s'est affaissé alors qu'elle prononçait cette dernière phrase, elle a fermé les yeux mais les a rouverts brusquement. Ils sont restés fixés sur mon visage jusqu'à ce que j'aie fini de parler.

Si j'avais été plus jeune, moins sage, j'aurais

bondi d'indignation, de colère, à l'idée que quelqu'un puisse suggérer que je mentais et, plus grave encore, que je tirais profit des malades et des mourants, même si je ne voyais pas de quel profit il pouvait bien s'agir, puisque ni moi ni mon équipe ne nous faisions jamais payer. Si j'avais été plus jeune, si j'avais pensé davantage à mes sentiments qu'à mes patients, je lui aurais peut-être fait cette réponse, j'aurais peut-être ressenti le besoin de me défendre, de défendre mes motifs, mes convictions.

Mais je n'en ai rien fait. En revanche, je lui ai parlé de mon amour de Dieu, de ma foi en Jésus-Christ. Je lui ai dit ma conviction que nous allions tous à Dieu, que le Royaume des Cieux n'est pas une espèce de club réservé à ceux dont l'Église ou n'importe quelle institution religieuse estime qu'ils en sont dignes. Je lui ai expliqué que, pour moi, tous les êtres humains sont égarés, mais que tous, sans exception, nous faisons partie de Dieu, d'une grande puissance divine, d'un plan universel qui nous englobe tous, croyants et incroyants. Je lui ai dit que je pensais que de nombreuses routes mènent à Dieu et que, même si la mienne divergeait un peu de celles des autres, elle était juste à mes yeux.

— Je ne peux défendre la personne que je suis, Wendy. Mais je sais qui je suis et cela me suffit. Si vous avez besoin de me renier, ai-je ajouté avec le sourire en lui serrant la main, cela ne me dérange pas. Je continuerai à vous aimer et à prier pour vous si vous m'y autorisez. Mais vous devez trouver votre paix, votre Dieu, et si votre pasteur peut vous y aider, surtout n'hésitez pas.

J'ai essuyé les larmes qui coulaient sur ses joues.

— Dieu sait ce dont vous avez besoin. Faites-lui confiance, Wendy. Il ne vous a pas abandonnée et je ne vous abandonnerai pas non plus. Je resterai votre amie, même si vous estimez nécessaire de vous détourner de moi.

Je me suis encore attardée un moment à son chevet. Ses yeux se sont clos et elle s'est endormie d'un sommeil agité. Je suis ressortie.

Il m'a fallu une demi-heure pour rentrer chez moi, pendant laquelle j'ai pleuré sans répit. J'ai hurlé contre Dieu, j'ai hurlé contre le Christ, j'ai hurlé contre Aigle Gris, j'ai sangloté à maintes reprises : « C'est injuste, c'est injuste ! »

« Tous mes patients meurent en paix, sans peur. C'est la règle, la compensation, non ? » ne cessais-je de répéter plus tard dans la nuit alors que j'arpentais l'entrée de ma maison, incapable de trouver le sommeil. « C'est la compensation, la justice », hurlais-je de nouveau, en proie à une fureur qui montait et descendait, montait et descendait à la pensée du désarroi de ma patiente.

J'en voulais également à son pasteur. Comment avait-il pu lui tenir de tels propos au moment où elle avait avant tout besoin de son réconfort et de son amour ?

J'ai marché de long en large pendant toute la nuit et ne me suis souvenue de ce que j'avais dit à Wendy que quelques minutes avant l'aube. Ma colère et ma frustration se sont dissipées, tandis que je répétais mes paroles tout haut, mais cette fois, pour moi-même : « Dieu sait ce dont vous avez besoin... faites-Lui confiance... Il ne vous a pas abandonnée. » J'ai alors chuchoté une prière : « Aidez-la, mon Dieu, donnez-lui ce dont elle a besoin, même si cela signifie qu'elle se détourne de moi. Envoyez-lui un signe, un petit quelque chose, qui calmera sa détresse, l'apaisera et rendra son voyage heureux. Dieu du ciel, aidez-la, je vous en prie, car je sais que je ne peux rien faire de plus. »

Je me suis finalement endormie sur mon oreiller humide de larmes. Mais il s'agissait de larmes de soulagement, car je n'étais qu'un être humain, qui ne pouvait pas faire davantage. Le reste reposait entre les mains de Dieu.

J'ai eu du mal à me réveiller au bout de quelques heures. Une journée chargée m'attendait : des clients dans la matinée, des patients l'après-midi. J'ai mis de côté les soucis que m'inspirait Wendy pour me préparer à recevoir ma première cliente, mais le téléphone a alors sonné. C'était Mick, le mari de Wendy.

— Pardonnez-moi de vous déranger, Rosemary, je sais que vous êtes très occupée, mais c'est Wendy. Elle m'a réveillée à six heures et demie en me disant qu'elle devait absolument vous parler. Elle voulait que je vous appelle tout de suite, mais j'ai réussi à la faire patienter jusqu'à présent. Elle doit vous voir, elle n'arrête pas de vous demander, elle refuse de se reposer tant que je ne lui dis pas que vous arrivez.

J'ai regardé l'heure.

184

— Ne vous inquiétez pas, ai-je répondu. Je viendrai en milieu d'après-midi. Ça vous va?

J'ai perçu le soulagement dans la voix de Mick, qui me remerciait. Il pouvait assurer à Wendy que j'allais venir et elle allait se calmer.

La Wendy que j'ai trouvée en entrant dans sa chambre n'avait rien à voir avec celle de la veille. Elle était toujours dans un état de faiblesse absolue, incapable de soulever la tête de l'oreiller, frêle et repliée sur elle-même. Pourtant, une espèce de lueur dansait dans ses yeux et un petit sourire éclairait sa bouche. Ici encore, il me faut moins de temps pour relater cette entrevue qu'il ne lui en a fallu pour me parler, car elle avait toujours autant de mal à respirer et à articuler ses phrases. Comme la veille, je lui ai tenu la main, et nos yeux ne se sont pas quittés.

— Je... l'ai... vue, a-t-elle chuchoté,... ce... matin... quand... je... me... suis... réveillée.

L'attente était interminable. Quelque part, une horloge égrenait les minutes. Je les entendais marquer le temps de la vie de mon amie qui s'écoulait lentement. J'attendais qu'elle reprenne des forces.

— J'ai... ouvert... les... yeux... et je l'ai vue, a-t-elle fini en hâte.

— Bleue... bleue... toute... la... pièce... baignée... d'une... lumière... bleue... si... splendide... qu'elle... m'a... remplie. Si... si... paisible... Vous... aviez... raison... raison... un... bleu... qui... guérit... universel.

L'énergie lui est alors revenue – divine, je le sais. Elle a levé la tête et m'a tendu le bras.

185

— Vous devez leur dire... tout... tout... ce... que... j'ai... vu.

Des larmes ont coulé sur ses joues. Elle riait. Elle versait des larmes de joie. Elle m'a répété qu'elle avait vu la lumière de la guérison emplir la pièce et lui apporter la paix.

Elle a cité les prénoms de son mari et de ses fils, mais aussi ceux des membres de sa famille et de ses proches.

— Pas seulement eux, m'a-t-elle dit, mais tout le monde, dites-le à tout le monde, car tout le monde sur terre doit le savoir.

Ce jour-là, j'ai tenu compagnie à Wendy et à Mick pendant plusieurs heures. À un moment donné, je me suis dit que Mick et ses fils devaient passer ces derniers instants seuls avec elle et, croyant qu'elle s'était endormie, j'ai suggéré à Mick qu'il était temps que je m'éclipse. Mais Wendy a ouvert les yeux et a dit d'une voix ferme :

— Non, Rosemary, pas encore, pas encore.

Je me suis donc encore un peu attardée et, alors que j'allais partir, Wendy a rouvert les paupières. Au début, elle a regardé à travers moi, les yeux fixés sur quelque chose, ou quelqu'un, que personne ne pouvait voir. Puis son regard a changé de direction et s'est fixé un moment sur le mien. C'est alors qu'elle m'a offert son plus beau cadeau. Je l'écris à présent, un sourire aux lèvres et les yeux humides... Le cadeau de ce sourire tellement lumineux, tellement beau, qui m'a prouvé qu'une réponse avait été apportée à ma prière. Dieu lui avait apporté la paix.

Après les funérailles, Mick m'a dit que Wendy m'avait légué une petite somme d'argent. Je savais qu'elle souhaitait que je l'utilise pour produire une cassette, afin que d'autres puissent bénéficier de la même aide qu'elle. J'ai pris les mesures nécessaires et, le jour fixé pour l'enregistrement, je me suis rendue au studio. Sur le papier, cette entreprise prend un aspect grandiose qu'elle était loin d'avoir ! Il s'agissait d'une petite pièce de la maison de Mervyn Futter, l'homme qui a produit et conçu la musique de la cassette *A Journey Towards Healing*. Mervyn était assis dans cette pièce, derrière son matériel d'enregistrement, tandis que j'étais installée dans le couloir, sur un tabouret, devant un micro, casque sur la tête.

— Très bien, m'a dit Mervyn, attention à ne pas froisser vos papiers. On y va.

J'avais posé mon texte sur mes genoux et, en y jetant un regard pour le vérifier une dernière fois, j'ai demandé de l'aide à mon guide. Puis j'ai inspiré à fond, je me sentais prête. Pendant que je parlais, je l'ai vu. Il se dressait de toute sa haute taille devant moi, et j'ai éclaté de rire à la vue de l'objet qu'il tenait dans une main : une petite baguette d'argent. Il a souri, levé la main et la baguette, marqué une pause d'un instant et nous nous sommes lancés : lui, le maestro, et moi, l'interprète. Aigle Gris était mon chef d'orchestre. Je l'ai suivi et les mots, comme la musique, ont coulé de moi avec assurance et précision.

J'en suis arrivée au passage où je mentionne Wendy. Ma gorge s'est serrée et des larmes me sont montées aux yeux. J'ai dû faire un effort pour ne pas m'effondrer et j'ai cherché un soutien dans la présence d'Aigle Gris. Il était toujours là, baguette à la main, à me diriger... Et en prononçant les mots que j'avais dits à Wendy, c'est elle que j'ai vue. Debout près de mon guide, les yeux plus larges et beaux que jamais, elle m'adressait son magnifique sourire... et le soleil brillait.

## Mon heure était venue

En tant que guérisseuse, il m'arrive souvent d'être appelée en urgence à l'hôpital. Il s'agissait là de l'une de ces occasions. Nous l'appellerons Thomas. Il avait eu un accident sur son lieu de travail. Un camion-citerne l'avait écrasé. On l'avait conduit en urgence à l'hôpital le plus proche et opéré pratiquement sur-le-champ. Trois journées s'étaient écoulées. Thomas, à présent conscient, souffrait affreusement. Ses douleurs devenaient de plus en plus intolérables. Le chirurgien avait pris la décision de le rouvrir pour procéder à un nouvel examen.

Thomas souffrait d'une grave hémorragie interne. On l'avait placé sous assistance respiratoire. Son état empirait lentement. C'est alors qu'on avait fait appel à la RAAH et que j'étais intervenue personnellement.

De nombreux amis de Thomas étaient venus le soutenir à l'hôpital. L'un d'eux, Roy, avait lui-même subi un terrible traumatisme (un accident de voiture au cours duquel son petit-fils avait trouvé la mort et sa femme avait été sérieusement blessée). Conseillé par l'un de ses amis, il avait confié son épouse à l'un de nos centres de guérison. Pendant un certain temps, Roy et sa femme avaient assisté ensemble à nos séances de guérison. Ils avaient eu l'impression de recevoir un véritable soutien. Roy était tellement impressionné par les membres de mon équipe qu'il nous surnommait le « Club de l'Amour ». À présent que son ami Thomas avait un besoin désespéré d'être secouru, il avait parlé de nous à son épouse, Eileen, et à leurs enfants.

Lors de ma première visite, j'ai été accueillie par une famille sur les nerfs, car ils ne savaient trop qu'attendre. Très vite, cependant, notre conversation a pris un tour détendu, au fur et à mesure que je leur expliquais comment mon équipe et moi allions procéder.

Dans des cas tels que celui-là, il est essentiel, dès le départ, de prévenir qu'on ne doit s'attendre à aucun miracle ou guérison. La chose faite, je leur ai précisé que mon équipe de guérisseurs et moi allions rendre souvent visite à Thomas, au moins une fois par jour, et qu'à notre manière, nous ferions tout notre possible pour le soulager.

Le moment était donc venu de me rendre au chevet de mon patient. Je suis entrée dans le service de soins intensifs. Malgré mon expérience, je n'étais toujours pas habituée à ce déploiement de machines, à tout ce matériel de pointe destiné à

189

sauver des vies humaines, à ces tubes et fils qui enveloppent les corps.

Thomas gisait sur son lit. Le seul bruit, le seul mouvement, provenaient du cliquetis régulier du moniteur cardiaque. Des infirmières en uniforme vaquaient en silence à leur tâche.

Je me suis inclinée vers Thomas et lui ai pris la main. Dans un murmure, je me suis présentée et lui ai chuchoté la raison de ma présence. Aucun signe n'indiquait qu'il m'avait entendue. J'ai entamé mon travail sans entrevoir aucune réaction, mais je l'ai poursuivi imperturbablement, sachant que Dieu était à nos côtés.

Plusieurs jours se sont écoulés. Les membres de mon équipe et moi-même avons rendu de nombreuses visites à Thomas, sans constater la moindre amélioration. En fait, c'était même le contraire. Son état se dégradait rapidement ; les médecins et les infirmières ne comprenaient pas pourquoi il n'était pas déjà décédé.

« Il attend, me disais-je souvent lorsque je l'observais, assise à son chevet. Mais quoi ? »

Nous en étions au quatrième jour lorsque, en toute fin de soirée, alors que je priais à côté de son lit, j'ai aperçu un mouvement du coin de l'œil. Il ne provenait pas de Thomas mais de l'autre côté du lit. Au début, j'étais tellement absorbée par ma prière que je n'y ai pas vraiment prêté attention, pensant qu'il s'agissait du fils de Thomas venu me prêter main-forte, comme cela s'était déjà produit. Puis le mouvement s'est accentué et j'ai pris conscience d'une présence masculine. J'ai levé la tête pour accueillir d'un

190

sourire la personne qui était venue me tenir compagnie.

Je n'ai pas été surprise de me retrouver face au visage de Thomas et d'entendre sa voix. J'ai resserré les doigts autour de sa main, bien qu'il ne pût évidemment pas sentir mon étreinte. J'ai regardé son corps qui gisait là, puis je suis revenue à l'esprit de Thomas, à son corps immatériel, et j'ai compris sur-le-champ qu'il avait quitté son enveloppe charnelle, qu'il en était « sorti » pour pouvoir me parler.

Il n'était pas mort. Cette corde d'argent, si délicate, si solide, qui nous lie à la vie et à notre corps terrestres, n'était pas encore rompue.

Il a pris la parole le premier en désignant sa forme physique allongée sur le lit.

— Il fait si lourd ici, je n'arrive pas à croire comment je peux me sentir si léger, m'a-t-il dit. Et toute cette douleur... je pense que j'en ai assez supporté. Je me sens tellement mieux « dehors ».

— Qu'essayez-vous de me dire ? ai-je demandé. Vous avez abandonné, vous avez cessé de lutter ou vous venez m'apprendre que votre heure est venue ?

— Je n'en sais rien, a-t-il répondu en haussant les épaules.

Puis il a désigné un point derrière lui et s'est mis à pleurer.

— C'est eux, m'a-t-il dit. C'est tellement dur de les laisser derrière moi.

J'ai hoché la tête. Je comprenais son dilemme, celui de tout parent aimant, de tout mari aimant.

191

— Mais mon heure est venue, l'ai-je entendu murmurer, et j'ai vraiment envie de partir.

— Comment puis-je vous aider ? ai-je demandé. Dites-moi ce dont vous avez besoin.

— Quand je serai parti, dites-leur simplement à quel point je les aimais, Rosemary. Et que je serai toujours près d'eux.

J'ai acquiescé, attristée par son problème de conscience, et l'ai assuré que je ferais de mon mieux. Puis il a disparu. J'ai de nouveau baissé les yeux vers le corps, et non vers Thomas, allongé sur le lit, entouré de toutes ces machines qui ne lui servaient plus à rien, alors qu'elles allaient encore le garder « en vie » pendant deux jours. J'ai laissé échapper un soupir, sachant que le plus grand chagrin serait celui de sa famille, de ceux qui restaient.

Quelques mois après la « mort » de Thomas, sa femme, Eileen, est venue me voir en consultation. J'ai pu tenir entièrement la promesse que j'avais faite à Thomas. Car je l'ai revu, beaucoup plus apaisé à présent, et prêt à fournir à son épouse les preuves dont elle avait tellement besoin sur sa survie après la mort. À la fin de la séance, pendant que je transmettais à Eileen le message de perpétuation de l'amour et de la vie que lui envoyait son mari, il m'a souri, adressé un clin d'œil et dit :

— ... Dites-lui, dites-lui que mon heure était venue.

Pendant que je vous racontais l'histoire de Thomas, que je me rappelais sa crainte de quitter les

192

êtres qu'il aimait et celle ressentie par ses proches au cours de ses derniers jours, me sont revenues une question que j'ai posée à Aigle Gris et la réponse qu'il y a faite.

**Question :** Aigle Gris, nous sommes nombreux à craindre la mort. Pouvez-vous nous apporter un réconfort ou des conseils sur le processus de mort ?

**Réponse :** Nombreux sont ceux qui craignent l'inconnu et ce qui leur apparaît comme des ténèbres absolues.

Vous nous approchez avec incertitude. Et cependant, ici, il n'y a rien d'autre que de la lumière... et cependant, ici, il n'y a rien d'autre que de la joie... et cependant, ici, il n'y a rien d'autre que de la beauté.

Au moment où chaque âme franchit la frontière qui sépare les deux mondes, une âme l'attend, la main tendue, le cœur joyeux. Vous serez accueillis et bien reçus.

Il y aura un moment de fête. Car les âmes qui sont déjà parties... qui ont quitté le plan terrestre... connaîtront la joie de la réunion dont nous avons déjà parlé.

Aucun homme ne pénétrera seul dans le tunnel. Aucun homme ne foulera le chemin menant à la mort sans une main qui le guidera.

Il y aura toujours quelqu'un pour vous murmurer : « Regarde vers la lumière », et vous serez attirés vers elle. Vous entendrez des bavardages enthousiastes. Car ceux qui attendent ce que

vous considérez comme votre mort vous atten-
dront pour célébrer votre naissance.

N'ayez donc aucune crainte, car la mort n'est
pas une expérience douloureuse. La peur de laisser ceux que vous aimez derrière vous disparaî-
tra... car vous continuerez à les voir. Et vous
aurez encore la possibilité de vous impliquer
dans leur vie... de les regarder grandir... et de
leur apporter de l'aide.

La mort n'est pas une punition.

Vous vous embarquez pour un nouveau
voyage... votre billet est réglé... votre passage
assuré... et vous atteindrez notre rivage sans
danger, et aucun homme ne viendra seul, et
aucun n'accomplira le voyage sans être accompagné, car il y aura toujours des âmes, le cœur
empli de joie et de bonheur, pour attendre votre
retour en sécurité parmi nous.


## Un autre style de guérison

C'est Mick McGuire qui me l'a présenté. Cela
se passait il y a si longtemps que j'ai oublié son
prénom. Son histoire, en revanche, est inoubliable.

Nous l'appellerons Simon. Il avait moins de
vingt ans. Mick l'avait rencontré après qu'il eut
tenté de se suicider en se tailladant les poignets.
Il n'en était pas à sa première tentative. Il se
ratait toujours, mais avait réussi à se mutiler
sérieusement les bras et les poignets et à som-

194

brer dans une confusion et un désespoir de plus en plus profonds. Il appelait à l'aide.

Mick est un excellent guérisseur, mais au bout de deux ou trois séances avec Simon, il avait constaté que ce jeune homme avait besoin d'un autre genre de traitement, que je lui prodiguerais mieux que lui. Sans rien me raconter de son histoire, il m'a demandé s'il pouvait me le confier.

Simon était grand, d'une minceur extrême, avec des cheveux blond pâle. Il était très intense et très agité. Quand je lui ai serré la main pour l'accueillir dans ma maison, j'ai constaté qu'elle était très moite. Mick s'était contenté de me dire que ce jeune homme avait besoin de mon aide, et il m'a suffi de le regarder s'asseoir et se redresser sur sa chaise pour en avoir la conviction.

Nous avons commencé par bavarder de choses sans importance, mais seuls Mick et moi parlions. Simon, muet comme une carpe, gardait sa rigidité, malgré nos efforts pour le détendre et l'inciter à se joindre à notre conversation. J'ai alors entendu la voix d'Aigle Gris me chuchoter à l'oreille :

— Il est temps, nous sommes prêts pour vous à présent.

C'est alors que je les ai vues. Une femme qui devait avoir la soixantaine et une autre, plus âgée, d'environ quatre-vingts ans. Elles se ressemblaient tellement que j'ai tout de suite compris qu'il s'agissait de la mère et de la fille. En revanche, je n'étais pas prête à les voir se chamailler comme elles le faisaient. Je n'avais jamais vu cela auparavant et ne l'ai plus jamais revu.

— Je veux le faire, a dit la plus âgée.

— C'est moi la première, c'est mon fils, tu n'es que sa grand-mère, alors arrête de te mêler de ça, a répliqué l'autre. Non et non, débarrasse le plancher!

Ébahie, j'ai regardé Aigle Gris. Je ne savais comment réagir et interpréter ce que je voyais.

— C'est mon fils.

— C'est ça! Tu l'as brillamment éduqué, regarde-moi ça! C'est de ta faute.

— Non, j'ai fait de mon mieux. Si tu ne t'étais pas mêlée de...

Et elles ont continué à caqueter. On aurait dit des volailles se battant pour une miette de pain dans une basse-cour. Elles se poussaient, se bousculaient, se donnaient des coups, bataillaient pour passer en premier.

Bien sûr, Mick et Simon ne se rendaient compte de rien, ne voyaient ni n'entendaient rien. J'ai pris soin, en m'adressant à Aigle Gris, de ne pas montrer ma consternation.

— Qu'est-ce que je fais? ai-je murmuré à mon guide, déconcertée de voir Aigle Gris garder son calme devant ces chamailleries et ne pas intervenir pour y mettre un terme.

— Ce que vous devez faire? m'a-t-il répondu avec un sourire énigmatique. N'oubliez pas qu'elles sont vos hôtes et qu'elles ont besoin que vous les aidiez à parler à ce garçon. N'oubliez pas non plus, Rosemary, que c'est Simon qui a vraiment besoin d'aide, d'où la raison de notre présence à tous ici. Ne perdez pas ça de vue.

Pendant qu'Aigle Gris et moi nous entretenions, les deux femmes avaient continué à s'étriper. J'ai dit à Simon que sa mère et sa grand-mère étaient venues lui parler du monde des esprits. Leur dispute a pris de telles proportions qu'elles ne m'ont même pas entendue lorsque je leur ai annoncé que j'étais prête.

J'ai dû m'y reprendre à trois reprises pour obtenir leur attention et leur demander laquelle voulait prendre la parole la première.

— Moi, a répondu la mère de Simon en se redressant de toute sa taille et en foudroyant sa mère du regard pour l'empêcher de répliquer. J'en ai le droit.

La grand-mère de Simon a reculé d'un pas, comme si elle était d'accord. J'ai poussé un soupir de soulagement et demandé à la mère ce qu'elle souhaitait faire passer.

— Je veux que vous lui disiez que ce n'est pas ma faute, a-t-elle commencé d'un ton arrogant, le doigt pointé sur moi, en insistant bien sur chaque mot.

Je n'ai pas eu le temps de répondre quoi que ce soit. La grand-mère de Simon s'est interposée pour s'en prendre à sa fille, bille en tête.

— Pour qui tu te prends, à lui parler comme ça ? (Elle m'a alors pointée du doigt.) C'est de votre faute, de votre faute à tous ! Si vous me l'aviez laissé, il ne serait pas dans cet état.

Une fois de plus, la prise de bec a recommencé. J'avais eu mon compte.

— Très bien, ai-je finalement crié pour me faire entendre. Ça suffit.

J'avais obtenu leur attention.

197

— J'ignore où vous imaginez être, ai-je continué plus calmement, mais tant que vous serez sous mon toit, il n'y aura plus de disputes. Vous me traiterez, ainsi que ma maison, avec respect, et si vous n'y arrivez pas, vous partirez, toutes les deux.

Je leur ai adressé en même temps « un de ces regards », comme disait ma fille, qui voulaient dire qu'elles n'allaient pas me mener en bateau.

— Si c'est ce que Simon a dû supporter pendant que vous étiez ici-bas, pas étonnant qu'il ait des problèmes.

Cette dernière remarque, plutôt innocente, leur a cloué le bec, car je venais de toucher un point sensible et elles le savaient parfaitement.

La grand-mère s'est de nouveau mise en avant, cette fois plus timidement. Elle m'a demandé si elle pouvait raconter leur histoire. J'ai compris d'instinct que je devrais la répéter à Simon qui, jusque-là, ne se rendant pas compte de ma conversation avec sa mère et sa grand-mère, attendait avec Mick que je commence. Mick l'avait préparé à mon éventuelle manière de procéder et il faisait preuve d'une grande patience, sans rien demander de plus.

J'ai pris sa main et je lui ai raconté en douceur tout ce que je voyais et entendais.

Comme souvent, j'avais l'impression de visionner le film de la vie d'un tiers, celle de Simon. Je l'ai vu à l'âge de trois ou quatre ans dans sa maison, en compagnie d'une petite fille un peu plus âgée que lui, sa sœur. J'ai entendu une dispute, non pas entre sa mère et sa grand-mère, mais entre sa mère et son père. L'altercation était grave et j'ai entendu, plutôt que vu, le père de Simon s'en aller, pour de bon.

Le film a avancé un peu et j'ai vu la mère de Simon, le visage bouleversé par le chagrin et la colère. Elle tenait un portrait de son mari dans les mains et s'est mise à le fracasser sans pitié. Le verre s'est cassé, puis le cadre. Elle proférait des injures, des mots dégoûtants qui sortaient de sa bouche en caillots putréfiés, telle une bile épaisse, salissant le nom de cet homme et tous les hommes en général. Elle déversait son fiel avec une sauvagerie inouïe. Subitement, j'ai eu froid, tellement froid que je me suis mise à trembler, car le tableau venait de s'élargir. Dans cette même pièce, j'ai vu le petit garçon lever les yeux vers sa mère, des yeux emplis d'une terreur viscérale, car c'était contre lui qu'elle crachait son venin.

J'ai raconté tout cela en serrant bien fort la main de Simon, car je savais qu'il ne pouvait pas avoir oublié cette scène. Mick s'est également rapproché de lui et l'a enlacé par les épaules, car Simon venait de fondre en larmes.

Mais nous n'en avions pas terminé. C'était au tour de la grand-mère, en pleurs aussi à présent, de continuer. Les années ayant suivi le départ du père de Simon ont défilé, celles où sa mère le tenait assis sur ses genoux, l'étreignait de toutes ses forces, l'appelait son petit garçon, son précieux trésor, lui disait qu'il ne devrait jamais la quitter comme l'avait fait son père. Chaque fois qu'elle mentionnait ce dernier, elle répétait à

Simon que les hommes représentaient le mal, qu'ils étaient méchants, cruels, sales et, plus encore, méprisables. Puis elle lui caressait les cheveux, lui disait qu'elle l'aimait, le cajolait, chantonnait et l'appelait son précieux trésor.

Des disputes entre la mère et la grand-mère éclataient. La grand-mère de Simon se rendait compte qu'elles étaient malsaines, mauvaises, mais sa mère, consumée par la haine, refusait de l'écouter. Simon grandissait au milieu des perpétuelles altercations de ces deux femmes, entendait sans arrêt sa mère traîner « tous les hommes » dans la boue et sa confusion mentale augmentait. Mais ses vrais problèmes avaient commencé plus tard, le jour où il s'était regardé dans le miroir, à l'adolescence. Lui aussi avait été envahi par la haine.

Sa grand-mère, qu'il aimait tout en la détestant, avait disparu. Sa, mère aussi.

Je continuais à observer, à écouter le récit de la grand-mère de Simon, et je le voyais aussi, livré à lui-même. Mère et grand-mère décédées, sœur mariée, également partie. Il n'avait pas encore dix-huit ans.

Le « film » est passé très vite à l'enterrement de sa mère, à Simon qui se tenait à côté de sa tombe.

À présent, ce dernier pleurait à chaudes larmes en écoutant le récit que je lui faisais.

La voix de sa grand-mère a repris, désormais douce, pleine de chagrin et de pleurs. « Et il s'est éloigné de sa tombe, il l'aimait, la détestait, l'aimait, la détestait... et se méprisait. »

Mick et moi soutenions Simon. Dans la pièce,

on n'entendait que ses sanglots. Ses larmes jaillissaient comme un torrent.

— Dois-je continuer ? ai-je demandé à Aigle Gris.

— Oui, mon enfant, allez-y.

J'ai un peu bougé ma chaise pour reporter mon attention sur les deux femmes. La mère de Simon était immobile, elle aussi pleurait. Sa grand-mère, soulagée d'avoir enfin l'occasion de s'exprimer, a hoché la tête pour me signaler qu'elle était prête à poursuivre.

La scène a continué sous mes yeux. Cette fois, Simon était dans la salle de bains, seul devant le miroir. Il s'est mis à cogner des poings dessus, comme il l'avait si souvent fait.

— Je te déteste, je te déteste. Tu n'es rien qu'un homme... un homme sale, dégoûtant...

Il a éclaté en sanglots.

— Et elle te détestait aussi... elle te détestait aussi.

Il a continué à se fixer dans le miroir, les yeux écarquillés, pendant un certain temps, puis il s'est emparé du rasoir et s'est tailladé les poignets. Le sang a jailli aussi violemment que les larmes. Et brusquement, des cris se sont déversés, ils sont sortis en cascade de sa bouche. Tous les cris qu'il avait gardés à l'intérieur durant toutes ces années. Puis il est tombé.

Et cette scène s'est renouvelée plusieurs fois, à chacune de ses tentatives de tuer l'homme infâme qu'il croyait voir dans le miroir. Que sa grand-mère voyait. Que sa mère voyait.

Puis j'ai entendu sa voix à elle, à peine plus

201

élevée qu'un murmure, larmoyante, et elle s'est avancée d'un pas, la tête inclinée, les épaules affaissées.

— C'est moi. Moi qui l'ai fait. C'est ma faute. Tout est de ma faute, a-t-elle pleuré sans pouvoir s'arrêter.

La grand-mère de Simon, comprenant que sa fille avait enfin pris conscience de ses actes, s'est rapprochée d'elle, l'a enlacée par les épaules et lui a dit, d'une voix calme et emplie de larmes :

— Non, ma chérie. C'est nous deux. Nous sommes toutes les deux coupables.

Je n'avais pas cessé de tout relater à Simon et Mick. Et, tout comme sa mère venait de se réfugier dans les bras de sa grand-mère, Simon s'est réfugié dans les miens.

Simon et Mick sont repartis de chez moi environ une heure plus tard. Nous avions longuement parlé de sa mère, du méli-mélo qu'avait été sa vie, et Simon commençait à comprendre que le vrai problème ne provenait pas de lui, mais d'elle. Il commençait également à réaliser que c'était l'amertume qu'elle ressentait à l'égard de son père qui l'avait transformée. Et Mick et moi l'avions aidé à voir qu'en dépit de ses défauts elle l'aimait quand même.

Ce jour a marqué le début de la guérison de Simon. Elle s'est déroulée lentement, car on ne peut en aucun cas guérir en un instant des dégâts causés au fil de longues années.

Comme il était le patient de Mick, je n'ai revu Simon qu'environ dix-huit mois plus tard. J'allais donner une conférence à Doncaster en compagnie de Mick, et nous nous étions donné rendez-vous dans le parking de l'établissement où nous allions prendre la parole. Nous sommes arrivés en même temps. Je lui ai adressé un signe du bras en descendant de ma voiture. Alors que je me penchais pour fermer la portière à clef, j'ai entendu une voix. Je me suis retournée et j'ai vu un jeune homme traverser le parking en bondissant dans ma direction.

— Rosemary, Rosemary ! criait-il.

Je ne l'ai reconnu que quand il m'a soulevée de terre pour m'étreindre contre lui. Ce n'était plus le Simon que j'avais rencontré, mais un jeune homme au teint hâlé, souriant, en pleine santé, qui me regardait à travers les larmes de joie qui brillaient dans ses yeux, provoquées par nos retrouvailles. Ce Simon, j'en avais la certitude, était entièrement engagé sur le chemin de la guérison.

Sa mère ? Sa grand-mère ? Ai-je de leurs nouvelles ? Pour être honnête avec vous, aucune. J'espère qu'elles aussi ont choisi la voie de la guérison, qu'elles aussi ont souhaité regarder la vérité en face et s'attaquer... à elles-mêmes, à ce qu'elles sont, à leur caractère, à la manière dont elles ont influencé la vie des autres lors de leur passage ici-bas. Si elles ont choisi ce chemin, elles aussi recevront une aide et, le moment venu, seront également guéries.

Nous oublions souvent l'impact important exercé par les paroles des parents sur leurs enfants, et leur dangerosité. Simon a vécu une histoire épouvantable. Le fait qu'elle ait connu un dénouement heureux ne la rend pas moins sombre.

Lorsque, en tant que mère, je considère les vingt-six années de la vie de mon enfant, je sais que j'ai fait et dit beaucoup de choses dont j'aurais dû me dispenser. À Dieu ne plaise, je ne lui ai pas fait trop de tort. À Dieu ne plaise, qui m'a confié le sort de cette enfant, je lui ai enseigné non seulement à m'aimer et à aimer les autres, mais à s'aimer elle-même. Car elle est belle, comme le sont tous nos enfants... comme l'est Simon.

## « Je cueille des marguerites »

Je séjournais en Amérique. Nous étions le 11 mai, veille de la fête des Mères. Je m'adressais à un petit groupe, sept familles, pères, mères, frères et sœurs de sept garçons qui étaient morts.

Nous nous trouvions à Nanshua, dans le New Hampshire, où je me rendais pour la première fois. Je n'étais venue que pour une seule raison, vu le peu de temps dont je disposais durant ce voyage : mon amour des enfants passe avant tout le reste et je savais qu'ils avaient besoin de ma voix.

Il est très difficile, surtout avec un petit groupe, d'expliquer que je ne peux rien promettre, qu'il n'y a aucune garantie que je vais être capable d'entrer en contact avec des êtres du monde des esprits. Je m'entends le déclarer, sachant que c'est la vérité. Je vois mon public accepter ce que je lui annonce d'un hochement de tête. Mais leurs regards ne m'échappent pas, pleins d'espoir, de désespoir, et j'ai conscience que je serai incapable d'atténuer leur déception si je ne parviens pas à établir le contact.

Mais le risque vaut d'être encouru, la blessure aussi, car si nous n'essayons pas, comment saurons-nous que nous pouvons réussir ? Par conséquent, je place ma confiance dans la volonté du ciel, dans celle de Dieu, et je commence.

Cette fois-là, cela a fonctionné, et au fur et à mesure que j'avançais, la tension s'est atténuée dans la pièce, et toutes les personnes présentes se sont relaxées. Cela marchait. Oui, en définitive, cela marchait.

Pendant que je leur parlais, j'ai vu apparaître lentement, très lentement, leurs fils, et j'ai caressé doucement les roses, sept roses, que ces personnes m'avaient offertes avant que je commence cette séance. Sept roses, sept tendres fleurs, représentant chacune un enfant du monde des esprits. Et les fleurs convenaient bien à ce jour.

Le premier a pris la parole, puis les uns après les autres l'ont suivi.

— J'ai fermé les yeux et j'ai glissé ailleurs et quand ils sont venus me réveiller, j'étais parti, a dit l'un d'eux.

Ses parents ont hoché la tête. Sa mère et sa sœur ont accepté, mais son père est resté dubitatif jusqu'au moment où le garçon lui a donné la preuve qu'il vivait ailleurs.

— Je l'ai vu réparer le robinet, m'a déclaré un autre en désignant son père, après m'avoir raconté comment il était mort dans un accident. Il a essayé de s'y prendre plus rapidement, mais ça n'a pas marché, alors il a dû encore nettoyer le tuyau.

Un autre père a hoché la tête, non pas incrédule, mais incapable de comprendre comment on pouvait lui transmettre un renseignement aussi précis.

— Il porte mon chapeau, a déclaré un autre garçon, ce qui a déclenché l'hilarité générale, car son père a reconnu qu'il disait vrai. Et ma montre, a continué l'enfant avec un sourire effronté. Mais dites-lui que je sais qu'elle retarde. (Il disait vrai, son père était en retard de dix minutes ce matin-là.) Ma maman porte sa chaîne, sa chaîne spéciale, aussi, a poursuivi le garçon, tandis que sa mère poussait un petit cri de ravissement en sortant la chaîne de sous son pull.

— Mon père vend des chaussures, il répare la maison, je les vois, je les vois, a dit un jeune adolescent qui avait été tué par un conducteur ivre.

Puis il a transmis des messages à son frère et à sa sœur, comme le faisaient tous les autres garçons.

La séance s'est poursuivie et chacun des sept garçons a fourni des preuves de sa survie après la mort. J'observais et j'écoutais, je transmettais les messages qui unissaient, réunissaient ces familles. Je contribuais à une belle guérison.

Je travaillais à présent depuis plus de trois heures. Je donnais bien davantage de preuves et de détails que je n'ai de place à leur consacrer dans ce livre. J'avais œuvré avec fermeté, sans interruption. Je sentais que je ne pourrais pas continuer longtemps, car je me vidais de mon énergie, mais je ne pouvais pas encore m'arrêter, puisqu'il restait une famille.

Un mari, une femme, pas d'enfant présent... sauf, bien sûr, un fils.

Il ne ressemblait pas aux autres. Comme eux, il éprouvait un besoin désespéré d'établir le contact avec ses parents, et se montrait très émotif, hésitant, désireux de faire de son mieux. Mais les six autres maîtrisaient ce qu'ils avaient à dire sur leur « mort ». Pas lui.

— C'était ma faute, je suis responsable, a-t-il commencé. La voiture, la voiture.

La mention d'une voiture aurait pu facilement me faire penser à un accident de la route. Mais plus il me parlait, plus il m'apparaissait évident que ce garçon s'était donné la mort. Il se shootait à l'héroïne, installé dans la voiture. Le problème venait cependant du fait que ses parents, surtout son père, se sentaient responsables.

Sa voix m'est de nouveau parvenue.

— Une enquête. La police, la police. Des questions. Ils ont posé des questions. C'était ma faute. Je vous en prie, dites-le à papa et maman. C'était entièrement ma faute.

Les deux parents se sont effondrés. Le père n'a pas pu retenir ses sanglots. Le garçon, comme s'il comprenait que ses parents avaient saisi son message, s'est détendu et a été capable de leur montrer qu'il allait bien, qu'il était vivant, en bonne santé et, surtout, en sécurité. Bien vite, toutes les personnes présentes dans la salle ont retrouvé le sourire. Leur deuil n'était pas terminé, mais elles étaient heureuses de savoir que leurs enfants avaient survécu à la mort.

Puis il y a eu un dernier message des sept garçons, que j'étais seule à pouvoir comprendre.

— Dites-leur, m'ont-ils demandé à l'unisson, dites-leur que nous aidons à cueillir les marguerites.

Je me trouvais en Angleterre. La date exacte m'échappe, mais nous étions en 1990 ou 1991. Seule l'histoire reste imprimée dans ma tête. C'était la première fois que j'allais faire cela, hormis avec mes étudiants.

Le couple assis face à moi dans le petit bureau avait perdu son fils. Il avait été tué dans un accident de la route alors qu'il allait avoir vingt et un ans. J'avais souvent parlé à Richard, j'avais transmis des messages à ses parents, mais ils étaient revenus chez moi et réclamaient mon aide.

Mary, la mère de Richard, a pris les devants.

— C'est Bill, m'a-t-elle dit en désignant son mari, le père de Richard. Plus le temps passe, plus il déprime. Ça fait dix ans que nous avons perdu Richard, mais au lieu d'aller mieux, Bill se sent de plus en plus mal, et je ne sais plus quoi faire.

Elle a conclu dans un sanglot et j'ai vu que Bill, le visage bouleversé, acquiesçait.

— Qu'est-ce que vous voulez, Bill? ai-je demandé, sachant qu'il allait me répondre « mon fils » et que je lui dirais : « Je ne peux pas vous le ramener en dehors de la voie habituelle. Richard vous a déjà donné tellement de preuves de sa survie depuis des années. Que puis-je faire de plus? »

— Je veux juste le voir, savoir qu'il est en sécurité, m'a répondu Bill sans avoir honte de ses larmes. J'ai juste besoin de savoir ce qu'il fait, comment il passe son temps.

Nous avons poursuivi notre conversation. Bill était autant un patient qu'un client, et il avait été traité à de nombreuses reprises par un de mes collègues ou moi-même, dans l'un de nos centres de guérison. J'étais en train de lui demander si ces séances lui avaient été utiles lorsque j'ai entendu la voix d'Aigle Gris.

— Nous allons l'emmener en voyage pour qu'il puisse voir son fils. Prenez-le par la main et aidez-le à traverser la frontière qui sépare nos mondes.

J'ai davantage tendu l'oreille.

— Prenez sa main, ma petite. Je vais vous aider à l'aider.

J'ai regardé en direction de Bill et j'ai vu Richard, le visage souriant, qui attendait près de son père.

Cette expérience fait partie de la formation de mes étudiants. Il s'agit de leur permettre, grâce à des années d'enseignement fervent, d'améliorer leur niveau de conscience jusqu'à ce qu'ils parviennent à se libérer de leur corps physique afin de voyager, d'explorer, de rencontrer d'autres êtres du monde des esprits. Ce labeur, difficile, peut prendre des années, et certains de mes étudiants n'en dépassent jamais la première ou deuxième étape.

J'ai de nouveau regardé Bill, entendu la voix d'Aigle Gris, pleine d'assurance et d'encouragement, et vu Richard, manifestement prêt à ce qui allait arriver, attendre patiemment que je commence.

— Ça vous dirait de m'accompagner? ai-je proposé à Bill en lui tendant gentiment la main.

Je lui ai expliqué qu'il lui était peut-être possible de voir son fils d'une manière inaccoutumée, mais néanmoins tout à fait réelle. Je lui ai détaillé le processus, expliqué qu'au début, cela ressemblerait beaucoup à une séance de guérison, mais que nous irions plus loin, plus profond, que nous effectuerions un voyage. Il n'a pas manifesté la réaction étonnée ou dubitative qu'une suggestion aussi farfelue aurait pu susciter. Il s'est contenté d'étreindre ma main un peu plus fort.

— J'ai rêvé, m'a-t-il confié, un rêve d'une grande netteté, dans lequel je volais en compagnie de Richard. Peut-être... a-t-il ajouté en marquant une hésitation, qu'en définitive, il ne s'agissait pas d'un rêve. Peut-être que c'était juste une préparation.

Pour la première fois depuis qu'il était entré

210

dans mon studio, Bill a souri. Puis il m'a déclaré avec un hochement de tête :

— Je suis prêt. Dites-moi ce que je dois faire. Je vous écoute.

Nous avons donc commencé. Comme à l'ordinaire, avant toute forme de guérison – et il s'agissait véritablement d'en chercher une – j'ai prononcé une prière, demandé la protection, l'aide et les conseils divins, ainsi que les meilleurs résultats possibles pour mon patient. Puis j'ai placé mes mains entre les siennes, lentement élevé le niveau de ma pensée consciente, transmis mon énergie, ma puissance mentale, à Bill, et commencé à parler.

— Richard est ici, ai-je dit en regagnant ma chaise. Il vous tend la main.

J'ai entendu Bill haleter, je l'ai vu lever la main et serrer dans le vide. Sa femme restait paisiblement assise. Elle pouvait seulement le voir lui, et pas Richard qui prenait la main de son père et la soulevait.

Mary voyait le corps physique de son mari mais ne pouvait pas voir, comme moi, le corps éthérique de Bill se détacher de son corps physique pour rejoindre son fils.

J'ai eu l'impression d'avoir une vision, comme si je regardais un écran de cinéma. Ils ressemblaient à deux Peter Pan qui flotteraient dans les airs, dans un conte de fées.

Ils étaient dans une église, main dans la main. Les rayons du soleil pénétraient par un vitrail, de forme ronde, placé très haut en surplomb de l'autel dont ils magnifiaient les couleurs.

— On va passer à travers le vitrail, papa, ai-je entendu le garçon dire à son père. N'aie pas peur, papa. Tu es avec moi. Tiens bon, c'est tout.

J'ai parlé tranquillement. Je m'adressais à présent davantage à Mary qu'à son mari, afin de lui décrire tout ce que je voyais et entendais. Pour Mary, Bill était simplement endormi. Seules, les larmes qui coulaient sur ses joues lui prouvaient qu'il se produisait autre chose.

Ils sont passés à travers le vitrail comme s'il n'existait pas et se sont envolés vers le soleil. Le ciel était bleu, d'un bleu apaisant, puis il est devenu sombre, scintillant d'étoiles, et de nouveau bleu.

Je continuais à observer cette scène dont je faisais partie sans m'immiscer entre eux, mais en les accompagnant néanmoins.

Le soleil brillait dans le ciel d'un bleu limpide. Ils survolaient à présent des collines vertes ondulantes. Puis : « Tu vois, papa, on descend dans la vallée. »

Ils flottaient par-dessus des prés d'un vert si luxuriant que leur beauté m'a coupé le souffle. Sans cesser d'avancer, dans cette fuite du temps, nous avons fini par atteindre la prairie de Richard. Richard a agité la main au-dessus de cette étendue d'herbe verdoyante, piquée d'une myriade de marguerites aux pétales blancs et cœur jaune or, et s'est adressé de nouveau à son père.

— Lorsque j'étais avec vous sur le plan terrestre, je suis devenu infirmier. Je m'occupais des malades, des êtres trop souffrants pour s'en sortir seuls. J'avais un grand besoin de grandir, de voir mon âme se développer, et grâce à mon métier, j'ai appris beaucoup de choses sur moi-même. J'aide les autres, je suis une lumière qui a besoin de s'épanouir, qui s'épanouira, et je continuerai à me soucier d'eux, à donner, à aider.

D'un geste large, il a balayé la prairie de marguerites. J'ai senti la brise légère qui faisait ployer les herbes de la prairie. J'ai vu les marguerites, leurs têtes levées vers le soleil, se balancer doucement, danser dans la lumière solaire.

— Des marguerites poussent dans cette prairie. Quand on la regarde, on ne voit que des fleurs. Quand elle regarde – et j'ai compris qu'il parlait de moi –, elle voit la même chose que nous. Car chaque fleur, belle et parfaite, est un enfant. Chaque fleur levant ses pétales vers le soleil, vers la lumière, chaque minuscule pâquerette, est un petit enfant prêt à venir vers nous.

« Avant qu'un enfant vienne à nous, nous savons qu'il va arriver. Nous devons nous tenir prêts, prêts à les aider, prêts à les transporter vers la lumière. Et les anges viennent, les anges viennent toujours. Très doucement, avec une infinie prudence, nous soulevons chaque fleur, et quand sa racine se détache de la terre, nous aidons les anges à la transporter vers un endroit de beauté, vers Dieu.

« Je reste quelqu'un qui veille sur les autres, papa, c'est ma vocation. Nous sommes nombreux ici à aider les enfants à venir, nous aidons les anges à accomplir leur travail. »

Il s'est tourné et son visage s'est éclairé de son plus beau sourire.

— À présent, papa, il est temps que je te ramène.

Bill a acquiescé en lui rendant son sourire. Je les ai vus flotter de nouveau, voler au-dessus des champs, des montagnes, dans le soleil, dans les ténèbres, dans un ciel illuminé d'étoiles, puis de plus en plus bas... jusqu'ici.

Bill a remué sur son siège. En l'observant, j'ai constaté qu'il allait beaucoup mieux, qu'il avait effectué son « voyage vers la guérison ».

J'ai cru un instant que c'était terminé. Puis j'ai vu la main de Bill, encore étroitement serrée autour de celle de Richard. J'ai entendu la voix de Richard, à présent plus proche, et su que Bill l'entendait toujours, qu'une infime partie de lui était encore avec son fils. J'ai attendu, puis entendu :

— Le moment est venu, papa. Je dois te quitter. Je t'aime, papa, je t'aime. À présent, tu sais où je suis et ce que je fais, et nous sommes tous les deux rassérénés. Ne crois surtout pas que je suis oisif, que je n'ai rien à faire. Je suis plus occupé que jamais, à faire en sorte que des âmes ne s'égarent pas.

« Et puis, papa, si quelqu'un te pose la question, si quelqu'un veut savoir – il a alors éclaté d'un rire parfaitement joyeux – contente-toi de lui répondre que... je cueille des marguerites. »

214

# Et Dieu, et le Christ,
## et les guides spirituels

Ce que je suis sur le point de vous raconter, j'en suis consciente, va me faire passer pour une fanatique religieuse, une allumée ou une mystificatrice. Je ne pense être rien de tout cela. En le disant, je songe à tous ces êtres qui, par le passé, ont prétendu avoir vu la Vierge Marie ou le Christ, des êtres qui ont déclaré que, dans une vision, un saint était venu leur transmettre un message destiné à l'humanité. Les enfants de Fatima, Bernadette de Lourdes, Jeanne d'Arc. Bien d'autres encore ont raconté leurs visions.

Je ne prétends pas que la mienne était destinée à l'humanité. J'affirme que j'en ai eu une, mais que c'est à moi qu'elle était destinée, et à nul autre que moi.

Ce soir-là, mes amis et guérisseurs, Mick McGuire, Brian Boyle, Adele Campion et Paul Denham étaient réunis à mon domicile. Je me souviens que Mick se trouvait à l'autre extrémité de la pièce en compagnie de Paul et Brian. Ils soignaient Adele, qui avait eu une journée particulièrement stressante. Je les observais de loin, installée sur le sofa. Je les aidais dans la mesure de mes faibles moyens en priant Dieu, le Christ, pour qu'Adèle soit soulagée de son fardeau.

Cette scène se passait tout au début, moins d'un an après ma première rencontre avec les Denham, qui ont été parmi les premiers à reconnaître mes facultés de médium. À l'époque, la guérison était une nouveauté pour moi. Le guérisseur, c'était Mick. Pas moi. Je ne l'étais en aucune façon. Et je n'éprouvais aucun désir de le devenir. La maladie m'effrayait, les hôpitaux m'impressionnaient et, si quelqu'un m'avait déclaré, avant ce soir-là, que je deviendrais guérisseuse et que je mettrais sur pied une association de guérisseurs, j'aurais ri d'incrédulité. Pas moi, pas moi... je n'étais pas assez douée... et j'avais bien trop peur.

Cependant, j'étais heureuse d'aider. Prier, si l'on n'attendait que cela de moi, était dans mes cordes. Facile, même. Après tout, le Christ était mon ami. Aussi loin que remontent mes souvenirs, je l'avais toujours connu, adulé, révéré, respecté et aimé. De plus, il était mon salut.

« Le Seigneur est mon berger. »

Je sentais qu'il l'était. Et je n'ai pas changé. Il l'est vraiment.

Ce soir-là, je priais donc, assise sur le canapé.

Je ne me rappelle pas combien de temps j'ai prié. Je pourrais vous raconter que ma prière n'a duré que quelques instants, mais elle s'est peut-être prolongée une demi-heure. Une lumière tamisée éclairait la pièce et j'avais conscience de Mick, Paul et Brian debout autour d'Adele, les mains posées sur sa tête et ses épaules, qui priaient, eux aussi. J'avais également conscience d'une paix immense qui était descendue sur nous.

J'ai levé les yeux, détourné le regard vers le fond de la pièce où était placé mon vieux fauteuil à bascule, et c'est là que je l'ai vu. Je l'ai fixé, incrédule, j'ai hoché la tête, je me suis détournée,

216

en fermant les paupières très fort. « Je suis fatiguée, ai-je songé, je n'ai pas bien dormi. » Puis je me suis de nouveau tournée pour regarder le fauteuil à bascule.

Il ne s'agissait pas d'un rêve, ni même d'une vision, mais d'une réalité pure et dure. J'ai su, en regardant dans ses yeux, bien qu'aucun mot n'ait été prononcé, que je regardais le Christ.

Il se tenait paisiblement à côté du fauteuil à bascule, les bras tendus vers moi. Les paroles « Souffrez, petits enfants », m'ont traversé l'esprit.

— Êtes-vous réel ? ai-je murmuré.

Le sourire qui a accueilli ma question, la lumière qui l'enveloppait et son regard pur et débordant d'amour m'ont apporté la réponse.

Un moment encore, qui ressemblait à une éternité, j'ai continué à l'absorber des yeux, et j'ai ressenti pour lui tout l'amour que j'avais ressenti dans ma vie. Alors que je me retournais, désireuse de partager ce moment avec mes amis, je me suis aperçue qu'ils m'observaient. Leur séance de guérison terminée, ils me fixaient d'un regard indéchiffrable.

— Vous le voyez ? ai-je de nouveau chuchoté, ne voulant pas rompre le sortilège ni détruire cet instant.

En m'adressant à eux, j'ai goûté les larmes salées qui avaient coulé sur mes joues en silence.

Ils ont fait non de la tête, ensemble, conscients eux aussi de la magie dont l'air était imprégné. Puis Mick, la gorge sèche, m'a murmuré d'une voix enrouée :

— Voyez *qui*, Rosemary, voyez *qui* ?

217

Je me suis retournée vers la place où se tenait mon Sauveur un instant plus tôt, mais Il n'était plus là. Cependant, l'endroit qu'Il avait occupé était baigné de lumière, et j'ai compris, avec une certitude plus absolue que jamais, que le Seigneur était mon berger.

Plusieurs mois se sont écoulés avant que je ne m'implique sérieusement dans ce que l'on appelle la « guérison spirituelle ». Depuis cette époque, j'ai eu de nombreux patients. Et il y a eu des moments, trop rares, où, lorsque je plaçais doucement les mains sur les épaules d'un patient et prononçais ma prière de guérison, j'ai vu les mains du Christ se poser tout en douceur sur les miennes, senti leur tendre pression, et été traversée par une chaleur, un amour et une lumière inouïs.

Au fil de mes voyages à travers le monde, on m'a souvent posé la question suivante : comment pouvez-vous dire que vous croyez au Christ et affirmer dans la foulée que vous avez un guide spirituel, un Apache pour tout couronner, comme professeur et mentor ? Tant de gens pensent que la foi dans le Christ exclut d'office tous ceux qui peuvent nous aider par ailleurs... Je crois qu'il s'agit d'une fausse théorie. Je crois que Dieu dispose d'un grand nombre d'aides, d'une multitude de messagers. Le Christ, des anges, des guides spirituels, qui accomplissent tous la tâche qui leur est dévolue, qui s'aident tous les uns les autres et œuvrent de concert. Chacun revêt une importance identique aux yeux de Dieu, tout comme nous-mêmes, ici-bas, sommes tous égaux à ses yeux. Le Christ nous l'a enseigné. Et c'est ainsi que je travaille avec Aigle Gris, un homme de Dieu, œuvrant au nom de Dieu, sachant que le Christ nous fait aller de l'avant.

De même que de nombreuses choses reliées à Dieu et à l'univers nous échappent, il existe de nombreux moyens d'apporter la guérison. L'histoire que je vais à présent vous narrer défie l'entendement. Je suis incapable d'apporter une explication sur la manière dont elle s'est déroulée : je ne peux que vous raconter qu'elle a eu lieu.

Angie était une jeune femme. Ayant subi des sévices physiques et sexuels de son père dès l'âge de huit ans, elle s'était enfuie de chez elle à seize ans. Elle s'était retrouvée dans le pavillon psychiatrique d'un hôpital de la petite ville de Scunthorpe, dans le nord de l'Angleterre, où on avait fini par découvrir qu'elle avait toujours été abusée par son père. Par la suite, elle avait rencontré un jeune homme dont elle était tombée amoureuse, qui lui avait donné son unique enfant, une fille prénommée Leah. Cette union, vouée dès le départ à l'échec, s'était brisée alors que l'enfant n'avait que quelques mois, et peu après, Angie avait fait la connaissance d'un autre homme, qu'elle allait aimer et épouser.

Après son mariage, on a découvert qu'elle souffrait d'une maladie rare et incurable. Ses poumons étaient atteints, et il n'existait pas de traitement.

Angie séjournait à l'hôpital depuis plusieurs mois. On lui avait enlevé un poumon. Au début, son mari lui rendait visite de façon régulière, mais les semaines passant, il ne se montrait pratiquement plus jamais. Blessée, apeurée, l'esprit embrouillé, elle rentra à son domicile lorsqu'on la laissa enfin sortir de l'hôpital, croyant retrouver son époux et son enfant. Une jeune femme lui ouvrit la porte et se présenta comme la concubine de son mari. La femme de ce dernier, lui expliqua-t-elle, s'était suicidée, en lui laissant la charge de leur petite fille.

En état de choc, pétrifiée, Angie se précipita dans la maison. À peine remise de son opération, elle avait du mal à respirer. Elle prit son enfant endormie dans ses bras et se sauva.

Plusieurs années passèrent... des années de maladie et de douleur, car son état empirait, comme on l'en avait prévenue.

Leah grandissait, habituée à voir sa mère souffrante, à la voir transportée en urgence à l'hôpital, à s'entendre dire : « Ta mère est mourante. » Elle avait appris à vivre avec, sans pour autant, lorsque l'état de sa mère empirait encore, ne pas craindre l'issue fatale.

Lorsque Angie est venue me voir pour la première fois, on lui avait donné moins de cinq ans à vivre. La maladie gangrenait peu à peu la muqueuse du poumon qui lui restait, lui ôtant son souffle de vie. Elle étouffait. Les efforts qu'elle faisait pour respirer avaient énormément élargi son cœur et l'avaient endommagé.

Depuis plus de huit ans qu'elle est ma patiente – oui, nous avons déjà dépassé les prédictions des médecins –, j'ai traversé avec Angie nombre de ses supplices. J'ai souvent entendu ses médecins répéter : « Cette fois, elle ne peut pas survivre. Cette fois, c'est vraiment la fin. » Et chaque fois, à deux doigts de la mort, un miracle est survenu et elle s'en est sortie.

Elle tire sa force du fait de savoir que sa fille Leah, âgée à présent de quinze ans, a besoin d'elle. Son combat pour la vie, elle ne le mène pas pour elle-même, mais pour sa fille. Elle sait également que ces sursis sont un cadeau, le cadeau que lui fait Dieu, car elle a conscience que, sans lui, elle n'aurait pas eu l'énergie de poursuivre si longtemps sa route. Elle fait preuve d'un courage et d'une bravoure authentiques, car elle n'a reçu aucun soutien de sa famille, et en dehors de quelques bons amis, elle a dû se battre seule.

Deux ans peut-être avant d'écrire ces lignes, alors que je rentrais d'un séjour en Amérique, j'ai été appelée au chevet d'Angie. En urgence. Cette fois, elle ne s'en tirerait pas. C'était impossible. Elle était beaucoup trop malade.

On était en octobre, le jour de la mort de ma mère. Une de mes sœurs m'avait appelée pour m'annoncer qu'elle était décédée le matin même. Ce matin-là, le père d'Angie mourut aussi.

Je suis arrivée au chevet d'Angie vers trois heures de l'après-midi. Elle se contentait de résister, dans l'attente de me voir. En m'asseyant près d'elle, j'ai été frappée par sa fragilité. Elle était toute recroquevillée. Elle n'avait que trente-deux ans, mais elle ressemblait à une vieille femme. Un masque à oxygène posé sur le visage, elle avait une respiration irrégulière. Elle s'est accrochée à ma main.

— J'ai peur, m'a-t-elle dit, tandis que des larmes perlaient à ses yeux. Je ne veux pas *le* rencontrer.

J'ai compris qu'elle parlait de son père, et je l'ai réconfortée en l'assurant qu'il ne serait pas là.

— De toute façon, ai-je ajouté, qu'est-ce qui vous fait penser que vous allez quelque part? Vous n'allez pas mourir maintenant, vous savez.

J'ai prononcé cette dernière phrase avec une telle conviction qu'elle a arraché un sourire à Angie. Un petit sourire frémissant, un sourire qui demandait : « Vous le pensez vraiment ? »

Nous sommes restées un moment silencieuses. Je continuais à tenir sa main, à lui transmettre la guérison. Elle s'est tournée subitement et m'a regardée, droit dans les yeux.

— Voulez-vous m'emmener en voyage? m'a-t-elle demandé. Je sais que vous pouvez le faire, je vous ai entendue le dire. Voulez-vous m'emmener en voyage?

On aurait dit que son âme connaissait ses besoins, qu'elle les articulait à haute voix, et mon âme lui a répondu, consciente de la justesse de sa demande.

Nous nous sommes élevées dans les airs, moi hors de mon corps, Angie hors du sien. Aigle Gris nous accompagnait, et plus nous nous approchions de lui, plus il paraissait se transformer en immense oiseau, en aigle. Lentement, avec prudence, j'ai aidé Angie à monter sur le dos de l'aigle.

222

Au début, il a battu doucement des ailes, puis de plus en plus vigoureusement. Le vent qu'elles soulevaient balayait mon visage et repoussait mes cheveux en arrière. Angie éprouvait les mêmes sensations et nous avons commencé à planer de plus en plus haut, à traverser des nuages bleus, dans la lumière du soleil, à respirer un air limpide. Puis nous nous sommes mises à rire, doucement pour commencer, puis de plus en plus fort, au fur et à mesure que nous expérimentions au pied de la lettre l'expression « Laissez votre esprit s'élever ». Et nous avons poursuivi notre élévation, jusqu'à atteindre la liberté dans la lumière.

Notre voyage a duré moins d'une heure, plus d'une vie, et lorsque j'ai quitté Angie, elle était plongée dans un profond sommeil réparateur. Je me suis demandé vaguement de quoi elle se souviendrait, tout en sachant que son âme resterait à jamais marquée par cette expérience.

Au moment où je suis partie, ses amis étaient toujours convaincus qu'elle allait mourir. Je leur ai adressé un sourire, consciente qu'il n'en serait rien, et je leur ai dit que je reviendrais le soir.

Le lendemain matin, elle est complètement sortie de sa crise, et lorsque je suis arrivée, elle était assise dans son lit, l'air revigoré, en train de prendre son petit déjeuner.

Comme je vous l'ai déjà dit, je ne peux pas vous expliquer le pourquoi et le comment de cette expérience de guérison. Je peux juste vous affirmer qu'elle a eu lieu, et qu'elle a fonctionné.

# 4

# NOUVEAU RECUEIL DE CAS

Comme je l'ai répété à de bien nombreuses reprises, je n'ai jamais prétendu être écrivain. Je suis juste une raconteuse d'histoires, de vraies histoires. Des histoires, je l'espère, qui nous apporteront à tous une plus grande lucidité, des connaissances approfondies, un enseignement profitable. Le recueil de cas d'*Une longue échelle vers le ciel* a obtenu un tel succès qu'il ne me reste qu'à prononcer, comme tous les bons conteurs : « Il était une fois... »

## Auras

J'adore cette histoire, que l'on m'a racontée il y a fort longtemps. Elle concerne une vieille dame qui fréquentait régulièrement l'église de son petit village, où se retrouvaient les mêmes fidèles, semaine après semaine. De nombreux pasteurs s'y étaient succédé au fil des ans. La vieille dame occupait toujours « son » siège et ne modifiait jamais ses habitudes. Il était très rare qu'elle adresse la parole à quiconque, par crainte peut-être de se mettre en avant, mais elle assistait à toutes les réunions, fêtes et autres activités de sa communauté religieuse. Elle leur apportait un soutien, de par sa seule présence.

Les autres membres de cette congrégation, sans être désagréables avec cette vieille dame, ne la consultaient pour ainsi dire jamais et ne l'impliquaient dans aucune de leurs décisions. On ne s'étonnera donc pas qu'elle ait été la dernière à apprendre l'arrivée du nouveau pasteur.

Il était jeune et charmant, et sembla apporter une nouvelle vie à l'église. Tout le monde l'appréciait et les activités religieuses se renforcèrent. Enfin, jusqu'au jour où il disparut. Neuf ou dix mois à peu près après son arrivée, il plia bagage et s'évapora dans la nature sans prévenir personne.

Une semaine ou deux plus tard, on constata que les fonds de l'église avaient disparu avec lui.

Une réunion générale se tint, au cours de laquelle chacun avait son mot à dire sur la facilité avec laquelle cet homme les avait bernés. Tous affirmèrent : « Nous le prenions tous pour un homme bon, pour un homme de Dieu. »

Ce fut alors, après tant d'années de silence, que la petite dame prit la parole.

— Je pensais que vous vous en étiez tous rendu compte, déclara-t-elle. Que vous pouviez tous voir qu'il n'était pas pasteur, puisqu'il n'était pas enveloppé d'une lumière dorée comme tous les autres.

Est-ce un hasard si *La Lumière du monde,* le tableau de William Holman Hunt, montre le Christ éclairé par-derrière, ou si *L'Ascension du Christ* de Rembrandt et de nombreux autres tableaux signés par des artistes croyants enveloppent tous d'une aura dorée les saints et les êtres pieux? À mon avis, non. Je trouve plus probable que ces artistes se soient tellement rapprochés de leurs sujets, aient vu leur sensibilité si exacerbée, qu'ils se soient retrouvés en phase avec leur puissance et leur énergie et aient été capables de visualiser leur aura – ou l'énergie de Dieu – et de la représenter. Je suis convaincue que la plupart d'entre nous (nous tous, peut-être) naissent avec la faculté de « voir » ou de percevoir les auras. Parmi les nombreuses personnes qui partagent mon avis, beaucoup pensent que cet art a été perdu par presque tout le monde. Je suis plus optimiste et pense qu'il ne s'agit pas d'une faculté perdue, mais mal dirigée, et que si nous cherchons dans la bonne direction, nous avons toutes les chances de la redécouvrir.

Tout être vivant possède une aura, un champ d'énergie – chaque arbre, chaque plante, chaque insecte, poisson, volaille, tout ce qui respire, y compris, bien évidemment, les humains.

Si loin que remontent mes souvenirs, j'ai toujours vu les gens entourés de couleurs et d'ombres. Je n'y prêtais guère attention, car j'ignorais que je distinguais l'énergie et je ne savais pas que les autres ne la voyaient pas.

C'est seulement après avoir rencontré Aigle Gris que j'ai commencé à m'intéresser davantage aux auras et à faire des efforts plus conscients pour les repérer. À la suite d'une discussion que nous avons eue à propos des insectes volants, que les Indiens américains appellent « petites

personnes ailées », l'aura des insectes, des scara-
bées, des araignées et autres a commencé à m'in-
triguer.

Un soir, je regardais la télévision lorsque
quelque chose a attiré mon regard. Je me suis
détournée et j'ai vu un cloporte ramper sur le
mur à côté de moi. Ce qui m'a pourtant fascinée,
c'est la minuscule tête d'épingle lumineuse qui
le suivait comme une ombre. Quand cet insecte
grimpait et descendait, la lumière restait sus-
pendue au-dessus et autour de lui. Il possédait
une aura totalement limpide et très différente
de celle des êtres humains, qui est composée de
nombreuses couleurs et ombres.

Je me souviens aussi de la première fois où
j'ai distingué l'aura d'une araignée. Il s'agissait
d'une lumière intense identique à celle que je
viens de vous décrire, pareille à celle d'un spot,
qui se déplaçait au fil des mouvements de l'araignée, pure, lumineuse, sans interférences.

Un jour où elle venait de marcher sur une
fourmi, une amie m'a demandé d'un ton légèrement penaud :

— Et maintenant, Rosemary, qu'est-ce qui lui
arrive ? Est-ce qu'elle va dans le monde des
esprits ?

Pendant qu'elle me posait cette question, j'ai
entendu la réponse d'Aigle Gris et je l'ai répétée :

— Elle devient lumière.

Chaque être vivant, petit ou grand, possède
une aura. Chaque aura est simplement de l'énergie. Cette énergie, l'énergie divine, se manifeste
de nombreuses façons et peut être utilisée de

manière constructive et créatrice, pour élever nos existences.

Notre aura, notre champ d'énergie, est remplie de couleurs, de lumière pure, qui émanent de nous et nous enveloppent parfois sur plusieurs mètres. Cette énergie reflète qui nous sommes, ce que nous sommes, notre état de santé... toutes ces choses, toutes nos émotions. Au fur et à mesure que nous nous épanouissons et apprenons, que notre esprit se développe, notre aura devient beaucoup plus brillante. Si nous sommes habités par une forme de spiritualité, par un besoin de Dieu, et que nous en ayons conscience, notre aura le reflète également et sa lumière n'en brille que davantage. Et, comme un phare, cette lumière brille à travers l'univers. Dieu et l'univers la voient et la reconnaissent. Et ceux du monde des esprits, encouragés par notre croissance spirituelle, se rapprochent de nous, de plus en plus près.

## Et à travers leur fils...

Il s'agissait de personnes ordinaires, laborieuses, de la classe moyenne. Elle, la quarantaine, était infirmière en chef de quartier. Lui, le même âge environ, avait vécu la plus grande partie de sa vie dans la petite ville de Thorne, dans le nord du Yorkshire, où il occupait un poste au conseil municipal.

Lynn Boulton, de petite taille, légèrement

enveloppée, avait des cheveux bruns bouclés et des yeux clairs et intelligents, dans lesquels on imaginait que le rire pouvait promptement allumer des étincelles. Mais aucun sourire ne les éclairait, tandis qu'elle attendait que je commence, assise face à moi près de son mari, Peter. Il mesurait environ 1,85 m et ses cheveux châtain clair commençaient à se clairsemer. À son attitude figée, à sa mâchoire serrée et à son expression têtue, j'ai bien vu qu'il doutait de mes facultés.

C'était notre première rencontre, mais j'avais néanmoins croisé les Boulton quelques semaines auparavant. Je m'adressais ce jour-là à une assemblée d'environ trois cents personnes auxquelles je faisais une démonstration de mes facultés, et j'avais transmis de nombreux messages de ceux du monde des esprits à mon public. Tout se passait bien. Comme à l'ordinaire, l'émotion était à fleur de peau, à mesure que mes communicants du monde des esprits apportaient, l'un après l'autre, la preuve qu'ils avaient survécu après la mort à ceux qui leur étaient chers.

La soirée touchait à sa fin lorsque j'ai été interpellée par sa voix, pressante et insistante :

— Stephen, je veux parler à Stephen. Il est au fond. S'il vous plaît, allez au fond. S'il vous plaît... je veux Stephen, je veux parler à Stephen.

J'ai essayé de me diriger vers mon public.

— Je me trouve quelque part dans le fond, ai-je annoncé, frustrée de ne pas parvenir à définir l'endroit exact où j'avais besoin d'être.

Je savais d'instinct que « lui », mon communi-

232

cant, essayait de joindre une personne assise à ma droite, probablement au dernier ou à l'avant-dernier rang, mais le public était disposé de telle sorte que je ne pouvais désigner un endroit précis. La voix m'est à nouveau parvenue, assez nette cette fois pour que je sois convaincue qu'il s'agissait d'un jeune homme, auquel j'ai demandé de me fournir quelques renseignements sur lui-même.

— C'était un accident. J'ai été tué dans un accident... S'il vous plaît, Stephen... Stephen... Stephen. Je dois parler à Stephen.

— Je suis quelque part au troisième rang à partir du fond, à droite. J'entends un jeune homme. Il a trouvé la mort dans un accident et il demande Stephen. Y a-t-il un Stephen dans le fond de la salle?

Aucune réaction. Plusieurs personnes ont tourné la tête, cherché, attendu, mais aucun Stephen ne s'est manifesté.

J'ai fait un nouvel essai, répété ma question, tout en demandant au jeune homme qui se tenait à mes côtés de me donner quelques précisions sur lui-même.

Mais une nouvelle fois, tout à fait consciente de sa frustration, je l'ai entendu réclamer Stephen.

Je me suis retournée vers mon public pour lui dire que je comprenais combien il pouvait parfois être difficile de se retrouver en point de mire quand on ne s'y attendait pas; qu'on pouvait avoir peur, ne pas savoir comment réagir. Il était parfois plus facile de ne pas réagir du tout.

— Cependant, ai-je poursuivi, j'ai ici un jeune

homme qui a besoin de transmettre un message à Stephen. Il veut juste dire à Stephen qu'il est vivant. Qu'il a survécu à la mort et qu'il est à l'abri.

Pendant que je prononçais cette phrase, j'ai vu une main se lever à l'arrière de la salle et une femme m'a répondu :

— Stephen est ici avec moi.

— Puis-je le voir ? ai-je demandé. Est-ce qu'il peut se lever ?

Il y eut une espèce de concertation, puis j'ai vu deux têtes : celle d'une femme, petite et mince, et celle d'un adolescent blond d'environ treize ans.

— C'est Stephen, m'a-t-elle dit. Je suis sa tante.

Je me suis retrouvée confrontée à un léger problème. Je savais qu'il s'agissait bien du garçon que je cherchais (j'entendais le jeune homme, à côté de moi, s'exclamer d'une voix enthousiaste : « C'est mon frère, c'est mon frère ! »). Mais j'avais une règle : je ne m'adressais jamais aux enfants de moins de dix-huit ans en l'absence de leurs parents. J'estime que ce serait tout à fait irresponsable. Je l'ai donc dit à la tante de Stephen et je me suis préparée, à contrecœur, à passer à autre chose.

— Une seconde ! a-t-elle lancé.

Il y eut encore une concertation, puis elle a ajouté :

— Les parents de Stephen sont ici. Ils ne veulent pas se lever, mais ils disent que vous pouvez continuer.

Sur ce, j'ai vu deux autres mains se lever, et j'ai

234

entendu une voix masculine me donner l'autorisation de poursuivre.

J'ai senti une main se poser sur mon épaule et je me suis tournée vers le frère de Stephen. Il a commencé à m'expliquer les circonstances de sa mort.

— J'étais sur mon vélo. Ça s'est passé très vite.

J'ai répété cela et la tante de Stephen m'a confirmé qu'il avait bien trouvé la mort dans un accident tout à fait inattendu, alors qu'il faisait du vélo. Pendant qu'elle me parlait, je restais consciente de mon public. Il s'agissait d'une petite ville, où tout le monde ou presque se connaissait. Beaucoup opinaient de la tête, au courant de ce drame. En même temps, j'écoutais le frère de Stephen me transmettre son message, destiné à sa famille et à son frère qu'il aimait tant.

Rassérénée, je me suis adressée à mon public qui faisait preuve de beaucoup de patience.

L'ambiance était électrique. Bien que n'ayant pas tout compris de la dernière partie du message, je savais que ce soir-là, outre Stephen et sa famille, nombreux seraient ceux qui rentreraient à leur domicile rassurés par le fait que leurs êtres chers avaient survécu à la mort.

— Le jeune homme qui se tient près de moi s'adresse à son frère, Stephen. Je l'entends dire qu'il vous aime, qu'il vous a beaucoup entendus pleurer, que son décès a causé une immense souffrance. Il me parle de l'accident, il me raconte qu'il était sur son vélo lorsqu'il a été heurté. Je l'entends s'adresser à sa mère, à son père, leur dire qu'il les aime, qu'il est à l'abri. Et je l'entends aussi s'adresser à Stephen, lui dire qu'il l'aime, qu'il est souvent près de lui. Puis je l'entends dire quelque chose de bizarre, il dit... « Dites-leur de ne pas s'inquiéter... j'ai retrouvé toutes mes parties, tous mes morceaux, et je suis de nouveau entier. »

Là encore, j'avais pleinement conscience de mon public. Un grand silence régnait dans la salle, seulement rompu par les sanglots de ceux qui connaissaient l'histoire de Stephen et de son frère, ou qui étaient émus par son message.

Je me suis donc retrouvée dans mon bureau, plusieurs semaines après, face aux parents de Stephen, nourrissant l'espoir que nous allions pouvoir rétablir la communication avec leur fils, Nigel. Dieu merci, nous y sommes parvenus.

Lorsque Nigel a raconté son histoire et donné des preuves de plus en plus nombreuses de sa survie, j'ai compris la signification du message qu'il avait fait passer la première fois. Nigel, seize ans, se promenait sur son vélo lorsqu'il a traversé un passage à niveau non signalisé. Aucun panneau, aucun feu. Le train l'a heurté et a longuement traîné son corps sur les rails. Il a fallu plusieurs jours pour retrouver tous les « morceaux » de son corps, et cette macabre recherche a plongé les siens dans un immense chagrin. Il n'est donc pas étonnant que ce jeune homme ait tellement insisté pour bien faire comprendre à sa famille, selon ses propres termes, qu'il était « de nouveau entier ».

Cependant, cette histoire ne s'arrête pas là. Les Boulton – Peter, Lynn, Stephen et Nigel – font partie de mes amis les plus proches, depuis toutes ces années que je les connais.

Au début, j'ai décrit les Boulton comme des gens « ordinaires ». Ils ne s'étaient jamais particulièrement intéressés à la spiritualité ou posé de questions sur Dieu, l'univers et la place qu'ils y occupaient. Leur vie tournait autour de leurs enfants, de leur travail, de leur famille. Si quelqu'un leur avait demandé : « Croyez-vous qu'il existe des personnes capables de parler aux esprits ? », ils auraient estimé que cette question était une pure ineptie. Lynn et Peter ont résolument les pieds sur terre. Peter a reçu une éducation très carrée. Son enfance a été rude. Il avait treize ans à peine quand ses parents se sont installés dans la ville minière de Thorne. Lynn, enfant unique, avait passé sa vie dans cette même ville où elle a fait des études d'infirmière, et tous deux se sont mariés alors qu'ils venaient de fêter leurs vingt ans.

Leur voyage spirituel a commencé le jour où Nigel est mort. C'est là qu'ils se sont pour la première fois interrogés sérieusement sur le sens de leur vie et sur l'existence de Dieu.

Mes étudiants et moi venions de mettre sur pied notre première clinique de guérison lorsque les Boulton m'ont rendu leur première visite. Ils avaient besoin de guérir. Comme ils désiraient également en apprendre davantage sur le côté spiriteul de leur vie, ils ont fini par devenir mes étudiants.

À chaque cours, je leur donnais des exercices, comme à tous mes autres élèves. Ils ont trouvé leur formation difficile et, au fil des ans, ont failli à plusieurs reprises abandonner, car ils doutaient de leur faculté d'apprendre. Le côté le plus ardu de leur apprentissage, comme pour tous mes étudiants, concernait l'approfondissement de leur personnalité. Mais ils ont découvert, par le biais d'exercices, que la clé consiste à se connaître soi-même, à être capable de communiquer avec soi et à faire confiance à son intuition. On doit passer par là pour être capable ensuite d'être « instinctivement » en phase avec cette puissance, cette énergie, divine et universelle.

Dans mon prochain livre, je m'attarderai davantage sur l'instinct et les moyens d'être à l'écoute. Bien que les exercices de ce livre ne soient pas destinés à faire de vous un guérisseur, ils vous sont destinés, ils vous concernent, s'attachent à qui vous êtes, au pourquoi et au comment de votre existence, à votre sensibilité et à votre propre pouvoir spirituel. C'est comme cela que je procède avec les étudiants de mon association.

Je me souviens très distinctement de la réaction de Lynn Boulton, le jour où elle s'est pour la première fois exercée à l'art de la relaxation, qui exige de considérer son corps physique avec bienveillance et amour. Cela peut se révéler difficile, car nous ne sommes à mon avis pas très nombreux à être totalement satisfaits de la manière dont Dieu nous a fabriqués. Trop gros, trop minces, trop grands ou trop petits... nous nous plaignons tous de quelque chose. Lynn ne supportait pas ses jambes. Elle les avait toujours détestées. Leur forme, lorsqu'elle y pensait, lui inspirait du dégoût. Dans sa jeunesse, elle avait rêvé d'être plus mince, plus sculpturale... en d'autres termes, parfaite.

Elle se retrouvait à présent dans une pièce avec des étudiants, et on ne se contentait pas de lui demander d'examiner son physique, mais de se concentrer sur chaque centimètre, chaque fibre de son être, sans se juger et avec amour. Si cette demande avait été faite à l'un de ses patients, handicapé ou simplement laid, elle l'aurait trouvée facile. En fait, dans sa profession, elle s'était très souvent et sans réfléchir penchée avec bonté sur un malade pour nettoyer l'ulcère de sa jambe ou masser son corps brisé. En raison de sa compassion, elle a la faculté, au-delà du physique des malades qu'elle soulage, de voir la véritable personne qu'ils sont, de leur tendre une main aimante et leur donner de l'amour, sans même y penser.

Dans ce cas, pour quelle raison était-elle capable de ne ressentir que du dégoût lorsqu'elle se regardait elle-même ? Pourquoi portait-elle sur elle-même un regard si dur, si implacable et dénué d'amour ? Et pourquoi en va-t-il de même d'un si grand nombre d'entre nous ? Nous n'allons peut-être pas tous jusqu'à ressentir du dégoût, mais souvent de l'insatisfaction.

Il se peut que l'on ne nous ait jamais appris à être généreux envers nous-mêmes. On nous a peut-être enseigné que se faire un cadeau à soi-même était de l'égoïsme ; s'aimer soi-même, de la vanité, de la prétention. Mais en ma qualité de professeur, il est de mon devoir de vous dire que, quand nous apprenons à nous aimer, nous sommes devenus de meilleurs êtres humains. L'apprentissage du don à soi-même revient à comprendre que l'on doit se respecter. L'apprentissage de l'amour de soi revient à s'éveiller au fait que chaque individu participe de Dieu, fait partie de Dieu et de la lumière. Et comment ne pas aimer Dieu ? Comment ne pas donner à Dieu ? Comment ne pas apprécier la lumière qui est Dieu ?

Attention à bien me comprendre. Je ne suis pas en train de dire que chacun de nous est Dieu, mais que nous sommes tous habités par Dieu et que, si nous refusons de nous aimer nous-mêmes, c'est Lui que nous renions. Et c'est donc ainsi que Lynn et Peter Boulton ont entamé leur voyage d'auto-guérison et d'éveil spirituel. Une entreprise difficile mais qui apporte la plénitude.

Rien de ce que je dis ici ne modifie la terrible épreuve du décès de leur fils aîné. Le fait qu'ils soient devenus guérisseurs ne les exempte pas de la souffrance que leur inspire chaque jour la perte qu'ils ont subie.

Ce sont mes amis et j'estime que j'ai de la chance de les connaître. Et comme je suis leur amie, comme je les ai observés, que j'ai prié pour eux et pour Stephen et Nigel, je peux vraiment affirmer qu'ils ont trouvé Dieu à travers leur fils ;

qu'ils ont trouvé une forme de paix, la lumière à travers lui ; et enfin, oui, qu'ils se sont trouvés à travers leur fils.

# En plein ciel

C'était en 1989, je rentrais d'un voyage à Hong Kong. Je retournais en Angleterre, dans le nord du Lincolnshire.

Ma fille, Samantha, alors âgée de dix-neuf ans, venait de terminer une formation d'esthéticienne, dans une région de l'Angleterre en pleine récession économique, où les emplois étaient rares. D'un point de vue professionnel, elle était bloquée et ne savait pas comment s'y prendre pour s'en sortir.

J'avais pensé que c'était le moment idéal pour qu'elle voyage.

— Et si tu m'accompagnais à Hong Kong ? lui avais-je proposé (j'avais l'intention d'y rester quatre mois). Tu pourrais trouver un emploi sur place dans un bar, un salon de beauté, comme serveuse, peu importe. Ce serait une occasion de prendre un peu de bon temps et de découvrir l'Extrême-Orient !

Samantha avait saisi la balle au bond. Elle avait trouvé un emploi au Hilton de Hong Kong, s'était fait de nombreux amis, s'amusait comme une folle et avait décidé de prolonger son séjour là-bas.

Pour ma part, je devais rentrer à la maison. J'avais beaucoup de mal à laisser mon enfant, même si elle n'était évidemment plus une petite fille et en dépit du fait que mes amis de Hong Kong m'avaient promis de veiller sur elle. En embarquant dans l'avion, j'étais bouleversée.

J'occupais un siège près de l'allée centrale. Sur la même rangée, une femme âgée était installée près du hublot et un homme plutôt séduisant, la quarantaine, mince et grand, avait pris place dans le fauteuil du milieu. Ils voyageaient ensemble. Comme elle me l'a expliqué par la suite, sans être de la même famille, ils se considéraient comme mère et fils.

J'ai tout de suite constaté qu'il s'agissait de personnes affables, prêtes à engager une conversation. Ils se sont présentés et j'ai fait de même, espérant en moi-même qu'ils ne se montreraient pas trop chaleureux ni bavards. Sur un long vol de ce genre, qui dure à peu près quatorze heures, il est toujours agréable de lier connaissance. Le temps passe plus vite. Mais j'avais eu droit à une ou deux mauvaises expériences et je prenais toujours garde à ne pas me montrer trop avenante.

Il s'avéra néanmoins que ces personnes étaient vraiment adorables. Je les appellerai Mary et David. De nationalité anglaise, résidant quelque part dans le Sud, ils rentraient d'un séjour de six semaines en Australie, via Hong Kong. Je les ai écoutés me narrer leurs aventures avec plaisir. Peu à peu, les soucis que je me faisais pour ma fille sont passés au second plan.

Les hôtesses nous ont servi le dîner et c'est alors que, se rendant compte qu'ils n'avaient fait que parler d'eux, Mary m'a demandé la raison de mon voyage à Hong Kong.

Je leur ai un peu parlé de Samantha et de son travail à l'hôtel. Mary a alors voulu savoir si je travaillais aussi. Je leur ai raconté ce que je faisais.

— Ooooh! s'est exclamé David avec un grand sourire à l'adresse de sa « mère ». Ce genre de truc te plaît, hein, maman? Pardonnez-moi, a-t-il alors ajouté, mais personnellement, je n'y crois pas du tout.

J'ai ri, habituée à ce genre de réaction, et l'ai assuré que je ne lui en voulais pas. L'hôtesse est alors venue reprendre nos plateaux-repas, et j'ai décidé de profiter de son intervention pour me retirer de la conversation.

— Je crois que je vais lire un peu et faire un somme, leur ai-je annoncé.

Mary a tellement apprécié mon idée que, quelques minutes plus tard, elle dormait à poings fermés.

David a regardé le film pendant que je lisais. Puis je me suis enveloppée dans ma couverture et j'ai incliné mon siège. J'espérais trouver quelques heures de sommeil.

L'intérieur de la carlingue n'était que faiblement éclairé, et les ronflements des passagers endormis s'ajoutaient au ronronnement monotone des réacteurs de l'avion. J'ai essayé de trouver une position plus confortable sur le siège étroit et j'ai fermé les yeux. « Dormir, dormir, ai-je prié, laissez-moi dormir! »

243

Tap, tap, tap sur mon épaule. Je n'ai pas fait attention. Quelques minutes sont passées.

Tip, tip, tip, un peu plus fort cette fois. Je ne voulais pas reconnaître le doigt qui s'enfonçait avec insistance dans mon épaule.

Plusieurs autres minutes se sont écoulées. Je commençais à me sentir dériver. Si seulement je pouvais m'endormir !

Tap, tap, tap. « Ça ne va pas recommencer, ai-je songé. Partez ! »

Tip, tip, tip. De nouveau, ce doigt.

— Lâchez-moi ! ai-je marmonné. Vous ne voyez pas que j'essaie de dormir ? Allez-vous-en, qui que vous soyez, je dors.

— Je suis son frère, le frère de David. Je sais que vous pouvez m'entendre. Dites-lui juste que je suis ici.

— Écoutez, me suis-je énervée. Vous ne voyez pas que j'essaie de dormir ? Je me moque de qui vous êtes. Alors fichez-moi la paix.

Cinq minutes. Dix minutes. Un quart d'heure au moins se sont écoulés. Je commençais à sombrer, lorsque la voix a repris.

— Je veux parler à mon frère. Je veux parler à David. Je m'appelle Michael. Je suis son jumeau et je suis mort d'un cancer il y a plus de vingt ans.

J'étais à présent trop lasse pour me mettre en colère et, morte de sommeil, j'ai une fois de plus demandé à l'intrus de me laisser tranquille.

— Uniquement si vous me promettez de me parler ce matin, a-t-il répliqué d'un ton ferme. Sinon, je vous embêterai toute la nuit.

« Du chantage, il ne manquait plus que cela ! »

ai-je songé dans mon brouillard. Vous vous demandez peut-être où pouvait bien être passé Aigle Gris à ce moment-là. Mais mon guide savait que Michael et David avaient besoin de profiter de cette occasion.

Légèrement sortie de ma torpeur, j'ai accepté, précisant que je n'utiliserais l'occasion que si elle se présentait. Puis j'ai enfin glissé dans un sommeil réparateur.

Je me suis réveillée environ quatre heures plus tard. Le soleil matinal pénétrait par le hublot et un instant, j'ai oublié où je me trouvais. Le ronronnement des réacteurs s'est ensuite insinué dans mon esprit encore embrumé. J'ai fait un effort pour me réveiller tout à fait et je me suis redressée sur mon siège. Mes deux compagnons de voyage étaient déjà réveillés et j'ai entendu le cliquetis des plateaux du petit déjeuner que les hôtesses commençaient à servir.

Nos tables abaissées, nous avons bavardé en attendant notre tour. Lorsque notre plateau est arrivé, nous nous sommes jetés sur ce petit déjeuner.

Nous terminions de manger lorsque Michael s'est rappelé à mon bon souvenir. Très peu de temps après, Mary s'est penchée par-dessus son « fils » pour me dire :

— J'espère que vous ne m'en voudrez pas de vous questionner, Rosemary, mais ce que vous faites me passionne. Je sais bien qu'il ironise, a-t-elle ajouté avec un petit mouvement du doigt à l'adresse de David, mais ne lui prêtez pas attention. Il n'y connaît rien.

J'ai souri, sachant que l'heure avait enfin sonné.

— Bon, qu'est-ce qu'il faut croire ? En fait, ce n'est qu'une question de devinettes, non ? m'a demandé David d'un ton moqueur. Allez, si c'est vrai, racontez-nous donc ce que vous voyez autour de nous.

Au fil des ans, j'avais souvent entendu ce type de discours : « prouvez-le ». En général, ma réponse consiste à sourire, à hausser les épaules et à expliquer que je ne suis ni une marionnette ni une espèce d'amuseuse publique plus ou moins dérangée. Je le dis sans perdre mon calme, car je comprends fort bien que de nombreuses personnes me considèrent comme une curiosité. Quant aux autres, ceux qui ne font preuve d'aucune tolérance ni d'aucun désir de comprendre, que suis-je à leurs yeux : le joueur d'orgue de Barbarie ou le singe ? En général, ils se contentent de dire : « On va regarder danser le singe » et moi, j'ai pris pour habitude d'ignorer leur « prouvez-le ».

Cette fois, la situation était différente. Cette fois, j'avais attendu en sachant que ce moment allait arriver. Cela ne m'a pas empêchée de demander à David :

— Êtes-vous certain, vraiment certain, de vouloir que je vous le « montre » ?

Il m'a répondu d'un rire gentil et d'un clin d'œil, pour me prouver qu'il ne s'agissait pour lui que d'un jeu, et a confirmé son accord d'un hochement de tête plein d'assurance. Nous n'étions bien évidemment pas seuls à bord de cet avion et j'avais conscience que plusieurs passagers écoutaient notre conversation. Tandis que je parlais, j'ai eu l'impression qu'autour de nous, les bavardages perdaient de leur intensité et que les plus curieux me prêtaient une oreille plus attentive. Mais je n'allais pas me soucier des réactions de ces tiers. Mon rôle consistait à présent à aider Michael, même si dans mon cœur, je nourrissais l'espoir que ces événements allaient aussi aider quelqu'un d'autre.

Ces pensées en tête, je me suis entièrement concentrée sur ma tâche et sur David.

— Je suis à vos ordres, a-t-il ricané. On commence.

— Un jeune homme se tient derrière vous, ai-je déclaré. Un peu à votre gauche. Il me dit qu'il est votre frère jumeau, Michael, et qu'il est mort il y a de nombreuses années, quand vous étiez encore jeunes tous les deux.

Au début, David a continué à sourire. Il s'est tourné vers sa « mère », persuadé que nous lui faisions une blague et que c'était elle qui m'avait fourni ce renseignement. Il a constaté son expression stupéfaite et subitement, son sourire s'est évanoui, son visage a blêmi et il s'est adressé à moi d'une voix étouffée.

— Comment le savez-vous ?

Sans le laisser poursuivre, je me suis lancée, car Michael me parlait à présent avec précipitation et je voulais retenir le plus de choses possibles de son discours.

J'ai désigné l'anneau que David portait au doigt.

— Michael me dit que la bague que vous portez est la sienne. C'est vrai? lui ai-je demandé, tout en sachant qu'il ne pouvait en être autrement.

À présent éberlué, David a regardé l'anneau.

— Personne n'est au courant de ça, a-t-il chuchoté. Personne. Elle appartenait à Michael. C'est le seul objet qu'il a laissé à sa mort. Depuis je l'ai toujours portée.

Pendant qu'il parlait, Mary lui avait enlacé les épaules. Elle l'a attiré contre sa poitrine et ils ont pleuré ensemble pendant un bon moment. Puis David, submergé par la curiosité, s'est retourné vers moi.

— Qu'est-ce qu'il fait? Qu'est-ce qu'il peut voir? Comment peut-il entendre... Est-ce qu'il peut m'entendre?

Les questions se multipliaient et, pendant deux heures, les deux frères ont conversé sans interruption. Ils ont parlé de la maison que David venait d'acquérir. Michael l'a décrite en détail et a également précisé les modifications que son frère avait l'intention d'y apporter. Michael a aussi expliqué comment, peu de temps après son décès, leurs parents étaient morts, laissant son jumeau orphelin à seize ans, sans endroit où aller, sans foyer, sans famille. C'est alors, a expliqué Michael, que David s'était lié à Mary, la mère de son meilleur ami. Il m'a raconté comment Mary était devenue une sorte de mère de substitution, qui avait hébergé David et s'était occupée de lui. Michael a parlé de tout cela à David, et de bien d'autres sujets encore. Il essayait à sa manière, celle qu'utilisent de nombreux esprits, conscients de la nécessité de prouver leur survie, de démontrer à son jumeau qu'ils n'avaient pas été séparés, en tout cas, pas sur le plan spirituel, et qu'il avait occupé un rôle de force directrice dans la vie de David.

Le dernier message a été le plus important pour Michael, et je l'espère pour David aussi. Nous étions en plein ciel, l'heure et le lieu semblaient tout à fait indiqués pour que Michael affirme à David :

— Dites-lui que je suis un ange.

## Et les anges sont venus

Ce soir-là, je me trouvais dans une petite église spirite de la ville de Lincoln, en Angleterre, où j'allais prendre la parole. C'était à la fin de l'année 1993, peut-être début 1994.

C'était un dimanche et, comme dans la plupart des églises spirites, le service de la soirée était composé d'hymnes, d'une prière d'introduction et d'une brève prière de remerciements à Dieu. Puis, comme le font tous les médiums spirites, j'ai donné une petite conférence philosophique, après laquelle un autre hymne a été chanté. J'ai ensuite commencé à communiquer avec le monde des esprits et à transmettre des messages à la congrégation.

L'église était bondée, il ne restait pas un seul siège de libre. Alors que j'étais sur le point d'entamer mon premier contact avec les esprits, la porte s'est ouverte brutalement et une femme s'est avancée en titubant dans l'allée centrale. Élégamment vêtue, la cinquantaine, séduisante... et manifestement mal en point, sous l'emprise de l'alcool.

Le moins que l'on puisse dire, c'est qu'elle a effectué une entrée théâtrale. Lançant les bras en avant dans une pose dramatique, elle nous a annoncé de sa voix distinguée, en faisant des efforts pour cacher son ébriété :

— Pardonnez-moi d'être tellement en retard... Je viens juste d'atterrir des États-Unis.

Elle s'est encore avancée un peu en oscillant, à la recherche d'un siège libre. D'une voix bruyante et quelque peu exagérée, elle a de nouveau annoncé qu'elle venait « d'atterrir » d'Amérique.

Le public, au départ abasourdi et réduit au silence par cette intrusion, a essayé de lui faire une place, mais il n'y en avait vraiment aucune de libre. Il ne savait plus s'il devait jeter dehors notre visiteuse sérieusement avinée ou l'accueillir. Tous les visages étaient clairement marqués par la consternation. J'ai alors suggéré à l'organiste de libérer son siège dans la nef et de s'asseoir derrière son instrument, ce qui a permis de résoudre ce dilemme. J'avais pris les choses en main, je prenais cette visiteuse sous ma responsabilité.

Tandis que nous reprenions le cours de la séance, les expressions de désapprobation qu'inspirait notre visiteuse à de nombreux membres de la congrégation ne m'ont pas échappé. Ces expressions, au fur et à mesure que la soirée avançait, se sont vite transformées en véritable dégoût : chaque fois que je transmettais un message, notre nouvelle amie ne pouvait s'empêcher de le commenter de vive voix.

— J'en viens à la dame qui est là-bas, celle qui porte un pull rose.

— J'ai un soutien-gorge rose, a lancé bruyamment la femme. Ça fera l'affaire ?

J'ai poursuivi, au milieu des « chut » et des « taisez-vous ». Je suis passée à un autre message.

— Je veux parler au jeune homme du quatrième rang, sur ma droite. Oui, vous, ai-je déclaré alors qu'il levait la main. J'ai un homme du monde des esprits qui me dit qu'il est votre père. Il est mort subitement d'un infarctus.

Cette information était exacte, et j'ai continué la communication en fournissant de nombreux détails, avant d'ajouter :

— Votre père me parle de votre voiture.

J'ai marqué un temps d'hésitation, car je me demandais comment j'allais pouvoir formuler de façon délicate ce que l'on m'avait prié d'annoncer.

— Votre père me dit qu'il y règne un désordre pas possible, ai-je donc déclaré.

Mais alors que j'allais poursuivre, notre visiteuse m'a de nouveau interrompue.

— Vous voulez dire que c'est un véritable foutoir, a-t-elle lancé.

Je n'ai pu retenir un sourire, car c'était l'expression exacte qu'avait employée mon interlocuteur du monde des esprits.

Les membres de la congrégation manifestaient

251

cependant à présent ouvertement leur désapprobation, beaucoup sifflaient pour lui intimer de se taire ou de partir. Dans un effort valeureux destiné à restaurer la paix et l'harmonie dans leur église en mon nom, ils créaient sans le vouloir une cacophonie et me dérangeaient davantage dans mon travail.

J'ai gardé le silence un certain temps pour examiner la situation. Puis, le plus respectueusement possible, j'ai réclamé le silence. Pour faire comprendre à l'assemblée que j'étais capable de maîtriser à ma manière cette situation, je me suis adressée gentiment à la dame.

— Puis-je me permettre de vous demander de rester aussi tranquille et silencieuse que possible? Vous comprenez, vos interruptions contrarient tout le monde.

Ses yeux se sont écarquillés naïvement, comme si elle ne s'était rendu compte de rien, puis elle a posé un doigt sur ses lèvres et hoché la tête en signe d'acquiescement.

J'ai alors pu poursuivre mon travail sans être gênée. Nous avons prononcé une dernière prière et le service s'est terminé.

Comme cela se passe d'ordinaire dans les églises spirites, nous nous sommes ensuite rassemblés autour d'un thé et de petits gâteaux. Je me suis assise un peu à l'écart, sur la scène, pour me reposer quelques minutes. Mais ma tranquillité n'a pas duré bien longtemps, car j'ai été rejointe par la dame « d'Amérique » qui empestait l'alcool. Elle s'est assise à côté de moi et, sans plus de cérémonie, a posé la tête sur mon épaule.

D'un geste instinctif, j'ai tendu la main vers elle et, tandis que je lui caressais les cheveux, je me suis adressée à elle d'une voix posée. Je lui ai dit que j'étais contente qu'elle soit venue et demandé comment nous pouvions l'aider.

Au bout d'un certain temps, elle s'est redressée et, une fois de plus, d'une voix moins stridente mais sans parvenir encore à bien articuler, elle m'a expliqué qu'elle venait d'atterrir d'Amérique. Puis d'un ton beaucoup plus doux, elle a prononcé mon nom et il s'est produit un changement très net en elle. Je l'ai examinée et j'ai constaté qu'elle n'était plus du tout ivre mais complètement sobre et qu'elle posait sur moi un regard à la fois tendre et intense.

— Rosemary, m'a-t-elle dit d'une voix douce, mais presque pressante. Rosemary... ils m'ont envoyée pour veiller sur vous... ils m'ont envoyée d'Amérique pour veiller sur vous.

Il ne restait plus rien de la femme qui était entrée dans l'église un peu plus tôt et n'avait cessé de perturber le service. En lui rendant son regard, j'ai constaté avec stupéfaction qu'elle n'était absolument pas saoule mais qu'elle jouait un rôle, et j'ai compris qu'on l'avait effectivement « envoyée ».

Notre intimité n'a pas duré longtemps, car la main d'un membre de la congrégation s'est posée sur mon épaule et quelqu'un m'a demandé si je désirais une tasse de thé. Je me suis tournée vers cette personne pour répondre oui. Ce faisant, j'ai de nouveau entendu la voix stridente et le discours confus de la femme ivre, et j'ai entra'perçu

253

ma visiteuse tardive qui ressortait de l'église de sa démarche chancelante, sans même un regard dans ma direction. Aussi vite qu'elle était apparue, elle avait disparu.

Je suis restée assise pendant un petit moment encore, songeant à ses paroles et à la manière dont elle m'avait regardée. Puis je me suis levée et me suis jointe à ceux qui étaient venus m'écouter.

Durant le reste de la soirée, j'ai un peu sondé les personnes qui fréquentaient régulièrement cette église. Personne n'avait jamais vu notre visiteuse, personne ne connaissait son nom ni d'où elle venait et, depuis lors, à ma connaissance, elle n'a jamais remis les pieds dans cette église, je ne l'ai jamais revue et n'ai jamais eu de ses nouvelles.

J'ai souvent réfléchi à cette énigme, en particulier lorsqu'on me pose des questions à propos des anges.

C'était moins de deux ans avant que mon premier livre ne soit publié en Amérique. Elle m'a transmis un message. Elle est venue me dire qu'ils me surveillaient, qu'ils surveillaient mes progrès, qu'ils veillaient sur moi. Elle est venue déguisée en pocharde, en faisant semblant d'avoir quitté le bon chemin.

C'était une voyageuse, une messagère, une messagère de Dieu... Et je suis sûre de ce que j'avance : cette femme était un ange.

Je crois que les anges viennent à nous sous des formes diverses, qu'ils appartiennent à cette terre tout autant qu'au ciel. Je crois que cette

254

étrangère qui vous adresse un sourire dans la rue peut tout à fait être un ange. Je crois que cette clocharde que vous voyez fouiller dans les poubelles peut être un ange, que cette mendiante, cet enfant au nez sale... Je crois que beaucoup d'anges hantent nos rues. Jusqu'à quel point sommes-nous conscients de leur existence et de leur présence parmi nous ? Si nous examinons un récent sondage effectué aux États-Unis et observons les ventes de livres sur le sujet des anges, il semble qu'au bas mot 85 % d'entre nous croient aux anges et acceptent leur réalité. Mais jusqu'à quel point ?

À de nombreuses reprises, lorsqu'ils décrivent le passage de la mort, ceux du monde des esprits évoquent la présence des anges. Très souvent, surtout lorsqu'il s'agit d'enfants, je les entends dire : « ... et des anges sont venus, et ils m'ont transporté gentiment dans un endroit sûr ».

Et des anges sont venus... et ils continueront à venir, car aussi longtemps que Dieu existera, aussi longtemps que l'amour existera, il y aura de la lumière, et des anges.

Lorsque j'entends ceux du monde des esprits évoquer les anges, je ne peux douter de l'existence de tels êtres, et je sais qu'ils vivent dans cette lumière qui est l'énergie divine. J'ai également la conviction qu'ils sont les messagers de Dieu, mais c'est seulement en 1994 que j'ai cessé d'éprouver des réticences à parler de mes opinions et sentiments à leur sujet. Ils m'inspirent un tel respect et un tel émerveillement, mon âme est si émue lorsque je les évoque, qu'en écrivant ces quelques lignes, me revient à l'esprit la phrase qui débutait une histoire dans les anciennes Écritures : « Et il advint... »

Il advint aussi qu'une femme, que nous appellerons Anna, une cliente, m'a téléphoné du Connecticut, aux États-Unis, pour sa troisième consultation. J'étais en Angleterre, et nous avons entamé la consultation comme à l'accoutumée. J'ai commencé par demander à Anna avec qui elle souhaitait entrer en contact dans le monde des esprits. Puis je me suis enquise des questions qu'elle souhaitait poser si nous parvenions à établir le contact.

Au début, elle est restée dans le domaine des questions banales. Après avoir voulu établir le contact avec sa mère, elle a demandé conseil à propos de l'éducation de ses enfants, des filles, et a voulu connaître son avis au sujet de sa carrière et de la santé de son mari. Puis, non sans quelques hésitations, elle m'a demandé s'il lui était possible de savoir si un ange – masculin ou féminin – lui était attaché et, le cas échéant, quel était son prénom et comment elle pourrait être plus consciente de cet être.

On ne m'avait encore jamais posé cette question. Je me suis dit qu'il n'allait pas être facile d'y répondre, d'autant que la mère d'Anna était impatiente de communiquer. J'ai donc fait passer cette question en dernier, pensant que nous n'aurions pas assez de temps pour obtenir une réponse.

Je faisais complètement fausse route. La mère d'Anna a apporté des réponses, simples et rapides, à tous les problèmes que se posait sa fille. Ensuite, elle lui a transmis des messages d'elle-même et d'autres êtres du monde des esprits, des messages d'amour, de réconfort, qui venaient la rassurer sur l'existence d'une vie après la mort. La séance était terminée. La mère d'Anna a dit au revoir et j'ai failli m'arrêter. Je m'étais tellement impliquée dans la famille d'Anna que j'en avais complètement oublié la dernière question.

— Attendez, m'a dit Anna alors que j'allais, moi aussi, prendre congé. Et ma question sur l'ange? Pouvons-nous prendre le temps de la poser, Rosemary? J'y attache une extrême importance. Ces derniers temps, je n'arrête pas d'y penser.

— Oui, oui, on va essayer, lui ai-je répondu. Mais je ne suis pas du tout sûre d'obtenir une réponse. Cependant... attendez, j'aperçois une dame (j'ai alors commencé à la lui décrire). Elle est petite, menue, avec des cheveux courts d'un blanc grisonnant, très ordinaire, et un magnifique sourire.

J'ai demandé à cette dame quel était son lien de parenté avec Anna. Si elle était sa grand-mère, sa tante peut-être.

— Une seconde, m'a-t-elle répondu, d'une voix aérienne et musicale, regardez-moi.

Et elle s'est mise à tournoyer sur elle-même.

Au début, je n'en ai pas cru mes yeux, tant je ne m'y attendais pas. J'ai fermé les paupières et je les ai rouvertes, tout aussi vite. Ma vision n'avait pas changé. Je voyais des ailes... des ailes d'ange. Elle s'est retournée face à moi, a émis un petit rire en constatant ma stupéfaction, puis elle a hoché la tête et m'a dit, les yeux brillant d'une lumière pétillante :

— Je m'appelle Mary et... oui, je suis son ange. Dites-le-lui, et ajoutez qu'elle est consciente depuis quelque temps de mon existence, depuis qu'elle cherche à savoir si je l'accompagne. La patience et le temps aidant, elle va apprendre à me connaître mieux.

Avec un respect mêlé de timidité, j'ai répété à Anna tout ce que l'ange me disait. Puis est venu le dernier message, prononcé avec une affection profonde, que je n'oublierai jamais. Et pendant que l'ange s'exprimait, j'ai vu la lumière qui l'enveloppait se dilater, à tel point que j'ai eu l'impression qu'elle m'englobait aussi, au fur et à mesure que je répétais ses paroles à Anna... Et il advint que l'ange déclara à Anna d'une voix douce, avec un sourire de bonté :

— Quelle joie, quelle joie suprême que vous m'ayez enfin demandée !

Cependant, je repose la même question : jusqu'à quel point sont-ils réels? Jusqu'à quel point pensons-nous que les anges sont réels et impliqués dans notre vie? Lorsque nous sommes confrontés à eux, dans des livres ou sur des images, et lorsque nous entendons d'autres personnes les évoquer, nous avons conscience de cette réalité et nous la comprenons. Sinon, pour la plupart d'entre nous, y compris moi, loin des yeux signifie loin du cœur. J'ai davantage de chance que la plupart des êtres humains, dans la

258

mesure où, dans le cadre de mon travail, leur existence m'est sans cesse rappelée. C'est plus facile pour moi... Je vois. Et je me demande comment je peux aider les autres à voir.

Comment sommes-nous donc censés les reconnaître si nous ne savons pas ce que nous cherchons ? Nous savons uniquement qu'ils sont les messagers de Dieu, qu'ils viennent de la lumière, qu'ils sont bons et que leur cœur est pur.

C'est peut-être là que réside le secret. Cette pureté de cœur. Peut-être que là se trouve la façon d'avancer, pour nous tous qui sommes encore mortels. Supposer que les anges n'attendent qu'une chose de nous : que nous apprenions à nous regarder nous-mêmes et à regarder les autres d'une façon différente. Que nous apprenions à rechercher la bonté et la pureté de l'âme. Il est évident que, si nous cherchons à appliquer cela dans notre vie quotidienne, si nous parvenons, d'une manière ou d'une autre, à apprendre à vivre nos vies en offrant un amour inconditionnel à nos frères et sœurs humains, alors peut-être nos anges, lorsque nous les rencontrerons, nous laisseront un petit signe de leur présence... Et alors la joie, la joie suprême nous envahira, puisque nous les verrons enfin, nous qui avons si longtemps vécu en aveugles.

Je pense que l'inconnu qui vous adresse un sourire de bienvenue lorsque vous marchez dans la rue « pourrait » être un ange.

Je pense que le clochard que vous voyez en

train de fouiller des poubelles dans la rue « pourrait » être un ange.

La femme que vous voyez mendier.

L'enfant qui a la morve au nez.

Peut-être qu'en ce moment même, vous êtes assis à côté d'un ange.

Peut-être que ce matin ou hier soir, alors que vous vous hâtiez de vaquer à vos occupations, vous avez effleuré un ange au passage.

Le moment est peut-être venu de prendre le temps de réfléchir. Si vous saviez que vous avez rencontré un ange aujourd'hui, que diriez-vous ? Quelle attitude adopteriez-vous ? Comment voudriez-vous apparaître aux yeux de votre ange ?

Je pense que les anges nous entourent de toutes parts.

Je pense qu'ils nous attendent à chaque coin de rue.

Je pense que les anges appartiennent à la terre comme ils appartiennent au ciel.

Je pense qu'ils attendent que nous les voyions.

Et les anges sont venus, car aussi longtemps qu'il y aura de l'amour, il y aura de la lumière... et des anges.

## Michael

J'étais à Los Angeles en compagnie de mon attachée de presse, Tina, pour la promotion d'*Une longue échelle vers le ciel*. J'avais tellement voyagé, traversé tant de villes, pris tant d'avions et de taxis, que tous les endroits commençaient à s'embrouiller dans mon cerveau.

Je n'avais qu'une seule idée en tête : « Je ferai tout ce qu'il faut pour promouvoir mon livre. » C'était ma résolution et mon énergie qui m'en procuraient la force. Mais pas seulement. Il y avait aussi toutes les personnes que j'avais rencontrées au cours de mes déplacements, dont beaucoup avaient besoin du message et de la vérité dont je suis porteuse. Et les expériences que j'avais vécues avec eux me donnaient en fait l'énergie de continuer, alors que j'étais submergée par le besoin de sommeil et de repos.

Je devais me rendre dans le studio de télévision d'un endroit appelé Eagle Rock[1]. Un nom prédestiné, vous ne trouvez pas ? À notre sortie de l'hôtel, notre chauffeur est venu à notre rencontre et nous a aidées à monter à bord de la voiture. Il était si grand, environ deux mètres, que j'avais la sensation d'être une naine à côté de lui.

Durant notre trajet jusqu'au studio, qui a pris environ une heure, Tina, mon attachée de presse, Anne, notre guide, et moi-même, avons discuté de l'organisation de notre journée. Le programme n'était guère compliqué. Émission télévisée, retour à l'hôtel, interviews pour la presse écrite, déjeuner, puis trajet en voiture le long de la côte, jusqu'à une librairie où je devais donner une conférence et dédicacer des livres dans la soirée.

Alors que nous discutions du contenu du

--------

1. Le Rocher de l'Aigle *(NdT)*.

programme télévisé, Tina a évoqué certaines de nos expériences dans d'autres librairies et sa stupéfaction devant ma manière de transmettre des messages du monde des esprits et les réactions du public dont elle avait été témoin.

Notre chauffeur n'avait pas pipé mot pendant tout le trajet, mais je savais que pas un détail de notre conversation ne lui avait échappé. En arrivant au studio, je l'ai donc invité à se joindre à nous pour assister à l'émission. Ma proposition l'a un peu décontenancé, mais il l'a acceptée et est entré avec nous dans le studio de télévision.

Dès la fin de l'émission, qui a duré une demi-heure, nous nous sommes tous entassés dans la voiture pour regagner l'hôtel. Le chauffeur n'avait pas fait le moindre commentaire sur l'émission. Pour toute réaction, il m'avait adressé un regard interrogateur, alors que nous repartions en ville.

Après le déjeuner, Tina et moi avons décidé que ce serait très agréable d'emprunter sans nous presser la route côtière menant à la librairie où je devais dédicacer mon livre, et nous nous sommes redirigées vers la voiture qui nous attendait. Le chauffeur m'a ouvert la portière et m'a aidée à monter à bord du véhicule. Au moment d'y monter à son tour, Tina s'est subitement souvenue qu'elle avait oublié de faxer des papiers à son bureau. Un peu embarrassée et confuse, elle m'a demandé si cela ne me gênerait pas de l'attendre un peu.

— Pas du tout, lui ai-je répondu. Prenez tout

votre temps. Je parlerai au chauffeur en vous attendant.

Ce dernier a alors légèrement tourné la tête dans ma direction et je lui ai adressé un regard de réconfort. Je savais qu'il avait quelque chose à me dire.

— J'ai perdu mon fils, a-t-il commencé d'une voix défaillante, pendant que Tina se précipitait dans l'hôtel. Il est mort dans mes bras.

— Michael, ai-je dit calmement. J'entends le nom Michael.

— C'est moi, a-t-il répondu. Et c'était aussi le prénom de mon fils.

Il s'est alors lancé dans son récit. Son fils, Michael, était tombé malade. On l'avait traité longuement, puis hospitalisé à plusieurs reprises. Lors de son dernier trajet vers l'hôpital, il était mort dans ses bras. À peine sorti de l'adolescence, Michael avait été emporté alors qu'il avait toute la vie devant lui. C'était en tout cas comme cela que son père voyait les choses.

— Pendant que je le tenais dans mes bras, il m'a dit : « Papa, je t'aime », m'a raconté Michael. L'émotion m'étouffait. J'ai resserré mon étreinte et je lui ai chuchoté : « Moi aussi, fils, je t'aime. » Après, j'ai regardé son visage. Il avait les yeux fermés, une seule larme coulait sur sa joue, et j'ai compris qu'il était mort. C'est la seule occasion de ma vie, a poursuivi Michael avec timidité, où j'ai voyagé à l'arrière d'une limousine au lieu d'en tenir le volant.

Pendant que j'écoutais Michael, Tina était remontée dans la voiture et l'écoutait aussi. Elle était assise à l'arrière à côté de moi et je me rendais compte qu'elle avait du mal à ne pas fondre en larmes, car la tristesse et le chagrin de notre chauffeur faisaient peine à voir.

Pourtant, il ne s'agissait que d'une histoire tragique parmi d'autres. La vie en est pleine, mais cela ne diminue cependant en rien la souffrance d'un individu. Je n'ai eu aucun mal à tendre la main vers Michael pour le réconforter et pour absorber le chagrin que la mort de son fils inspirait à ce père.

Nous avons fini par démarrer. Notre chauffeur était à présent davantage que le simple conducteur de notre voiture ; après le partage de ces instants douloureux, un lien s'était noué entre nous, et nous étions devenus amis.

Nous avons emprunté au ralenti la route côtière, afin que je puisse profiter pleinement du paysage. Sa splendeur était exactement ce dont j'avais besoin pour me procurer l'énergie nécessaire à ma soirée de travail.

Nous sommes arrivés à la librairie. Elle sortait de l'ordinaire : elle était assez vaste pour contenir trois cents sièges et elle était bondée.

J'avais proposé à Michael d'aller se promener de son côté ou d'assister à la conférence. J'avais la sensation que cette dernière pourrait l'aider, mais je ne voulais surtout pas exercer de pression sur lui, car je crois, de toutes mes forces, que nous ne devons effectuer notre chemin spirituel que lorsque notre moment est venu.

Michael a décidé de faire une pause. Nous sommes convenus qu'il viendrait nous reprendre deux heures plus tard, puis nous nous sommes séparés.

Lorsque le directeur du magasin m'a fait entrer dans la salle, j'ai été accueillie par un concert de voix enthousiastes d'hommes et de femmes, emplis d'espoir et impatients d'apprendre, même s'ils ignoraient peut-être ce qu'ils pouvaient attendre de la soirée. J'en ai éprouvé un grand plaisir. J'ai senti qu'une bonne ambiance, chaleureuse et amicale, régnait, et que les murs renvoyaient une énergie positive.

J'ai gagné ma chaise, à l'avant de la pièce, et j'ai regardé mes auditeurs s'installer sur leurs sièges. Ces derniers étaient tous occupés, si bien que de nombreuses personnes ont dû rester debout. Il y avait tant de monde que certains ont dû rester dans la librairie elle-même. Ce succès avait quelque chose de gratifiant et j'ai senti, d'instinct, que la soirée serait exceptionnelle.

Comme à l'accoutumée, je me suis présentée en quelques mots, j'ai parlé de mon travail et, comme j'aime les conférences interactives, je leur ai annoncé la partie question-réponse. C'est toujours mon moment préféré.

Comme souvent, beaucoup d'êtres de l'autre monde désiraient se joindre à nous et faire passer des messages, mais c'est au milieu de la soirée qu'un jeune homme m'a demandé :

— Rosemary, parlez-nous de la guérison spirituelle. Dites-nous comment vous vous y prenez.

Comme cette activité me tient particulièrement à cœur et que je suis toujours désireuse d'évoquer la RAAH, j'ai d'abord raconté une ou deux histoires au sujet de patients que je soigne à travers le monde. Puis, sachant que je pouvais faire mieux, j'ai décidé de « faire une démonstration » à mon auditoire, de la leur expliquer, non par des mots, mais par des actes.

Un peu plus tôt, alors que j'observais les membres du public entrer dans la salle, j'avais remarqué une dame marchant avec quelques difficultés, qui approchait sans doute des quatre-vingts ans, et qu'on avait aidée à s'installer au premier rang. Je me suis approchée d'elle avec mon micro, je lui ai pris la main et, sachant qu'elle était venue pour cela, j'ai annoncé à mon public que j'allais lui expliquer le don de la guérison.

À ce stade de mon récit, je dois vous rappeler que la guérison, avant toutes choses, est celle du moi spirituel, de la lumière ou du champ d'énergie qui enveloppe l'âme. Il est rare que celui qui y assiste voie autre chose qu'une personne posant les mains sur une autre. C'est davantage une sensation, un sentiment de paix et de lumière, qui nous apprend que quelque chose se passe.

Je me trouvais donc là, sur le point de démontrer ce don que je possède, tout en sachant fort bien que, si mon public s'attendait à assister à un miracle comme ceux du Christ, il serait très déçu.

Tandis que je tenais la main de ma nouvelle patiente et m'adressais à cette assemblée, l'idée qu'ils pouvaient peut-être m'aider et m'apprendre quelque chose m'a traversé l'esprit. C'était amusant, le public allait véritablement participer. Je leur ai demandé à tous de se tenir par la main et je leur ai expliqué comment ils pouvaient transmettre leur énergie, leur énergie curative, à cette patiente.

Cette séance de guérison a peut-être duré cinq minutes, mais elle était d'une intensité rare, à la fois très douce et puissante. J'ai vu la lumière, l'amour qui emplissaient la pièce et, en embrassant le public des yeux, j'ai constaté que mon chauffeur, Michael, était là, et qu'il avait dû l'être depuis le début de la soirée. Pas une seule personne n'était coupée des autres et nous donnions tous à l'unisson.

J'avais encore du pain sur la planche, on allait me poser d'autres questions, je devrais transmettre d'autres messages, et comme ma patiente avait reçu ce dont elle avait besoin, j'ai mis un terme à cette séance de guérison. Prête à regagner ma place sur la scène, j'ai remercié cette vieille dame pour sa coopération, mais c'est alors qu'elle m'a demandé :

— Est-ce que je peux dire quelque chose ?

Légèrement étonnée, je lui ai tendu le micro. Des « chut » se sont élevés dans le public, qui voulait entendre ce qu'elle avait à dire. Comme moi, ils ont été émus aux larmes par ce qu'ils entendaient.

— Je suis considérée officiellement comme aveugle, nous a-t-elle annoncé, et lorsque je suis entrée dans cette pièce, je ne voyais que des ombres et tout était gris. À présent, je peux voir les tableaux sur le mur, je peux distinguer les couleurs. Je peux voir (elle m'a montrée du doigt) que votre chemisier est vert, et j'aperçois même la boucle de votre ceinture. Je n'attendais absolument rien pour moi-même en venant ici, a-t-elle poursuivi. Mais je voudrais vous remercier tous, et je voudrais remercier Dieu pour le miracle qu'il a accompli ce soir à mon endroit.

Il est rare, je l'ai déjà dit, qu'un membre du public ou un guérisseur voie un miracle ou en soit le témoin. Mais nous étions là en présence, comme le souhaitent tous les guérisseurs, comme ils prient pour que cela arrive, d'un miracle du genre de ceux accomplis par le Christ. Et il nous a tous touchés, sans exception.

La soirée s'est poursuivie, avec d'autres questions et des messages supplémentaires de l'autre monde, emplis d'espoir et d'inspiration. C'est cependant le dernier de ces messages qui m'a le plus touchée. Il provenait d'une adolescente, d'une jeune fille du monde des esprits qui a franchi le miroir pour s'adresser à sa mère. En parlant de cette enfant à sa mère, en transmettant ses messages aux membres de sa famille, j'ai pu fournir à la mère la preuve précise que sa fille avait survécu à la mort. Et ce faisant, j'ai également réconforté tous les membres de mon public. Leurs êtres chers étaient en sécurité. À ceux qui avaient perdu un enfant, j'ai pu aussi apporter l'espoir.

J'ai regardé dans la direction où se tenait Michael et je lui ai adressé un sourire, sachant qu'il avait enfin compris que son fils avait survécu à la mort et qu'il était à l'abri.

La soirée étant arrivée à son terme, nous étions tous à la fois las et affamés. Michael nous a emmenées, Tina et moi, dans un restaurant de grande classe où notre repas s'est prolongé très tard. Comme je savais qu'il n'avait pas dîné, j'ai tenu à ce qu'il se joigne à nous. Il s'est senti à la fois flatté et légèrement embarrassé, mais nous l'avons vite mis à l'aise, et nous avons passé une fin de soirée très agréable, car Michael attendait cette occasion depuis longtemps.

Questions et réponses se sont succédé. Les questions d'un père qui avait besoin d'en savoir davantage sur la survie de son fils et de la comprendre. Les réponses, pas toujours concluantes, d'Aigle Gris et moi, qui tentions, d'une pauvre manière, de combler ce besoin. Une soirée à propos des âmes sur cette terre, des cultures différentes, des parcours différents, où nous nous sommes unis sur le plan spirituel et avons partagé l'émerveillement divin.

Je ne suis pas convaincue de vous avoir fait comprendre le côté unique de cette soirée, l'émotion inspirée par ces instants, la signification qu'elle a revêtue à mes yeux. Il m'arrive souvent de rencontrer l'inattendu et j'ai appris que ce qui apparaît comme imprévu fait, en réalité, souvent partie d'un grand dessein divin. Je n'ai donc pas été surprise que Michael entre dans ma vie, pour ce bref moment, ni par la manière dont cela s'est produit. Mais quelque chose dans cette histoire, son histoire, touche le tréfonds de mon être, et j'éprouverai toujours de la gratitude d'avoir pu le rencontrer.

Je n'ai jamais eu de ses nouvelles depuis ce jour-là, mais je pense parfois à lui, je me souviens

269

de son visage, et cela me procure de nouveau un petit instant de joie.

## L'Ange dans la cave

Un ami commun nous a présentés, et ils m'ont plu sur-le-champ. Sandra était australienne et son mari, Alan, écossais. Il s'agissait pour eux d'un deuxième mariage, et ils avaient presque toujours vécu en Australie, mais Alan avait eu le mal du pays et ils se retrouvaient ici, la quarantaine tous les deux, au chômage et sans domicile. Après avoir passé deux années en Angleterre à essayer de reconstruire leur vie sans succès, ils avaient l'intention de retourner dans la patrie de Sandra.

Les choses se sont magnifiquement arrangées. Il me fallait quelqu'un pour garder ma maison pendant les mois suivants, la période hivernale, et Sandra et Alan avaient besoin d'un toit.

Comme je ne les connaissais pas, je me suis dit que ce serait une bonne idée de leur demander de cohabiter avec moi pendant deux ou trois semaines avant mon départ pour l'Extrême-Orient. Reconnaissants, ils ont accepté d'emblée ma suggestion, qui s'est révélée des plus inspirées. Nous nous entendions à merveille, nous avions dans l'ensemble le même point de vue sur l'entretien d'une maison. Mieux encore, ils adoraient mon chien, Karma, que j'allais également leur confier.

J'ai été aussi étonnée et ravie – même si je n'aurais pas dû l'être – de constater qu'ils s'intéressaient beaucoup à mon travail. Souvent, nous restions assis tard le soir autour d'un café et bavardions jusqu'à l'aube sur le sens de la vie, Dieu et tous les autres sujets essentiels. C'est au cours de l'une de ces soirées qu'Alan m'a laissé entendre que Sandra et lui aimeraient énormément assister à l'un de mes cours de guérison du vendredi.

Il est rare que j'autorise des auditeurs à assister à mes cours, alors que j'encourage tout le monde à visiter nos centres de guérison. Je savais cependant que l'intérêt de Sandra et d'Alan ne relevait pas d'une vague curiosité, mais qu'il était authentique. Tout en leur répondant que j'allais y réfléchir et que je leur donnerais plus tard ma réponse, j'avais donc déjà pris ma décision.

Le vendredi suivant était arrivé. Pour moi, c'était le bon soir. Durant le dîner que nous avons partagé avant le cours, Sandra, Alan et moi, j'ai également su que quelque chose de particulier allait leur arriver, mais j'ignorais quoi.

À 19 h 30, ma salle de cours s'est remplie et j'ai présenté mes visiteurs à mes étudiants qui, toujours contents de partager, les ont aimablement accueillis. Durant les vingt minutes suivantes, chacun d'eux leur a expliqué comment il s'était retrouvé impliqué dans notre association.

Peu à peu, au fur et à mesure qu'ils s'exprimaient, j'ai pris conscience d'une présence puissante dans la salle, autre que celle d'Aigle Gris.

J'ai éprouvé cette sensation spéciale qui précède la transe et je me suis posé quelques questions sur le fait que j'allais entrer en transe devant des étrangers. Car Sandra et Alan étaient sans nul doute étrangers à l'environnement dans lequel nous nous trouvions.

Pleinement confiante en Aigle Gris, assurée que c'était la bonne voie, je me suis laissée aller lentement à la transe. Mes élèves, toujours attentifs, s'étaient rapprochés de moi et observaient un silence absolu, dans l'attente d'entrer en communication avec les esprits, me protégeant de leurs prières.

Elle est entrée dans la pièce avec une grâce et une douceur dont j'ai eu conscience mais que j'ai à peine ressenties. Lorsqu'elle s'est glissée audacieusement dans le corps que j'avais à présent évacué, je suis devenue observatrice. J'ai regardé mes doigts remuer. Ils effectuaient des petits mouvements, mais qui n'étaient pas les miens. Des petits raclements, des bruits de toux, sortaient de ma bouche, comme si je m'éclaircissais la gorge, mais ce n'étaient pas les miens.

Mes élèves savaient attendre et Sandra et Alan, probablement influencés par leur calme, savaient également être patients, même si (ils me l'ont confié par la suite) leurs cœurs s'étaient mis à cogner un peu plus fort et si leurs gorges s'étaient asséchées.

Il y a eu un nouveau toussotement, un nouveau petit geste de sa/ma main, puis, sans lever les yeux :

— Je suis la petite dame édentée...

Elle l'a annoncé d'une voix douce et mes élèves, qui l'avaient tous déjà rencontrée, ont souri de ravissement et d'amusement. Elle se présentait toujours comme cela lorsqu'elle venait nous voir. Souvent elle nous faisait rire en se plaignant d'avoir – elle parlait de moi – « trop de dents » à son goût.

Notre visiteuse était un sacré personnage. Grand professeur, d'une sagesse remarquable, toujours dure avec ses/mes étudiants, elle n'apparaissait que rarement. Sa perspicacité, son brio d'enseignante, son inspiration, constituaient pour nous de véritables cadeaux. Son intelligence, sa faculté d'aller droit au cœur des choses, sa vivacité nous obligeaient tous, moi comprise, à demeurer vigilants.

Elle s'est donc adressée une fois de plus à nous ou plutôt, à nos visiteurs.

— Sandra, Alan, bienvenue. Nous vous attendions... nous vous attendions, Alan.

Ce dernier a levé les yeux, décontenancé d'avoir été ainsi choisi, inquiet de ses éventuelles réactions et ne désirant pas se tromper. Il avait conscience, à son insu, d'être sur le point de recevoir une importante révélation dont il ignorait tout à fait le contenu, si bien qu'il était à la fois angoissé et impatient.

— Alan... Alan... a répété notre professeur, ne craignez rien. Nous connaissons votre histoire et nous devons à présent vous la raconter. Comme cela, vous aurez la preuve que nous disons la vérité. Nous allons vous ramener bien des années en arrière, Alan, à votre enfance, alors que vous

273

n'étiez qu'un tout petit garçon de trois ou quatre ans. Vos parents se disputaient souvent. Un jour votre père est parti et a laissé à votre mère la charge de vous élever seule. Vous viviez dans une grande maison. Une grande maison croulante. Je me trompe, Alan? Et vous étiez bien seuls tous les deux.

Alan a acquiescé de la tête. Sa nervosité augmentait autant que son impatience.

— Alan... Alan... a encore répété notre professeur, n'ayez pas peur... nous connaissons votre histoire et nous devons à présent vous la raconter. Comme cela, vous aurez la preuve que nous disons la vérité. Une fois votre père parti, votre mère s'est mise à boire et vous, l'enfant, vous vous sentiez très seul... et puis la cave... et puis la cave... et puis la cave.

Toujours en position d'observatrice, j'ai vu Alan pleurer, doucement, en silence. Des larmes coulaient sur ses joues.

L'épouse d'Alan, les yeux écarquillés de stupéfaction, car elle n'avait jamais eu connaissance des détails de l'enfance de son mari, a semblé réaliser que quelque chose de particulier allait arriver à Alan, mais que cela signifiait qu'il allait devoir affronter des souvenirs douloureux. D'un geste attentionné, plein de douceur, elle a posé une main sur la sienne pour lui manifester son amour et son soutien sans avoir recours à la parole.

— Alan... Alan... a recommencé la voix de notre professeur spirituel, et toutes les personnes présentes dans la salle savaient qu'elle allait

274

répéter une fois de plus la même phrase. Nous connaissons votre histoire et nous devons à présent vous la raconter. Comme cela, vous aurez la preuve que nous disons la vérité.

Moi, l'observatrice, j'observais. Moi, l'auditrice, j'écoutais, et subitement une vision m'est venue, je me suis retrouvée dans cette « cave ».

Dans le lointain, j'entendais vaguement cette petite vieille édentée raconter son histoire. J'étais pleinement consciente que mes élèves, Alan et Sandra, n'avaient aucune idée de l'intensité de mon implication et ne pouvaient être impliqués à ma manière, mais je savais qu'on leur narrait tous ces événements, en même temps qu'ils se déroulaient sous mes yeux.

Il faisait noir, tellement noir que plusieurs secondes m'ont été nécessaires pour adapter ma vision à cette obscurité. Il régnait dans ce lieu une vieille odeur rance de bois moisi. Et puis il y faisait froid, très froid. Je frissonnais. Cet endroit me déplaisait, je ne comprenais pas où je me trouvais.

Quelque chose a brièvement bougé, attirant mon regard vers une fenêtre minuscule, couverte de poussière au point qu'elle ne laissait plus pénétrer la lumière. J'ai réussi à distinguer en dessous un seuil en ciment sur lequel était posé... Quoi? Un petit tas de vêtements? Je n'arrivais pas à distinguer de quoi il s'agissait et j'ai plissé les yeux pour y parvenir. Pendant que je faisais tous ces efforts, j'ai vu ce petit tas bouger, je l'ai entendu... gémir? Trop gros pour être un chat... certainement pas un chien. Impossible dans ce

275

trou, impossible dans ce trou, enfermé dans cet endroit horrible.

Des chuchotements s'infiltraient à présent dans mon cerveau. La voix du professeur, qui me parvenait de nouveau...

— ... devons à présent vous la raconter. Comme cela, vous aurez la preuve que nous disons la vérité.

J'ai reporté mon attention sur le seuil de la fenêtre, et j'ai compris, une fois pour toutes, avec une terrible certitude, de quoi il s'agissait.

Mon cerveau a enregistré une nouvelle scène : j'ai vu la mère d'Alan pousser son enfant en bas des marches de la cave ; j'ai vu l'enfant, le visage dégoulinant de larmes, terrifié lorsque la trappe a claqué et s'est refermée sur lui, le séparant de toute forme de vie, de chaleur et de réconfort familiers.

D'instinct, j'ai compris qu'il s'agissait là du schéma de son enfance, que c'était comme cela que sa mère le punissait, qu'il ne s'agissait que d'un endroit où le « ranger », où le mettre « en sécurité », quand elle décidait de s'en aller. Parfois, elle ne l'y laissait que pour la journée, mais le plus souvent, elle s'absentait trois jours et plus, persuadée que cela ne lui ferait aucun mal. J'ai également compris qu'elle ne le faisait pas seulement une ou deux fois par an, mais qu'il s'agissait d'une habitude mensuelle, voire hebdomadaire.

Des mots, des mots flottaient autour de moi... Histoire... histoire... devons vous la raconter... preuve que nous sommes au courant.

Le petit tas a recommencé à bouger, s'est un peu étiré, a gémi et s'est rendormi... mais seulement pour quelques instants.

La vieille dame se servait toujours de mon corps comme « boîte vocale » et elle a continué à décrire l'état de terreur dans lequel cet enfant vivait ces journées épouvantables ; elle nous a raconté son angoisse, sa confusion à la perspective qu'un jour, sa mère l'oublierait peut-être, ne reviendrait pas le chercher, comme son père l'avait fait. Puis elle a dit à Alan, qui se tenait là, plongé tristement dans ses souvenirs angoissants :

— Vous vous souvenez de votre ami, Alan... vous vous souvenez de votre ami ?

Et moi l'observatrice, moi l'auditrice, j'ai vu et entendu. Il a relevé la tête, et un bref instant, j'ai entrevu la confusion dans son regard, puis il a laissé échapper un halètement et tout lui est revenu à la mémoire. Reconnaissance et compréhension ont jailli et l'enfant qu'il avait été, l'homme qu'il était à présent, ont été délivrés de leur peur et n'ont plus connu que la joie. À ses pleurs se sont joints ceux de Sandra et de toutes les personnes présentes. Nous ne pouvions tous que nous réjouir.

J'ai cependant entendu une autre voix, très musicale, aussi douce qu'une brise, qui l'interpellait :

— Alan... Alan... souviens-toi de moi... souviens-toi de moi...

Et Alan a hoché la tête et, subitement, il a été guéri.

Mes yeux sont retournés dans la cave, vers ce

petit tas qui, je le savais à présent, était Alan. La lumière s'est modifiée. Était-elle plus brillante? Peut-être. Puis cette autre voix douce, pareille à de la musique, est montée de la cave et a appelé le nom d'Alan.

— Alan... Alan... réveille-toi pour jouer avec moi.

L'enfant a bougé, ouvert les yeux, il a regardé en direction de l'origine de la voix... et une lumière intense a baigné la pièce, elle s'est déversée sur le plafond et les murs, déversée sur l'enfant.

— Viens jouer avec moi, viens jouer avec moi... et je te garderai à l'abri.

Alan, le petit garçon, s'est assis bien droit sur le seuil de la fenêtre en ciment, a frotté ses yeux endormis, s'est étiré et a bâillé.

— Alan... Alan... a recommencé la voix.

Le petit garçon s'est tourné dans sa direction, a souri et a sauté du seuil de la fenêtre.

— Tu veux jouer avec moi? l'ai-je entendu demander timidement. Tu resteras avec moi jusqu'à ce que ma maman revienne?

Et moi, l'observatrice et l'auditrice, j'ai vu cette lumière s'amplifier encore davantage. Et à travers la lumière j'ai distingué une silhouette, grande et mince, celle d'un enfant qui ne l'était plus vraiment... et à travers cette lumière j'ai entendu une voix, comme de la musique, comme une brise...

— Alan... Alan... oui, je vais jouer avec toi et rester près de toi jusqu'à ce que ta maman

278

revienne, et après aussi, toute ta vie... toute ta vie... Je te garderai à l'abri, je te garderai à l'abri.

Alan a regardé en direction de cet enfant qui n'en était pas un. Il a regardé la lumière.

— Je m'appelle Alan, a-t-il annoncé audacieusement... et timidement. Et toi ?

— Enfin, Alan, tu ne sais pas qui je suis ? Bien sûr que si, tu me connais...

J'ai vu deux mains, quatre mains se tendre les unes vers les autres dans la lumière, je les ai vues se joindre, et la lumière a tout enveloppé.

— Alan... Alan...

Cette voix, cette douce musique, a empli l'air ainsi que chaque fibre de mon être. Ce son de l'amour, de l'amour pur...

— Enfin, Alan, je suis ton ange.

# 5
# LES LOIS DE L'UNIVERS

Ceux qui ont lu mon premier livre s'attendent à retrouver ici des paroles de sagesse de mon guide, Aigle Gris. Nous lui avons posé de nombreuses questions au fil des ans, sur l'universel, le cosmique, mais aussi certains détails en apparence terre à terre. Beaucoup de ses réponses vont vous apparaître, à la première lecture, complexes, d'autres trop simples au contraire et d'autres encore, hors sujet. Cependant, avec le temps, j'ai découvert que, quelle que soit sa réponse à une question, et indépendamment de l'accord ou du désaccord qu'elle nous inspire, il désire avant tout nous guider vers nos propres réponses, nos propres conclusions ; Je vais donc poursuivre avec cette idée en tête.

## Quête

En janvier 1996, je me suis rendue en Italie pour la promotion d'un livre. Quatre jours emplis d'interviews : mon programme était organisé avec une grande précision, si bien que tout shopping ou toute visite touristique étaient exclus. Je n'y voyais aucun inconvénient, même si j'étais un peu triste de ne pas pouvoir profiter d'une ville aussi riche en trésors que Rome. Mais j'étais là-bas pour travailler.

Cependant, il y avait un endroit que je me sentais obligée de visiter, d'autant que c'était la première fois que je me déplaçais en Italie. Je ne savais pas bien comment j'allais m'y prendre, mais il était hors de question que je reparte sans avoir vu la chapelle Sixtine. J'avais une attachée de presse très efficace et, quand je lui ai confié l'importance que cette visite représentait à mes yeux, elle s'est organisée pour que nous puissions l'effectuer un matin très tôt.

— Il suffit que nous soyons de retour à l'hôtel en temps voulu pour la première interview, m'a-t-elle dit, et j'ai acquiescé, enchantée.

Ceux d'entre vous qui ont eu l'occasion de visiter la chapelle Sixtine en connaissent la stupéfiante beauté. Elle est éternelle, impérissable, immortelle. Le caractère sacré de cette œuvre d'art en augmente encore la magnificence. Debout au milieu de cette salle, que quelques personnes seulement arpentaient autour de moi, j'ai contemplé la fresque qui se trouve derrière l'autel et un grand désir d'être seule m'a envahie. Seule avec Dieu, seule avec le Christ... seule avec Aigle Gris. Mais cela était impossible... Ou alors?

Des bancs étaient disposés le long des murs de la chapelle. La plupart étaient libres. Je suis allée m'asseoir sur l'un d'eux. J'ai fermé les yeux un instant, élevé le niveau de ma pensée consciente au-delà du plan terrestre. J'appartenais encore à ce monde, tout en étant capable de voir ce que je désirais voir ici-bas.

La fresque située derrière l'autel, qui occupe presque un pan de mur entier, m'a de nouveau irrésistiblement attirée. Je ne voyais plus rien d'autre. Plus je la regardais, plus je prenais conscience qu'elle représentait la souffrance, l'immense souffrance, de toute l'humanité. C'était ainsi que Michel-Ange voyait *Le Jugement dernier*.

Cette représentation de la souffrance m'a profondément émue, car je l'ai tout de suite reliée aux tourments et aux inquiétudes de tant d'êtres, dont je suis témoin chaque jour. J'étais bouleversée. Oubliant en cet instant toutes les joies et toutes les merveilles de notre monde, j'ai chuchoté à mon Dieu, à mon Christ et à mon guide, Aigle Gris :

— Pourquoi ? Pourquoi... Pour quelle raison les choses doivent-elles être ainsi ? Pour quelle raison doivent-elles toujours être ainsi ?

Au milieu des larmes et du chagrin qui m'ont alors envahie, j'ai entendu une voix qui me murmurait :

— Mais la douleur est ton plus grand professeur.

Cette chose que je savais déjà, je suis restée assise là, le temps de l'accepter. Un soupir m'a échappé, j'ai chuchoté un remerciement et je suis partie.

J'ai entamé ma quête. Tout d'abord, je me suis dit que je devais commencer par la Bible. Mais je me suis alors souvenue d'une histoire que l'on m'avait racontée.

Une femme très croyante était entrée dans une librairie et avait demandé la Bible à un vendeur.

— Bien sûr, madame, avait répondu le jeune homme.

Il avait pris plusieurs volumes sur une étagère et les avait déposés sur le comptoir.

— Nous avons plusieurs versions traduites de la Bible. Laquelle d'entre elles souhaitez-vous ?

La femme s'est alors penchée sur le comptoir.

— Je ne veux aucune de « vos » versions. Je veux la Bible, la parole divine !

Quelle Bible allais-je choisir ? Comme une amie m'avait offert la version œcuménique révisée, j'ai commencé par là. Mais qu'est-ce que je cherchais exactement ? Je ne le savais pas vraiment. Des règles ? Des directives ? Les règles... je devais commencer par les règles. Me penchant sur le passage de l'Exode, chapitre 20, j'ai donc redécouvert pour la première fois depuis mon adolescence les Dix Commandements divins, transmis par Moïse.

**Exode 20:2-17** [1]

Et Dieu prononça toutes ces paroles.

C'est moi le Seigneur, ton Dieu, qui t'ai fait sortir du pays d'Egypte, de la maison de servitude :

---

1. Ces extraits sont empruntés, pour le français, à la « traduction œcuménique ». *(NdT)*

1. Tu n'auras pas d'autre dieu face à moi.

2. Tu ne te feras pas d'idole...

3. Tu ne prononceras pas à tort le nom du Seigneur, ton Dieu...

4. ... le septième jour, c'est le sabbat du Seigneur, ton Dieu... qui l'a consacré.

5. Tu honoreras ton père et ta mère...

6. Tu ne commettras pas de meurtre...

7. Tu ne commettras pas d'adultère.

8. Tu ne déroberas pas.

9. Tu ne témoigneras pas faussement contre ton prochain.

10. Tu n'auras pas de visées sur la maison de ton prochain. Tu n'auras pas de visées sur la femme de ton prochain, ni sur son serviteur, sa servante, son bœuf ou son âne, ni sur rien qui appartienne à ton prochain.

J'ai continué ma lecture. Dans le chapitre 21, Dieu en vient à donner à Moïse des commandements à propos des esclaves. Verset 2 : « Quand tu achèteras un serviteur hébreu, il servira six années... » Verset 7 : « Et quand un homme vendra sa fille comme servante... » Chapitre 22, verset 1 : « Si le voleur, surpris à percer un mur, est frappé à mort, pas de vengeance du sang à son sujet. » Verset 2 : « Si le soleil brillait au-dessus de lui, il y aura vengeance du sang à son sujet. » Verset 15 : « Et quand un homme séduira une vierge non fiancée et couchera avec elle, il devra verser la dot pour en faire sa femme. »

J'ai poursuivi ma lecture. Verset 28 : « Tu me donneras le premier-né de tes fils... »

Après être allée un peu plus loin dans ma lecture, j'ai commencé à sentir que mes idées s'embrouillaient, et je me suis souvenue que Moïse était monté sur le mont Sinaï mille cinq cents ans avant la naissance du Christ. Son peuple était composé de gens simples qui n'avaient pas encore été égarés par les découvertes de la science contemporaine.

« Qu'est-ce que j'essaie de dire par là ? » me suis-je demandé tout haut en écrivant. Car si je rédige cette page, je me dois d'être aussi honnête à mon égard qu'envers mes lecteurs. Qu'est-ce que j'essaie de dire ? Que les commandements de Moïse sont dépassés, inapplicables dans notre monde actuel ? Est-ce que je pense que ces principes sont exacts, mais que le vocabulaire employé ne convient pas ? J'approche peut-être de la réponse à ma question, mais je n'en suis pas encore persuadée. Est-ce que je dois rejeter les Dix Commandements ? Est-ce que je fais preuve de trop d'audace en les mettant en question ? Est-ce que je devrais être en train d'écrire tout ceci ? De plus, comment se fait-il que je ne me sois encore jamais interrogée à ce propos ? Mon respect de Dieu, de mon Église, est-il si fort que j'accepte sans réfléchir tout ce qui m'a été prescrit ?

Je me souviens alors que mon Église m'a enseigné à poser des questions, que mes maîtres, à l'école, m'ont enseigné à poser des questions. Si je suis telle que je suis, c'est parce que je m'interroge, que je fais preuve d'intérêt et de curiosité.

J'ai posé ma Bible pour passer au livre suivant, *Lorsque les prophètes s'exprimaient*, du Révérend

G. Maurice Elliott, publié pour la première fois en 1938 mais dont je dispose d'une édition de 1987. La préface commence par : « Cet ouvrage est une tentative sérieuse de comprendre les éléments prétendus miraculeux et théophaniques de l'Ancien Testament. » L'auteur émet la théorie que Moïse était peut-être un médium. Sinon, comment aurait-il pu communiquer avec Dieu ? Plus loin, il avance que Jésus pratiquait également la télépathie. Cette hypothèse n'a rien de nouveau à mes yeux, car je me suis déjà posé la même question.

S'agit-il d'une idée relevant du blasphème ? Beaucoup le penseront, mais si tel est le cas, c'est tout à fait involontaire. Je me contente de réfléchir, d'interroger tout haut. D'essayer, comme le Révérend G. Maurice Elliott.

Le livre suivant m'a été offert il y a bien des années, mais je n'en ai jamais lu une seule page. Je ne l'ai jamais ouvert. J'ignore totalement ce qu'il me réserve. Pour l'instant, ce que je vais y découvrir m'intrigue.

*Les Manuscrits de la mer Morte*, de Robert Eisenman et Michael Wise. La couverture annonce avec vantardise : « Premières traduction et interprétation complètes de 50 documents clés retenus pendant 35 ans ». Le livre est publié par Penguin.

Je m'efforce d'aller le plus loin possible dans ma lecture pour essayer de comprendre le texte proposé, mais j'en arrive à la conclusion que cet ouvrage a été rédigé par des érudits à l'attention d'autres érudits, ce que je ne suis pas. J'en tire néanmoins une conclusion utile. Il me faut, lorsque j'écris, rester le plus simple possible afin de ne laisser le champ à aucune fausse interprétation.

Je poursuis ma quête. Je tiens à présent entre mes mains *L'Incarnation de l'amour, Sathya Sai Baba*, de Peggy Mason et Ron Laing.

Je parcours du regard la table des matières et tombe sur une partie qui me sera peut-être profitable : Livre 2, Chapitre 9, « Les Principes de vie de Sathya Sai Baba ». L'auteur écrit que Sathya Sai Baba applique comme principe dans ses relations avec les êtres humains *l'égalité absolue de tous les hommes en dessous de Dieu*. Baba déclare : « Aucune société ne peut atteindre la plénitude tant que l'esprit de l'homme ne s'épanouit pas. Il faut réaliser l'Atma chez l'homme. L'Atma est la nourriture, la source de tout être humain et de toute l'organisation des êtres. Il n'y en a pas d'autre qu'elle. L'Atma est Dieu, ni plus ni moins. Reconnaissez par conséquent en chaque homme un frère, un enfant de Dieu, et débarrassez-vous de toutes pensées et principes limités par des préjugés basés sur la couleur, le statut, la classe. »

Je continue à lire : « Baba déteste le gâchis et reproche souvent à ses adeptes de décorer ses autels de façon bien trop ostentatoire. "Soyez simples et sincères"... Et qui sont ces adeptes qui déclarent avoir besoin d'une salle de prières ? » Pourquoi ce besoin d'une salle ? Transformez votre demeure en lieu saint, impressionnez votre entourage par votre humilité, votre discours, votre amour, votre foi et votre fidélité.

Voilà donc les principes de vie de Sai Baba. Des moyens volontaristes, graduels, individuels, commente Ron Laing, plutôt qu'obligatoires, ponctuels et collectifs.

Ces principes m'interpellent. Ils évoquent une existence quotidienne fondée sur l'amour et la bonté. Cette approche non dogmatique me séduit bien davantage que tous les « tu ne feras pas » prononcés par Moïse dans l'Ancien Testament.

Je me demande alors quelle est l'opinion du pape. Il émane de lui une telle bonté! Son attitude est-elle antidogmatique ou n'est-il qu'une main de fer dans un gant de velours? Et celle du Révérend George L. Carey, archevêque de Canterbury, qui est à la tête de l'Église d'Angleterre? Est-il lui aussi contre le dogme?

Je m'égare un bon moment dans ces réflexions, avant de me dire que les positions des autres m'importent en définitive bien peu, même si j'ai tort, car ces personnes édictent de façon agressive ou plus modérée des vérités divines, des lois divines. Il s'agit d'hommes qui exercent une influence sur le monde. Mais à la pensée de la violence et de la cruauté qui règnent sur notre planète, sur lesquelles ils n'ont pas d'emprise, je passe à autre chose. Car à présent, c'est mon opinion qui compte plus que tout. Je me débats pour découvrir une forme de vérité, de loi, de direction.

Je prends *Les Religions du monde*, un guide Lion publié pour la première fois en 1982. J'en parcours le contenu et mes yeux s'arrêtent sur le passage suivant :

## Hindouisme

L'hindouisme n'a ni fondateur ni prophète. Il ne possède aucune structure particulière, ecclésiastique ou institutionnelle, ni credo fixe. Il insiste davantage sur le mode de vie que sur le mode de réflexion. Rada Krishnan, ancien président de l'Inde, a remarqué jadis : « L'hindouisme est davantage une culture qu'une croyance. »

Je réfléchis un certain moment à cette affirmation, puis mes doigts continuent à tourner les pages, en quête d'informations supplémentaires. J'en arrive au bouddhisme...

## Bouddhisme

J'entame ma lecture... Au cours de la troisième nuit de sa méditation sous le figuier, Gautama a découvert les Quatre Nobles Vérités. Elles sont au cœur de la philosophie bouddhiste.

1. La première vérité est la conscience de la souffrance.

2. La deuxième vérité concerne l'origine de la souffrance.

3. La troisième vérité se rapporte à la destruction de la souffrance.

4. La quatrième vérité indique la manière de s'y prendre pour supprimer la souffrance.

On y parvient par le Noble Chemin constitué de huit étapes, qui sous-tend l'enseignement de base de la doctrine bouddhiste de Gautama.

Il s'agit donc d'indications, de règles de vie à suivre, pour certains en tout cas, et je poursuis ma lecture.

## Les huit étapes menant à la sagesse

1. Connaissance ou compréhension juste, impliquant évidemment la reconnaissance des Quatre Nobles Vérités.

2. Attitude ou pensée juste, indiquant une attitude mentale fondée sur la bonne volonté, le comportement pacifique, le maintien à distance de tout désir sensuel, haine et méchanceté.

3. Discours juste, prohibant le mensonge, les bavardages inutiles et les commérages et prônant en revanche le devoir de s'exprimer avec sagesse, vérité, en visant la conciliation.

4. Action juste, englobant tout le comportement moral. *Meurtre, vol* et *adultère* sont particulièrement interdits.

5. Occupation juste, signifiant que l'on doit gagner sa vie sans faire de tort aux autres.

6. Effort juste, nécessitant de brider les mauvaises impulsions et de nourrir les bonnes, afin

que l'individu puisse développer des pensées, des paroles et des actes nobles.

7. Comportement attentif ou conscience juste, impliquant de se montrer attentionné, de ne pas s'abandonner aux diktats du désir en pensées, paroles, actes et émotions.

8. Attitude juste, atteinte par une concentration intense, qui libère l'homme saint de tout ce qui le retient dans sa quête.

Tous ces principes sont empreints de sagesse. Les quatre vérités me font un peu penser à l'histoire d'Adam et d'Ève, même si je reconnais qu'alors que Dieu punit Adam et Ève de leur désobéissance, la punition n'est pas mentionnée dans les quatre vérités.

Est-il possible que mon subconscient s'attache sur-le-champ et avec empressement à l'idée que l'homme est coupable de sa propre souffrance, que la souffrance est une punition divine à propos de quelque péché inconnu commis par un ancêtre, inconnu lui aussi? Et d'où émane cette idée? De l'enfance peut-être, d'une histoire de catéchisme? Je trouve même bizarre de la faire mienne, car loin de moi celle de penser que nos souffrances sur terre sont des punitions de Dieu. Une fois de plus, je constate à quel point les leçons de notre enfance sont enracinées dans notre esprit.

Je pense à voix haute sur ma feuille blanche, et je vous demande de supporter les égarements de ma quête. Les vérités du Bouddha me semblent justes et sages. Elles ne me laissent certainement pas insatisfaite, et pourtant je désire encore davantage... et je continue ma réflexion. La manière dont elles sont exposées me fait penser à Moïse. Moïse a gravi la montagne. Bouddha s'est assis sous le figuier. Tous les deux ont communiqué avec Dieu.

Pour l'instant, j'ai entendu Dieu par l'intermédiaire de Moïse. J'ai entendu Dieu par l'intermédiaire du Christ, de Sai Baba, de Bouddha. Puis par l'intermédiaire du pape et de l'évêque. Il y a toujours un intermédiaire entre nous, un tiers qui interprète la parole de Dieu.

Est-ce que je connais Moïse ? Est-ce que je peux lui faire confiance ?

Est-ce que je connais Jésus ? Est-ce que je peux lui faire confiance ?

Et Sai Baba, et Bouddha, et le pape, et l'archevêque ? Est-ce que je les connais ? Est-ce que je peux leur faire confiance ?

De tous ces êtres, je ne connais que le Christ. Et de quelle manière ? Certainement pas par l'intermédiaire de la Bible ni par les paroles d'autres hommes. La Bible me parle de lui, d'autres hommes m'ont parlé de lui. Mais c'est par le biais de mon propre cœur que j'en suis venue à le « connaître », non pas en cherchant dans le mot écrit, mais à travers mes propres expériences, dans mon cœur, mon esprit, mon âme. Eh oui... je fais totalement confiance au Christ.

Je dispose à présent de quelque chose. Je dispose d'une vérité. Davantage encore, je dispose

d'une direction. Si je désire sincèrement découvrir les lois de l'univers, je devrais peut-être les
chercher, comme l'a fait le Christ, dans mon
cœur, mon esprit et mon âme... et je souris en
entendant Aigle Gris me dire, comme il me l'a
répété à maintes reprises :

— Il n'existe pas une question que vous posez
dont vous n'ayez la réponse dans votre âme, votre
propre âme.

Par conséquent, devrais-je rejeter les paroles
des autres hommes, leurs vérités ? Il s'agit pourtant de paroles avisées, rédigées par de grands
hommes et femmes de sagesse, appartenant à de
nombreuses « religions » différentes, si bien qu'au
lieu de rejeter tout ce que je lis, je vais en garder
les parties que mon cœur estime justes.

Et lorsque j'évoque les paroles des autres
hommes et celles de personnes de ma connaissance en lesquelles j'ai confiance, avant de tirer
la moindre conclusion ou de découvrir la moindre
loi à propos de l'univers, je dois me souvenir
d'Aigle Gris, que je connais et en qui j'ai foi, et je
dois me souvenir de ses paroles et de ses réponses
à un très grand nombre de questions que moi, et
tant d'autres, lui avons posées au fil des ans.

Nous allons donc commencer.


## Questions

Je décide d'interroger d'abord Aigle Gris sur
des sujets qui se rapportent à la religion.

**Question** : Aigle Gris, quel est votre concept de Dieu?

**Réponse** : Je vais vous répéter des paroles que vous avez sans doute déjà entendues à maintes reprises. J'ai donc parfaitement conscience qu'elles vous laisseront insatisfaite, car votre concept est limité.

Par conséquent, je vous dirai que Dieu est toutes les choses pour tous les hommes.

Et que Dieu est la force qui fait tourner l'univers.
Et que Dieu est la force qui donne la vie à toutes les créatures.
Et que Dieu est la force qui est vérité.
Et que Dieu est la force qui est amour.
Et que Dieu est la force...
... et que Dieu est...
... et que Dieu...
Dieu...

En l'écoutant, une quiétude envahit mon être et emplit mon cœur.

**Question** : Aigle Gris, il existe beaucoup de lieux de culte ici-bas... des églises, des lieux saints, des mosquées et des temples, pour n'en nommer que quelques-uns. Existe-t-il un lieu de culte approprié?

**Réponse** : L'univers vous entend chuchoter... l'univers vous entend pleurer... et Dieu, cet être tout-puissant qui voit tout, voit votre cœur.

Ici, nous n'avons besoin ni de lieux saints ni de temples. Ici, nous n'avons besoin ni d'églises ni de mosquées.

Mais pour vous qui arpentez les chemins ici-bas... si le fait de vous asseoir dans un temple apaise votre cœur... si le fait de vous recueillir dans une mosquée vous aide à aller à la rencontre de votre âme... si le fait de marcher dans un cimetière silencieux vous aide à reconnaître le cœur de votre âme et le battement de cœur de votre âme... alors nous acceptons que vous ayez besoin de ce genre de bâtiments.

Mais Dieu restera assis sous un arbre dans une prairie paisible. Dieu marchera le long d'un rivage ombragé. Dieu pénétrera sur un champ de bataille. Eh oui, Dieu visitera même un bordel, il s'assoira près d'un homme ivre et il se tiendra près d'une mère qui fouette son enfant.

Vous êtes nombreux qui, en entendant mes paroles, lèverez les bras d'horreur à la pensée de choses pareilles... même si vous reconnaissez que Dieu est omniprésent.

Et même en admettant que Dieu est omniprésent, il y en a parmi vous qui se hâteront de se rendre à leurs temples, à leurs autels, à leurs lieux de culte, par besoin de se rapprocher de Lui.

Mais avant tout, je dois vous dire, du plus profond de mon cœur, qu'il n'existe pas un seul être... pas une seule créature vivante... qui ne possède Dieu en son centre, en son cœur.

Et qu'il n'existe ni homme, ni femme, ni enfant qui échappe à cette règle.

La voix de Dieu s'adresse à vous en murmurant à travers les branchages. Et cependant, si vous vivez dans une lande désolée où ne pousse aucun arbre, vous parviendrez encore, si vous tendez l'oreille, à entendre sa voix dans le vent.

Et l'haleine de Dieu souffle sur vous une brise fraîche. Mais ceux d'entre vous qui ne sont pas rafraîchis par cette brise et qui vivent au centre d'une ville n'ont rien à craindre, car l'haleine de Dieu souffle quand même sur vous et elle se propagera le long des rayons du soleil tout aussi facilement qu'elle se propage au milieu des icebergs... tout aussi facilement qu'elle est transportée par les rafales de neige... tout aussi facilement qu'elle provoque des rides sur l'eau d'un lac tranquille... tout aussi fortement qu'elle vous appellera dans les vagues qui viennent s'écraser sur un rivage battu par la tempête.

Et je vous dirai sincèrement, du fond de mon cœur, qu'il n'y a rien qui vienne de la terre ou qui ne soit donné à la terre que la main de Dieu n'a pas touché.

Et qu'il n'existe pas une âme... pas une seule âme... qui ne contienne pas, quelque part en son cœur, Dieu.

Par conséquent, bâtissez vos temples et vos lieux de culte si cela peut vous aider à vous centrer et à découvrir votre vérité. Car quel que soit votre besoin, et quel que soit ce qui peut vous aider à découvrir votre vérité et à vous découvrir vous-même... il s'agira de quelque chose de juste.

En écoutant sa réponse, mon cœur s'apaise. Il ne dit pas « nous devons » ou « nous ne devons pas ». Il ne nous prive pas de notre besoin de choisir. Et une fois de plus, je prends conscience de la sagesse de mon guide.

**Question :** Aigle Gris, la plupart des religions sont gouvernées par leurs propres lois. Certaines d'entre elles enseignent qu'enfreindre ces dernières est un péché et que la punition de Dieu sera infligée à ceux qui les violeront. Pouvez-vous nous donner votre point de vue sur cette question ?

**Réponse :** Dans toutes les sociétés, on reconnaît que l'existence de certaines lois est nécessaire pour le bien de tous. L'univers est régi par des lois.

Dans chacune et dans toutes les sociétés, il est entendu qu'il faut appliquer des lois pour la paix et l'harmonie de la communauté.

Cependant, toute loi qui prend racine dans la peur est une loi dictée par l'homme, que Dieu ne reconnaît pas... que l'univers ne reconnaît pas.

L'univers ne tourne le dos à aucun homme... à aucune âme.

Aucune âme, comme nous l'avons déjà dit, ne peut être détruite... hormis dans les cas où cette âme le désire. Et nous, qui appartenons à l'univers, n'infligeons pas de punition. Car qui peut juger de ce qui est juste ou injuste... en dehors de l'âme elle-même? Il est de la responsabilité de chaque âme d'accepter cette responsabilité envers elle-même. Porter un jugement sur ce qui est bien ou mal... juste ou injuste, ne revient pas à une autre.

L'univers ne punit pas ; et je le répète, sincèrement, et du fond de mon âme, Dieu habite en chacun de nous... nous qui appartenons au monde des esprits... vous qui appartenez au plan terrestre. Lorsque Dieu tend la main, les limites n'existent pas.

Et je vais le répéter... d'une voix ferme, afin que vous puissiez bien m'entendre et me comprendre... Toute loi fondée sur la peur est dictée par l'homme, et non par Dieu.

Ces paroles d'Aigle Gris me reviennent à l'esprit. Je repense à Moïse, aux Dix Commandements. Je me redemande de quelle version de la Bible je dispose. Je m'interroge également : Moïse a-t-il véritablement transmis les Dix Commandements tels qu'ils sont énoncés dans la Bible ou s'agit-il de l'interprétation d'un tiers? C'est évidemment cela. Je suis donc obligée de me poser des questions... à propos de leur degré de véracité. Comme je n'en aurai jamais aucune idée, je ne peux donc faire qu'une seule chose... je dois écouter mon cœur.

« L'univers ne tourne le dos à aucun homme... à aucune âme », affirme Aigle Gris.

Cette affirmation, sachant que mon Dieu est un Dieu aimant, j'y crois.

**Question :** Aigle Gris, est-il possible d'être « croyant » sans posséder une grande spiritualité?

**Réponse :** Vous utilisez de nouveau le terme « croyant », à propos des convictions ou des comportements en matière de religion. Ce mot est bien souvent utilisé à tort... mais je comprends cependant votre question. En fait, ce que vous voulez savoir, c'est : « Est-ce que quelqu'un peut croire profondément en Dieu... au Tout-Puissant... et au pouvoir du Tout-Puissant, sans posséder cependant une forme de spiritualité? » Je vous répondrai que vous pouvez feuilleter de nombreux livres, et que vous pourrez lire des propos que vous attribuerez à Dieu... vous pouvez écouter les propos de vos professeurs... vous pouvez entendre ces propos et vous en inspirer dans vos différentes croyances... vous pouvez vivre en appliquant au pied de la lettre les lois de votre croyance au quotidien... mais cependant, si vous n'avez pas reconnu votre âme et le cœur de votre âme... si vous n'avez pas entendu le battement de cœur de votre âme et avancé, en douceur, sur son rythme... comment voulez-vous que votre esprit se développe ? Car tant que vous ne reconnaîtrez pas et ne suivrez pas son rythme, vous ne comprendrez pas bien ce qu'est l'esprit et ce qu'il n'est pas.

Ces paroles m'inspirent un sourire, car je réalise à quel point les propos de mon guide sont appropriés à mon exercice. Et m'étant astreinte moi-même à effectuer cet exercice, je comprends davantage la sagesse et la vérité de sa réponse.

Il me vient également à l'esprit que cette question est à double tranchant. Qu'en est-il des personnes bonnes, bienveillantes, aimantes, menant une vie en tous points correcte, mais qui ne reconnaissent Dieu en aucune façon ? Qu'en est-il de leur spiritualité ? En manquent-ils ?

Des propos d'Aigle Gris, je déduis que la reconnaissance de son âme, de son esprit, ne provient ni de l'intellect ni de la parole énoncée. Il suffit peut-être tout simplement d'exister. Il suffit peut-être de se déplacer au rythme de l'amour.

Je réfléchis une nouvelle fois à la réponse d'Aigle Gris : « Si vous n'avez pas entendu le battement de cœur de votre âme et avancé, en douceur, sur son rythme... comment voulez-vous que votre esprit se développe ? »

Pour la première fois depuis le début de ma quête, j'ai l'impression d'arriver quelque part. Bien entendu, certains d'entre vous penseront que je suis légèrement partiale, que de toute façon, j'écouterai Aigle Gris. Et vous ne vous tromperez pas. Mais comme tout ce que j'ai lu jusqu'ici, je lirai et relirai les propos d'Aigle Gris et je passerai ses réponses au crible, comme il m'a enseigné à le faire, avant d'en tirer des conclusions, si j'en tire.

Je crois que je dois maintenant évoquer les questions concernant nos convictions et comportements à l'égard des autres. À l'écoute de mon cœur, je sais qu'en dépit de l'aspect controversé de certaines questions je ne peux pas arriver au bout de ma quête sur les règles, les lois, si je ne tente pas de les mettre en pratique. Après tout, nous n'avons qu'un seul moyen de savoir si une loi est juste, forte, c'est de la mettre à l'épreuve. Et comme Jésus l'a lui-même enseigné : « Si elle est bonne, elle s'épanouira et, dans le cas contraire, se flétrira. »

Avant de poursuivre, je dois néanmoins déclarer clairement que le but de mon exercice est de découvrir certaines vérités, règles, lois, non pas pour des tiers, mais pour moi-même. Je ne souhaite en aucun cas faire preuve d'arrogance ou décrier les convictions des autres, ni manifester mon désaccord dans le seul but d'alimenter une controverse. Je me contente de chercher des directives. Et il se peut qu'en les cherchant, en vous emmenant dans ce voyage, je vous permette d'en trouver quelques-unes pour vous-même.

Cette mise au point faite, je vais de l'avant, prête à poser à Aigle Gris de nouvelles questions.

**Question :** Aigle Gris, pour quelle raison le racisme est-il tellement répandu sur notre planète, en particulier en Amérique ? Voyez-vous des solutions positives à ce mal ?

**Réponse :** Nous n'allons pas appliquer cette question à un seul pays, mais à l'ensemble du monde.

Ce problème n'a en fait pas grand-chose à voir avec la couleur de la peau... même si nombre d'entre vous vont souvent utiliser ce prétexte pour établir une différence entre un homme et un autre.

Car le comportement d'un homme blanc qui tourne le dos à un homme noir est le même que celui d'un homme blanc qui tourne le dos à un homme blanc ou celui d'un homme noir qui tourne le dos à un homme noir.

C'est le même comportement qui fait que les nantis tourneront parfois le dos à ceux qui ne possèdent presque rien.

C'est le même comportement qui fait qu'un protestant tourne le dos à un catholique.

Le comportement qui est à l'origine des conflits raciaux est le même que celui qui est à la source des conflits religieux.

Race, croyance, couleur, richesse, pauvreté, intellectuel, manuel, lutte, travail, oisiveté, faculté, incapacité... des conflits existent à propos de tout cela, ils sévissent en ce monde.

Il est un mot qui recouvre tout ce qui précède et vous dira la vérité... Et ce mot est *intolérance*.

Et cela nous ramène au problème de Dieu.

Et cela nous ramène au fait que Dieu nous habite et habite tout le monde.

Et lorsque vous tournez le dos à un autre, quelle que soit sa position, quelle que soit sa race... sa croyance... sa foi... quel que soit son rang... quelle que soit sa place dans la société... lorsque vous tournez le dos à quelqu'un, votre geste n'échappera pas à l'œil de Dieu.

Remettez donc de l'ordre dans vos vies... votre précipitation, vos courses qui ne vous mènent nulle part alors que vous imaginez poursuivre un but... remettez de l'ordre dans vos tenants et aboutissants... et dans vos lois fabriquées par les hommes qui en savent si peu sur Dieu et l'univers, sur les rouages de l'univers, et qui tiennent si peu compte des mécanismes de l'univers, du fonctionnement de Dieu et de cette puissance divine qui nous englobe tous... Vous êtes tellement emportés par tout cela que vous en devenez aveugles, craintifs et paniqués.

Par conséquent, comment trouver meilleur prétexte que de désigner du doigt un tiers et de déclarer que sans lui ou elle... ou lui... ou lui... on vivrait dans un monde plus agréable ?

Une fois de plus, du fond du cœur, je vous dirai que la raison...

... la raison de votre confusion vient de la peur.

Lequel d'entre vous osera prendre le miroir qui lui montrera son véritable reflet... ce reflet que voit Dieu... qui, malgré tout, continue quand même à vous aimer.

Et je vous dirai... de prendre ce miroir qui vous montre votre véritable reflet... et les aspects que vous verrez et qui vous plairont... encouragez-les à se développer en vous ; et les aspects que vous verrez et qui vous déplairont... souvenez-vous que vous, et vous seul, en portez la responsabilité.

Et tout n'est pas perdu. Car vous pouvez modifier ces choses... sachant que c'est la bonté que vous manifesterez à votre propre égard qui vous aidera à le faire.

J'entends ses propos et je comprends sur-le-champ leur justesse. Et me reviennent à l'esprit une période datant d'il y a environ quinze ans, et mes propres peurs de l'époque. Cela se passait peu de temps après l'entrée d'Aigle Gris dans ma vie. Jusque-là, j'avais éprouvé de nombreuses peurs, la peur d'échouer, la peur de prendre la parole, la peur de mourir de faim, la peur d'avoir un enfant, la peur de mon père, de ma mère, la peur du noir, sans compter, disons-le tout net, la peur d'exister.

J'avais appris, au fil des ans, à combattre nombre de ces peurs, que certains d'entre nous éprouvent toujours. J'avais eu peur des visages et des voix qui me poursuivaient depuis ma petite enfance et, à présent, au moment où je commençais à comprendre ma vie, une autre peur me harcelait.

Chaque soir lorsque j'allais me coucher, dès que j'avais posé ma tête sur l'oreiller, « elle » surgissait. Une force, une énergie d'une violence terrifiante. Et un rire, un rire méchant, quand cette « chose » m'assaillait sans relâche.

Terrifiée, j'appelais mon guide à l'aide, je rallumais la lumière... mais cela n'arrêtait pas cette « chose » et je continuais à trembler, nuit après nuit, semaine après semaine, j'avais peur de fermer les yeux et je ne comprenais pas pourquoi Aigle Gris ne m'en protégeait pas.

Prête à m'effondrer d'épuisement à force d'avoir si peu dormi depuis des semaines, je suis allée me coucher un soir en priant pour que cette nuit-là soit celle où ce cauchemar s'arrêterait. J'ai posé ma tête sur l'oreiller, j'ai fermé les paupières, et cette « chose » ricanante est de nouveau apparue, se vantant de s'imposer à moi... si bien que quelque chose est arrivé. J'ai craqué, j'ai simplement craqué. Ma lassitude l'avait emporté sur ma peur.

— Fichez le camp ! ai-je hurlé en relevant la tête pour me rapprocher d'elle. Je n'ai pas peur

308

de vous, alors *fichez le camp* et laissez-moi tranquille.

Un événement sidérant s'est alors produit. Sous mes yeux, cette « chose », qui avait été une énergie d'une telle atrocité, a commencé à se dissiper... Non seulement à disparaître, mais à se désintégrer, à cesser d'exister. Immédiatement, j'ai compris que c'était de ma peur que cette « chose » s'était nourrie.

Je me suis assise et j'ai secoué la tête en réalisant ma propre incapacité à voir, à savoir, à comprendre qu'il suffisait, qu'il avait toujours suffi que je nie « son » existence.

Et c'est alors que m'est parvenue la voix d'Aigle Gris. Et je me souviens encore de ce qu'il m'a dit, avec un amour et une bonté infinis : « Mon enfant, sachez à présent, comprenez à présent, que vous n'avez à craindre qu'une seule chose : la *peur* elle-même. »

À présent que je le sais et que je l'accepte, je peux donc vous dire avec bienveillance d'essayer chaque jour de vous regarder dans le miroir, de voir au-delà des marques et des rides, des imperfections, au-delà de tous ces détails, et de vous découvrir vous-même. Osez le faire, osez également vous sourire gentiment, osez vous faire à vous-même le don de l'amour. Faites cette petite chose chaque jour et vous trouverez votre âme, et vous trouverez la paix.

J'ai beaucoup hésité à propos de la question suivante, car il y a une foule de gens qui ont des opinions très ancrées, et je ne cherche en aucun cas à les inciter à en changer. Je me contente d'effectuer un voyage, de suivre un chemin que j'ai choisi.

Et vous pouvez entendre la réponse de mon guide en imaginant qu'il exprime une idée qui va à l'encontre de votre propre point de vue, comme le font toutes ses réponses. Certains, à la lecture de sa réponse, refuseront d'aller plus loin, par crainte d'entendre une vérité qu'ils ont peut-être envie de nier.

Je vous prie cependant de ne pas oublier qu'il s'agit de mes propres questions que j'ai besoin de poser, que ces questions ne sont destinées ni à blesser, ni à faire du tort, ni à dire ce qui est bien ou mal. Qu'elles ne sont que des directives pour mon propre voyage et pour mon édification.

**Question :** Aigle Gris, actuellement, il y a un débat très virulent en Amérique à propos des mouvements pro- et anti-avortement. Si vous deviez donner un conseil aux militants de ces deux causes, que diriez-vous ?

**Réponse :** Je demanderais comment il se fait qu'un être humain... une âme humaine... puisse avoir le sentiment de détenir la réponse à une question donnée, non pour lui-même ou elle-même, mais pour l'ensemble de l'humanité.

Et je vous inciterais à vous demander comment une âme humaine peut désirer imposer sa volonté à la volonté d'un autre.

Il est vrai que la vie est sacrée et il est vrai que la vie continue.

Ceux qui prétendent qu'extraire une âme d'un corps physique détruit cette vie ne comprennent pas la force de l'âme... de l'esprit... ne comprennent pas que l'âme en elle-même ne peut pas être détruite, à moins, comme je l'ai déjà dit, qu'elle ne le choisisse elle-même.

Qui peut donc prétendre que l'âme en elle-même n'a pas choisi d'être embarquée dans ce voyage, que vous, ici-bas, estimerez trop court pour avoir existé ou avoir constitué un gâchis de... comment dites-vous... du temps gaspillé.

Il se peut qu'une âme choisisse d'expérimenter, pour une période de temps très brève, les sentiments et les sensations produits par le fait de se trouver dans le ventre de votre chair vivante... juste pour une période de temps très brève, puis de poursuivre son voyage.

Qui d'entre vous ici-bas peut affirmer avec tellement d'assurance que cela endommagera une âme ou mettra un terme à l'existence de cette âme ?

Et combien d'entre vous diront : « Oh oui, car je suis Dieu, car je sais ce que Dieu ressent et ce que Dieu pense, et par conséquent, je connais la volonté de Dieu, non seulement en ce qui me concerne mais à propos de toute l'humanité. »

Et la terre vibre... et l'univers tremble... non pas de peur cependant, mais face à la détermination de certains à imposer par la force leur volonté à d'autres.

Chacun doit effectuer ses propres choix.

Et, pour comprendre pleinement ma réponse, vous devez réaliser qu'il existe de nombreuses raisons pour qu'une vie se termine... choisies en apparence par l'individu... par l'âme de la terre... ou d'une tout autre façon.

Et ceux d'entre vous qui entendent vraiment la voix de Dieu l'entendront dire nettement : « Vous avez votre libre arbitre... votre esprit est libre. Je ne le possède pas... vous non plus... pas davantage que je ne possède votre pensée... ni votre cœur... ni que je possède votre âme, votre esprit, ou la moindre part de votre être. »

Et Dieu vous lancera cela et il répétera : « Je ne possède aucune part de vous, et cela ne me conviendrait d'ailleurs pas. Car chaque âme est son propre maître, et chaque âme dicte sa propre vie à sa propre façon, et chaque âme choisira. »

Et si cette âme choisit de se donner à Dieu, il lui revient donc, et à elle seule, d'opérer son choix... et ce choix a lieu entre l'âme et Dieu seul, et aucun autre œil ni aucune autre oreille ne doit le voir ou l'entendre.

Et il n'y a pas de jugement.

Et Dieu ne vous infligera pas sa vengeance... car le cœur de Dieu n'est véritablement que bonté, il ne condamne ni ne juge.

Et pour tous ceux d'entre vous qui lancent à haute voix : « Oui, nous entendons la voix de Dieu et voici ce qu'il dit », soyez tout ouïe, car si vous entendez vraiment la voix de Dieu vous appeler, vous entendrez en fait son cœur suppliant prôner la tolérance et la compréhension.

Et vous reconnaîtrez tous cette phrase : « Laissez celui qui jette la première pierre être délivré de tout mal... délivré de toute mauvaise volonté... délivré de toute culpabilité... et n'être qu'une personne pure et vertueuse. »

Et existe-t-il une seule personne parmi vous ici-bas capable de regarder Dieu droit dans les yeux et de déclarer : « cette personne, c'est moi »... de dire « me voici » ?

Une âme pénétrera dans une enveloppe physique. Un enfant vivra, grandira et respirera dans le ventre de sa mère.

Et pour de multiples raisons... dont un grand nombre dépassent notre entendement... vous voyez parfois cette vie émerger, vous êtes témoin de cette émergence. Et un enfant... un nouvel enfant naît sur le plan terrestre. Et parfois, quelle que soit la brièveté éventuelle de cette nouvelle vie, un enfant naît et l'univers l'emporte... l'emporte en son cœur... et c'est là qu'il le nourrit.

Et le fait que vous ne le voyez pas, que vous n'en soyez pas témoin, que vous n'entendiez pas ses pleurs ni ne sentiez les battements de son cœur... ne fait que prouver votre aveuglement... ne fait que prouver votre surdité.

Et cependant, nous, du monde des esprits, saurons que cet enfant est en sécurité, que cet enfant est vraiment né de nouveau.

Et le jugement et la condamnation ne sont pas de mise, car Dieu... cette force qui est Dieu... qui est vraiment pure et compréhensive... se contentera de reconnaître et d'accepter la décision de cette âme de revenir à sa source.

Nous sommes ici en conflit, car quand Aigle Gris déclare que toute vie est sacrée, il m'amène à poser la question suivante : aider un avortement est-il assimilable à commettre un meurtre ou à aider un meurtre ? Mes idées ne sont pas claires à ce sujet, puisqu'il affirme que c'est également l'âme qui procède à ce choix et personne d'autre.

J'entends sa voix, et je me rappelle que le conflit dont je suis témoin est celui de la terre et de l'univers.

Dans le cadre de notre société, il est important d'avoir des lois, des règlements et, dans toutes les sociétés démocratiques, ces lois sont fondées sur la décision de la majorité. Lorsqu'un pays ou un État décide que l'avortement est *illégal*, dans ce cas, comme nous sommes contraints de vivre dans une société organisée où chaque homme, chaque femme, et chaque enfant est protégé par la loi, nous devons obéir à cette dernière. Si en tant qu'individus nous estimons que cette loi n'est pas une bonne loi, qu'elle fait du tort, nous devons alors, dans le respect de nos frères humains, trouver une voie pacifique de la modifier, faire évoluer la majorité si nous en sommes capables par la voie démocratique, afin d'empêcher notre société de se désagréger. La question que je pose n'est pas de savoir si l'avortement est ou non un assassinat. La société a statué, la loi formule sa décision.

Cependant, les lois universelles sont fondées sur des connaissances beaucoup plus vastes que celles que nous, mortels, sommes capables de concevoir. Les questions que nous posons à l'univers peuvent parfois sembler d'une grande naïveté, mais nous nous battons au moyen de ces connaissances limitées et nous essayons d'en apprendre davantage sur le fonctionnement du monde des esprits et sur tous ses mystères. La voix d'Aigle Gris me parvient de nouveau :

— Ceux qui déclarent qu'extraire une âme d'un corps physique détruit cette vie ne comprennent pas la force de l'âme... de l'esprit... ne comprennent pas...

Je souris, prête à accepter mon ignorance dans bien des matières.

J'en reviens une fois de plus à examiner la

réponse d'Aigle Gris. Je sens sa main sur mon épaule, j'entends ses paroles et, forte de sa sagesse et lui faisant confiance, j'accepte, sachant combien nos concepts, à nous qui voyageons ici-bas, peuvent à peine appréhender la grandeur de l'univers divin; notre vision, nos idées sont limitées. Nous sommes des enfants qui ne comprenons pas grand-chose, tout en faisant des efforts pour élargir nos connaissances. Mais je le prends à cœur, car je suis une élève pleine de bonne volonté.

**Question :** Un autre débat virulent, en Amérique comme dans bien d'autres parties du monde, tourne autour de l'homosexualité. La société dans son ensemble doit-elle accepter l'homosexualité comme un mode de vie différent?

**Réponse :** Je vais vous le dire, tout en, une fois de plus, continuant à le répéter, tout en, une fois de plus... vous êtes nombreux à tenir un livre sacré dans la main... que ce livre sacré soit intitulé Bible ou porte tout autre titre... vous lisez les propos qu'il contient et vous estimez qu'il s'agit de la parole divine.

Et nous vous entendons nous interpeller à propos de votre amour du bien et de votre amour de l'humanité. Nous sommes donc déprimés de vous voir, vous qui prenez Dieu tellement à cœur... demeurer tellement aveugles et ne pas réaliser que l'amour de Dieu est infini... que l'amour de

Dieu est un tout... et que Dieu vit, au sens propre, dans le cœur de chacun et de tout le monde.

Et si vous regardez votre voisin, que vous le méprisiez ou ne méprisiez qu'une petite part de lui, vous allez mépriser sa part divine et vous allez nier Dieu.

Et si vous regardez votre frère humain et le jugez alors que vous êtes en colère... je vous l'affirme sincèrement, et du fond du cœur, aussi sûrement que Dieu habite en chacun et en tout le monde, vous Le jugerez et vous Le condamnerez.

Sur le plan terrestre, chaque homme, femme et enfant a le droit d'exister... de vivre dans la paix et l'harmonie.

Chaque homme, femme et enfant possède une personnalité qui lui est propre, et aucun homme ne peut en juger un autre durement... sinon il juge Dieu.

Car la place de Dieu est à l'intérieur de l'âme de chaque être humain. Et Dieu vit et respire dans le cœur de l'âme... et il est, en fait, le cœur de l'âme.

Et l'amour de Dieu englobe tout.

Et Il ne choisira pas entre les uns et les autres... pas davantage qu'Il ne dira que l'un vaut mieux que l'autre. Car nous sommes tous

Ses enfants, et Il est le battement de cœur qui permet à l'âme de survivre.

Par conséquent, si l'un de vous jette la première pierre et condamne ou juge un autre... le juge avec dureté et cruauté, je peux vous affirmer que cette pierre que vous aurez jetée, vous l'aurez jetée en direction de Dieu, et qu'Il en éprouvera de la douleur.

J'entends une fois encore les paroles d'Aigle Gris. Je m'émerveille de leur sagesse et de la douceur de son enseignement.

Dans les réponses qu'il donne ici, des détails me rappellent les enseignements bouddhistes. Du coup, la raison pour laquelle je lui pose toutes ces questions me revient à l'esprit.

Je recommence à penser tout haut par-dessus ma page blanche, je cherche des vérités, des règles, des lois, j'en trouve certaines, mais je ne suis pas encore prête à en tirer des conclusions. Je me demande si je le serai un jour.

Je ressens le besoin de poser une autre question, unique, et qui revient à toutes les autres, à tous les écrits inspirés par Aigle Gris, qui se transformeront peut-être un jour en Livre de Questions. Mon doigt se pointe sur la suivante, qui a été posée il y a plus de trois ans.

Cette question m'est tout à fait personnelle, elle concerne un être proche, qui m'est cher, et pour lequel j'ai éprouvé une grande crainte.

En proie à la nervosité, mais sachant que je

vais entendre ce que j'ai besoin d'entendre, que je suis sur le point de prendre conscience d'une vérité personnelle, je me lance.

**Question :** Aigle Gris, avez-vous des conseils à donner aux personnes qui se battent pour sortir de la dépendance à l'alcool ou à la drogue ? Nombre de celles qui s'y efforcent échouent.

**Réponse :** La question, ici, ne consiste pas à utiliser le terme « dépendance à la drogue » ou « dépendance à l'alcool ».

Sur votre planète, les tentations sont nombreuses. Vous pouvez considérer que certaines sont nuisibles... et, lorsque vous le faites, vous entendez souvent par cela qu'elles sont nuisibles à l'être physique.

Par ailleurs, vous considérez qu'un grand nombre d'autres tentations ne présentent pas de danger. Là encore, vous pouvez examiner leur impact sur votre personne physique. Vous vous apercevrez que beaucoup de choses ne se contentent pas d'exercer un impact négatif sur votre santé physique, mais qu'elles exercent également un impact négatif sur votre bien-être mental et votre mode de réflexion... sur vos sensations... vos sensations extérieures.

Parmi vous, certains vivent dans une société qui a dépassé les bornes de l'indulgence. Chaque individu est responsable de la création de cette

319

société, tout en étant cependant plus que désireux de faire retomber cette responsabilité sur
son prochain... de l'imputer à son prochain.

Par conséquent, pour chaque homme ou
chaque femme qui porte une bouteille à ses lèvres
afin d'atteindre le stade de l'oubli par la boisson,
quelle que soit la raison qu'il estime avoir pour
agir de la sorte, il existe un homme qui ne lève
pas cette bouteille et qui est tout aussi responsable.

Car ne vivez-vous pas côte à côte ? Et le comportement des uns n'affecte-t-il pas le comportement
des autres ?

Vous ferez appel à bien des motifs... des motifs
innombrables dont vous déclarerez qu'ils sont la
cause de l'abus de ces choses que vous estimez
nuisibles. Mais le secret consiste à chercher la
racine... la raison fondamentale.

Comme je l'ai déjà dit, lorsque vous vous regardez véritablement vous-même et que vous vous
examinez intérieurement afin de découvrir les
raisons de votre comportement... et lorsque vous
découvrez que ce comportement a des failles et
qu'il en résulte confusion et angoisse... destruction... vous vous apercevez que la peur en est la
racine.

Je pourrais vous souffler le mot « amour »... et
l'amour véritable de vos frères humains.

Je pourrais vous souffler le mot « bonté »... dans l'espoir que vous... chacun d'entre vous... la chercherez dans votre cœur, non seulement pour vous-même, mais pour votre voisin.

Et je pourrais vous dire que ces choses ne sont véritablement qu'un remède à tous les maux et à tout ce qui fait souffrir les individus.

Mais beaucoup parmi vous resteront indifférents à mes paroles, hausseront les épaules et diront : « Mais qu'est-ce que c'est que ce remède ? Pouvons-nous véritablement dire que c'est en aimant l'ivrogne que nous allons le guérir ? »

Et je vous affirmerai sincèrement, du fond de mon cœur, qu'il en est ainsi.

Car chaque âme, avant le début de sa vie sur le plan terrestre... au cours de sa vie sur le plan terrestre... et par la suite lorsqu'elle poursuit sa vie... éprouve un besoin insatiable d'amour... a besoin d'aimer... cherche à être aimée et à aimer. Nous, du monde des esprits... nous, de l'univers... regardons l'humanité se détruire lentement par excès d'indulgence.

Lorsque nous utilisons les termes « cupidité », « avarice », « indifférence », ils vous disent quelque chose et vous êtes d'accord avec moi. Mais ces comportements eux-mêmes ne sont pas vraiment la raison pour laquelle de nombreuses âmes frémissent de désarroi et pour laquelle une grande partie de l'humanité est détruite.

La racine de tout cela, est la peur... la peur de rester inactif... la peur de reconnaître son propre cœur... la peur de reconnaître sa propre âme.

La peur, qui empêche tellement d'êtres humains de se regarder dans le miroir, lequel vous dit, véritablement, ce que vous êtes... ce que vous avez été... et ce que vous serez.

Vous évoquez ceux qui sont plongés dans la détresse... ceux qui échoueront. Et je vais vous dire sincèrement, du fond du cœur, qu'ils n'échoueront que si un désir puissant les habite... enfoui très profond, très très profond en eux... ils n'échoueront que s'ils désirent échouer.

Car chaque individu a le choix et aucun autre homme ni aucune autre femme ne peut effectuer ce choix à sa place.

Mais si chacun, chaque âme humaine, tendait la main avec amour et bonté vers son âme sœur... vous connaîtriez la paix, vous connaîtriez l'harmonie... vous connaîtriez l'unité... et vous connaîtriez la plénitude.

... et vous vous connaîtriez.


Et j'entends ses paroles, et je ne cesse, sans répit, de revenir en arrière. Je lis et je relis. Un certain temps, sa réponse m'absorbe au point que j'en oublie ma question de départ.

Mon regard trouve sa direction par-dessus tous ces mots : « Et pouvons-nous vraiment dire qu'il nous suffit d'aimer l'ivrogne pour le guérir ? »

J'essaie d'absorber cette réflexion et je demande à Aigle Gris : « Est-ce vraiment exact ? » Et je l'entends me répondre : « Je vous dirai sincèrement, du fond de mon cœur, qu'il en est ainsi. »

Mes pensées se déversent sur la page car je sais que je dois vous emmener, lecteurs, dans mon voyage. Que je ne dois rien retenir.

« Mais comment faire ? » La personne de ma vie que j'évoque *est* aimée, vraiment aimée, par beaucoup de monde, aimée par moi. Et les parents dont les enfants meurent d'une overdose ? Ne devraient-ils pas penser que, s'ils les avaient aimés davantage, ou autrement, leurs enfants seraient encore en vie ? Je secoue la tête avec violence, sachant qu'il n'en est rien.

Est-ce que je connais Aigle Gris ? Est-ce que je lui fais confiance ? La réponse est oui. Un oui solennel. Il me faut donc à présent me regarder moi-même. Qu'est-ce qui m'échappe ? Qu'est-ce que je n'entends pas dans les paroles prononcées par mon guide ?

Je relis, encore une fois, et je distingue ou plutôt, je vois se dessiner une image plus nette. La clé, c'est l'amour.

Beaucoup d'entre nous pensent qu'aimer quelqu'un, c'est rester à côté de cette personne, accepter ce qu'elle fait ; n'est-ce pas cela que l'on qualifie

« d'amour inconditionnel »? Peu importe la dose de souffrance, peu importe la dose de chagrin que nous nous imposons en restant auprès de cette personne, en la supportant : n'est-ce pas cela aimer, aimer complètement?

Je réfléchis à tout ce que j'ai appris au fil des années, à l'enseignement de mon professeur, et je me souviens de celui du Christ... aimez-vous vous-même.

La lumière se fait peu à peu dans mon esprit.

Ne confondons-nous pas l'amour avec le sacrifice?

Est-ce qu'abandonner son propre moi... détruire son propre moi pour le bien d'un tiers... est-ce que cela aide qui que ce soit?

Est-ce que cela nous aide?

Je repense à mon passé, à mon mariage, à mes relations. Je sais que l'amour et le sacrifice en faisaient partie intégrante. Et je sais que je dois établir une séparation entre eux. Sinon, je resterai toujours en conflit avec moi-même, je ne sortirai jamais de ma confusion.

En ma qualité de parent, de parent aimant, j'ai encouragé mon enfant à être indépendante, consciente qu'elle ne pourrait pas se développer sans cela. Il y a eu de nombreux moments – il y en a encore – où, la voyant effectuer des choix qui ne seraient pas les miens, je retiens mon souffle et prie de toutes mes forces. Mais je savais qu'à un certain âge je devrais la laisser faire, avec l'assurance qu'ayant rempli de mon mieux mon rôle de mère, cela suffirait.

Lorsque j'affirme cela, je comprends sans

réserves que, si l'on aime vraiment quelqu'un, on doit permettre à cette personne d'être vraiment elle-même, indépendamment de ce qu'elle souhaite être. Et si, après avoir donné autant qu'on le peut, essayé d'exercer une influence positive, cette personne continue à se droguer ou à boire, quelle que soit la manière dont elle en est arrivée là, quelle que soit l'influence qu'elle a subie au départ, dans ce cas, nous qui l'aimons devons respecter son choix et lui laisser son libre arbitre.

Le sacrifice ne fait de bien à personne.

Rester avec quelqu'un « juste parce que », parce qu'on l'aime, n'aboutit parfois qu'à davantage de douleur, davantage de confusion, davantage de colère, et peut se révéler plus nuisible à tous ceux concernés.

Par conséquent, je prête attention aux conseils d'Aigle Gris, je réfléchis tout haut et sur le papier, puis j'intègre dans mon cœur ce que je ne savais à présent que dans ma tête, à savoir que l'on peut aimer quelqu'un de tout son cœur, de tout son esprit, de toute son âme... on peut l'aimer et cependant partir, et continuer à l'aimer. Et cela, cet abandon, cette reconnaissance du droit des êtres à exister, de leur choix, tout en continuant à les aimer, peut se révéler le plus beau cadeau qu'on leur fera jamais.

Une fois de plus, il me semble cependant que je me suis éloignée de mon sujet. Les vérités, les règles, les lois. Et pourtant, cette auto-indulgence, le fait que je présume que vous allez me suivre dans mon voyage, m'aide à avancer.

Savoir et espérer que vous allez continuer la route auprès de moi m'apporte un grand réconfort.

## Découvertes

Nous en sommes donc arrivés à ce stade. Après avoir écouté et réfléchi aux propos de nombreux hommes, après avoir écouté mon cœur, comme Aigle Gris me poussait à le faire, je suis presque prête à tirer mes conclusions.

Avant de le faire, je désire néanmoins revenir au début du chapitre précédent, aux Dix Commandements, et effectuer quelques observations, afin de m'assurer que je ne me trompe pas.

1. Tu n'auras pas d'autre dieu face à moi.
2. Tu ne te feras pas d'idole...
3. Tu ne prononceras pas à tort le nom du Seigneur, ton Dieu...
4. ... le septième jour, c'est le sabbat du Seigneur, ton Dieu... qui l'a consacré.
5. Tu honoreras ton père et ta mère...
6. Tu ne commettras pas de meurtre...
7. Tu ne commettras pas d'adultère.
8. Tu ne déroberas pas.
9. Tu ne feras pas de faux témoignage contre ton voisin.
10. Tu n'auras pas de visées sur la maison de ton prochain. Tu n'auras pas de visées sur la femme de ton prochain, ni sur son serviteur, sa

servante, son bœuf ou son âne, ni sur rien qui appartienne à ton prochain.

Comment Moïse faisait-il pour communiquer avec Dieu? Est-ce qu'il Le voyait? Est-ce qu'il L'entendait? Comment Le voyait-il? Comment L'entendait-il?

Ces questions que je pose ont un parfum familier, et j'en connais la raison. En effet, en ma qualité de médium, on ne cesse de me demander... Comment voyez-vous? Comment entendez-vous?

Loin de moi l'idée de me comparer à Moïse, car j'ai conscience de sa grandeur et du rôle qu'il a joué dans l'histoire. Pourtant, tout comme moi, Moïse était un être humain, et tout aussi inspiré par Dieu qu'il l'était, je me dois de ne pas oublier sa condition humaine. Or aucun mortel n'a jamais été infaillible.

Moïse lui-même, s'il vivait à notre époque, penserait peut-être que les Dix Commandements sont un peu datés...

Toute société a besoin de lois. Les lois sont faites pour nous protéger. Doivent-elles être modifiées, afin de nous permettre d'évoluer? Il est clair que la plupart des gens le pensent, si bien que, dans tous les pays libres et aux opinions avancées, le système juridique fait, de temps à autre, l'objet de révisions nécessaires.

Poursuivant ma réflexion à haute voix, au fil de ce voyage auquel je vous convie, je reprends donc ma lecture à zéro.

327

*Moïse disait* :

1. *Tu n'auras pas d'autre dieu face à moi.* Comment serait-il possible de placer d'autres dieux devant lui? Car Dieu n'est-il pas tout et toutes choses? Dieu n'est-il pas lumière... lumière?

2. *Tu ne te feras pas d'idole...* Tandis que je réfléchis, je sens Aigle Gris se rapprocher de moi, non pour me donner *sa* réponse, mais pour m'aider à trouver la mienne. Je lui fais donc part de mes pensées pendant que j'écris. Une image reflétée dans un miroir ne serait-elle pas tout ce que tu vois? Le reflet de ta propre image? Car la *création* d'une idole n'aboutirait qu'à une image, reflet de tes propres besoins.

3. *Tu ne prononceras pas à tort le nom du Seigneur, ton Dieu...* Il ne me faut qu'une seconde pour obtenir la réponse. Il est évident que jeter le discrédit sur un nom, qu'il s'agisse de celui d'un homme ou d'une femme, le prononcer avec irrespect, revient à manquer de respect à Dieu et à tous les hommes. Par conséquent, à ne pas se respecter soi-même.

4. *... le septième jour, c'est le sabbat du Seigneur, ton Dieu... qui l'a consacré.* Cela me fait penser à une histoire que m'a racontée mon amie Joan. Elle était sortie dans son jardin, par une matinée de printemps chaude et ensoleillée. Idéale. Elle a agité le bras pour saluer le vieux

monsieur d'en face qui était, lui aussi, sorti prendre l'air. « Il fait beau aujourd'hui, non ? » a-t-elle lancé. « Chaque jour est beau, lui a-t-il répondu en lui rendant son sourire... simplement, aujourd'hui, le soleil brille. » Je pense comme lui. Chaque jour est un jour « sacré ». Et nous devons considérer chaque jour comme un trésor. Sinon, si nous n'accordons pas son caractère unique à chaque jour, à chaque nuit, comment pourrons-nous reconnaître la beauté de la Terre, ce cadeau que Dieu nous a fait à tous ?

5. *Tu honoreras ton père et ta mère...* J'ai des pensées claires à ce sujet. Je ne crois pas que ce soit la position, le statut, l'uniforme d'un homme qui lui valent d'être honoré et respecté. Ce sont ses actes. Dans notre société, nous assistons malheureusement à de nombreux abus, y compris de la part de parents envers leurs enfants. On ne peut honorer ou non une personne que lorsqu'on la connaît.

6. *Tu ne commettras pas de meurtre...* J'en soupire de désespoir. La main d'Aigle Gris est posée sur mon épaule, car il comprend mon chagrin. Je pense à toutes ces batailles livrées sur notre terre, notre planète, à ces guerres durant lesquelles, pour défendre nos convictions, le droit d'exister, nous avons dû tuer. Tuer afin d'assurer, non seulement notre protection, mais celles de nos familles, de notre société, est une chose. Mais vouloir imposer par la force sa volonté à un homme ou une femme revient à nier la liberté qui

est la sienne. Et, lorsqu'on prive un autre de ses droits, on se nie à soi-même le droit d'exister.

7. *Tu ne commettras pas d'adultère.* Quand on commet un adultère, on rompt un vœu, on brise une promesse. Que notre partenaire s'en aperçoive ou non m'inspire la même réaction. Il est évident que commettre un acte dont on sait qu'il peut causer de la souffrance à un tiers, mutiler ou blesser *délibérément*, sur le plan physique ou affectif, relève de l'égoïsme pur et simple. Et les yeux du monde des esprits nous observent, non pour nous juger, mais avec tristesse, car ils constatent que ce vœu vient d'être détruit. En effet, toute souffrance que vous infligerez à un tiers vous sera rendue multipliée par dix. *C'est la loi de l'univers.* Ce qui est donné de la sorte doit être repris.

8. *Tu ne déroberas pas.* Je repense à ces temps anciens, à l'époque de Moïse. L'histoire nous rapporte dans quelles conditions de pauvreté vivaient les gens ordinaires. Et même à notre époque, la misère est répandue partout dans le monde. Par conséquent, sachant que mon Dieu est doux et avisé, je me dis la chose suivante : qui dit qu'un homme qui vole une miche de pain pour nourrir ses enfants est un homme condamné par Dieu ?

9. *Tu ne feras pas de faux témoignage contre ton voisin.* Je suis d'accord, et je dois même aller plus loin. Car Aigle Gris me l'a enseigné et mes

idées sont claires à ce sujet. Même s'il est grave de mentir à un tiers, il est encore plus grave de se mentir à soi-même.

10. *Tu n'auras pas de visées sur la maison de ton prochain. Tu n'auras pas de visées sur la femme de ton prochain... ni sur rien qui appartienne à ton prochain.* La Bible nous enseigne que les possessions matérielles d'un homme n'ont aucune valeur et, bien que je comprenne et approuve cette loi, je me demande pourquoi Moïse n'est pas allé plus loin. Je me souviens alors que son peuple était composé de gens simples et sans éducation. Mes réflexions sont plus larges. L'homme ou la femme qui convoite les biens d'un autre mérite notre pitié. Car il ou elle ignore que la seule véritable possession, la seule qui possède une valeur, est celle de soi-même.

Évidemment, ces pensées m'appartiennent. Et bien que vous effectuiez ce voyage avec moi et que j'en sois ravie, je ne m'attends pas à ce que vous partagiez mes opinions. Je serais simplement contente que vous puissiez extraire quelques éléments de mes propos ; que, dans votre cœur, en me lisant, vous reconnaissiez une petite part de vérité.

Après avoir parcouru tout ce chemin et exprimé mes idées, il me faut cependant revenir au début de ce chapitre, pour me rappeler une dernière fois le but de cet exercice.

Je cherchais des règles. Et en chemin, je suis tombée sur des Lois et des Vérités...

Lois... règles... vérités... sont-elles différentes ? Une règle diffère-t-elle d'une loi ? Je prends mes dictionnaires...

## Loi

Une règle promulguée ou coutumière dans une société, interdisant certains actes, et *appliquée par des pénalités.*

Une règle établie *par l'autorité.*

Un ensemble de règles dont la pratique est *autorisée* par une communauté ou un État.

Un commandement divin, selon la Bible. *La Loi de Moïse.*

## Règle

*Un principe* auquel se conforme *une action.*

La coutume ou la norme *en vigueur.*

Un *code* de discipline.

## Vérité

Honnêteté.

Doctrine religieuse, fondée sur la *révélation.*

Constance.

Par conséquent, une règle est différente d'une loi.

Vous trouverez peut-être que j'ai mis un peu trop de temps à poser cette question sur le papier, mais je dois tout interroger, et je n'étais tout simplement pas certaine de la réponse.

Mais arrivée au terme de cet exercice, j'ai presque acquis la certitude que nous – en tout cas moi – avons besoin de règles, de vérités, pour nous guider. Elles m'aideront à suivre plus aisément le chemin que j'ai emprunté. J'ai conscience que ces règles, ces vérités vont peut-être changer au fil de ma vie, et j'en suis contente. Elles ne sont pas gravées dans la pierre. Je sais aussi que c'est peut-être moi qui les modifierai, au fur et à mesure que mes besoins, mon développement, ma compréhension grandiront.

Les Lois, par conséquent, les lois de l'Univers, manifestement en place parce que l'univers en a besoin, ces Lois sont établies en même temps que l'Univers se forme, sont changées au fur et à mesure que l'univers évolue, et seul Dieu dicte ces changements. Seul Dieu connaît les besoins englobant l'ensemble de sa création.

J'exprime mes pensées afin que vous puissiez les partager, les utiliser ou les rejeter si telle est votre volonté.

J'en arrive donc à ma conclusion...

## Les lois de l'univers

1. Chaque être humain est responsable de... *possède* sa propre âme.
2. Un homme est le tout, qui est un homme,

qui est le tout, qui est... le cercle de lumière, continu.

3. Ce qui est distribué doit être repris, doit retourner à sa source.

4. Il n'existe pas un être... une seule créature vivante, qui n'ait pas Dieu en son centre, en son cœur. Aucun homme, femme ni enfant n'est exempté de cette Loi.

5. Tout, chaque être, chaque créature vivante revient à la source, laquelle est Dieu, la lumière.

6. Chaque âme a le choix, et exercera ce choix, et a déjà, par son existence même, exercé ce choix.

7. Chaque âme a sa propre Loi.

## Règles

1. Honore-toi toi-même, respecte-toi toi-même, aime-toi toi-même... et tu obtiendras l'honneur, le respect et l'amour de tout ce qui appartient à la terre, tout ce qui est de nature divine.

2. Sois tolérant... à l'égard de toi-même pour commencer, puis de toute l'humanité.

3. La bonté, la bienveillance... à l'égard de toi-même... grâce à laquelle tu apprendras à ouvrir ton cœur aux autres.

4. La douceur... pratique-la pour commencer envers ton propre cœur, qui sera guéri et se tendra alors vers tous les autres cœurs.

5. L'humilité... par le biais de laquelle se forge tout développement spirituel.

6. La compassion... car en faisant cadeau de

l'amour et de la sympathie à un tiers en détresse ou en peine, tu découvriras que tu comprends beaucoup mieux ta propre âme.

7. La grâce... vis en fonction de ces règles, avec grâce, avec une bonne volonté courtoise, et tu recevras la faveur divine imméritée.

## Vérités

1. Je ne vois pas Dieu comme un dictateur... mais plutôt comme une force bienveillante.

2. La prière ne consiste pas seulement à se trouver en présence de Dieu. La prière est également un moyen de reconnaître l'omniprésence de la force divine.

3. Dieu ne nous oublie pas, alors qu'il n'est que trop souvent oublié.

4. Il faut apprendre à maîtriser sa propre âme.

5. Mourir est une naissance.

6. Les miracles ne sont pas que des événements dont nous prenons connaissance dans la Bible. Les miracles surviennent dans notre monde actuel, au quotidien.

7. La vérité, c'est ce qui touche notre cœur et trouve un écho dans le cœur de notre âme, qui est Dieu.

Pour terminer ce chapitre, je reprends une fois de plus ma Bible, et j'ouvre le Nouveau Testament. Si j'ai choisi les citations suivantes, ce n'est pas parce que ce sont des paroles d'autres, mais parce qu'elles expriment des sentiments que

335

j'essaie de toutes mes forces, quoique souvent sans succès, d'appliquer dans ma vie.

## Matthieu 7:1-5

Ne jugez pas, afin de ne pas être jugé.

Car le jugement que vous porterez vous vaudra d'être jugé.

Et la mesure que vous appliquerez sera la mesure que vous recevrez.

Pour quelle raison voyez-vous la paille dans l'œil de votre voisin et non la poutre dans le vôtre ?

Ou comment pouvez-vous dire à votre voisin, « Laissez-moi enlever la paille que vous avez dans l'œil », alors que vous avez une poutre dans le vôtre ?

Vous, l'hypocrite. Commencez par enlever la poutre de votre œil, et vous verrez alors assez clairement pour enlever la paille de l'œil de votre voisin.

## Matthieu 25:35-36

Et Jésus, évoquant le Jugement dernier, a dit :

Car j'étais affamé, et vous m'avez donné à manger.

Car j'étais assoiffé, et vous m'avez donné à boire.

Car j'étais un étranger, et vous m'avez accueilli.

Car j'étais nu, et vous m'avez vêtu.

Car j'étais souffrant, et vous m'avez soigné.

Car j'étais en prison, et vous m'avez rendu visite...

En vérité, je vous le dis, tout comme vous avez fait cela à l'égard de l'un des plus humbles de mes frères, vous me le faites à moi.

**Question :** Aigle Gris, pouvons-nous attendre un développement de la spiritualité dans notre monde ?

**Réponse :** Chaque homme, femme et enfant... chaque être... aura son propre choix.

Car, indépendamment de votre naïveté apparente... car indépendamment de la naïveté de votre voisin, chaque être possède en lui, l'âme, le moi empreint de sagesse...

Chaque être possède, sans le savoir, la faculté de choisir.

Et la façon dont vous devriez vivre... la façon dont vous devriez grandir... la façon dont vous devriez exister... relève de votre choix.

Si seulement vous pouviez écouter le vent qui vous raconte son histoire...

Si seulement vous pouviez contempler le ciel et pouviez voir nos visages qui vous sourient...

Et si seulement vous pouviez toucher le sol et savoir que ses racines... que vos racines... s'y enfoncent profondément, et que vous êtes capable de vous élever aussi haut que possible vers le ciel...

Si seulement vous saviez toutes ces choses...

Si seulement vous pouviez écouter votre part de sagesse, alors la paix ne concernerait pas uniquement l'individu mais toute l'humanité.

La paix ne concernerait pas alors uniquement l'individu... pas seulement toute l'humanité, mais l'univers se développerait...

Et l'anticipation d'un tel événement ferait un peu trembler l'univers.

## Voyage vers la montagne

« *Je l'ai entendu m'appeler.* »

De nombreux événements sont survenus au cours des deux années qui se sont écoulées depuis que j'ai publié *Une longue échelle vers le ciel*. Pour commencer, ma mère est « morte ». Mon dernier contact avec elle remontait à cinq ans. Je venais d'achever le chapitre « La Fillette » dont l'écriture s'était révélée douloureuse, puisque de nombreux souvenirs de mon enfance étaient remontés à la surface, que j'avais pour beaucoup repoussés au fil des ans dans mon subconscient. C'était également un grand nettoyage, une manière d'affronter ma véritable personnalité. J'avais trouvé les réponses à de nombreuses questions en fouillant ces souvenirs, du genre : pourquoi étais-je si timide ? Pourquoi avais-je une si piètre opinion de moi-même ? Pourquoi avais-je besoin de prouver que je valais quelque chose ? Pourquoi étais-je si sensible ? Pourquoi avais-je tellement peur ?

L'exploration de ma vie, ces interrogations et ma capacité d'apporter des réponses à la plupart d'entre elles, m'avaient été très profitables. Cependant, je me posais encore une question, une question brûlante à laquelle j'étais incapable de répondre. Comme mon père était décédé depuis déjà quelques années, je savais que seule ma mère pourrait m'apporter cette réponse.

Cette question, d'une simplicité et d'une naïveté tout enfantines, était : pour quelle raison mes parents m'ont-ils traitée de la sorte ?

Qu'est-ce qui peut pousser une personne à se conduire si mal, si méchamment, envers un petit enfant, pas seulement une fois par hasard, mais sur une base presque constante, année après année... sans interruption, de l'enfance à l'entrée dans la vie adulte ? Qu'est-ce qui pousse un adulte à pratiquer des sévices sur un petit enfant ?

Par le passé, j'imaginais que c'était moi la coupable. Nous étions quatre, quatre sœurs. J'étais la maigrichonne, la binoclarde, la pleurnicharde, la moche, la planche à repasser. Certaines de ces raisons m'avaient amenée à croire, pendant ma croissance, que j'étais un être humain indigne.

Le chapitre écrit, mes larmes séchées sur la page mais coulant encore dans mon cœur, j'ai voulu parler à ma mère, non pas de manière agressive, mais simplement parce que je cherchais des réponses et un moyen de faire avancer notre relation. Je lui ai également demandé pourquoi.

— C'était ton père, pas moi, pas moi, m'a-t-elle répondu. Tu ne peux pas me le reprocher.

Cela n'était pas mon but. Je cherchais simplement à comprendre et je le lui ai dit.

— Ton père, tout était sa faute. Pas la mienne.

Sa réaction m'a attristée. Sans m'énerver, je lui ai rappelé certaines des choses les plus cruelles qu'elle m'avait fait subir et qui s'étaient déroulées en l'absence de mon père. « Des choses que tu as faites, ai-je dit, qui ne se passaient qu'entre toi et moi et personne d'autre. »

Elle a presque défailli, complètement interloquée par le rappel de ces événements dont je me souvenais, puis elle a hurlé :

— Tu ignores ce qu'on m'avait fait. Poignardée dans le dos. Toi et tout le monde, toute ma vie, les gens m'ont poignardée dans le dos.

Est-ce alors que j'ai abandonné ou plus tard, lorsque j'ai repensé à tout cela ? Je n'en sais rien. Je ne l'ai entendue que s'apitoyer sur elle-même. Dès lors que j'ai compris cela, j'ai su que je n'obtiendrais jamais de réponse à ma question, car ma mère avait passé sa vie entière tellement enfermée dans sa colère et son propre malheur qu'elle n'avait eu aucune conscience du mien ni du rôle qu'elle y avait joué.

Elle est donc morte cinq ans plus tard. Nous n'avions pas communiqué durant tout ce temps, car nous n'avions rien à nous dire. Lorsque ma sœur m'a appelée pour m'annoncer la nouvelle, je n'ai rien ressenti. Toute la journée, je me suis demandé pourquoi je n'éprouvais ni sentiment de perte ni même de tristesse. « Je ne suis pas sans cœur, me suis-je répété, je suis quelqu'un de bienveillant. » Subitement, la lumière s'est faite dans mon esprit. J'avais perdu ma mère cinq ans plus tôt. Ce jour-là, j'avais abandonné tous mes espoirs et tous mes rêves de la voir se conduire en véritable mère à mon égard. J'avais alors pleuré. C'était là que je m'étais sentie en deuil.

Deux jours plus tard, je suis partie aux États-Unis pour poursuivre ma quête spirituelle.

Nous étions en mars 1995, quelques semaines avant la publication de mon premier livre. Mon agent Joni Évans et moi avions pris l'avion pour Phoenix, loué une voiture et emprunté la route menant à la montagne.

Au début de ce livre, je vous ai raconté ma première visite à la montagne en compagnie de mon amie, Lynne. Je vous ai rapporté les paroles qu'avait alors prononcées Aigle Gris : « Pas ici, pas à présent, pas cette fois, mais vous reviendrez. »

J'étais donc de retour, et je savais que le moment était venu.

Nous sommes descendues de la voiture et

avons entamé notre marche au pied de la montagne, afin de trouver la brèche dans la barrière qui m'avait empêchée d'aller plus loin deux ans plus tôt.

Joni, débordante d'enthousiasme, me devançait, impatiente. Elle était tellement pressée qu'elle n'a même pas vu la voiture garée sur le bord de la route devant nous et qu'elle l'a dépassée sans remarquer les deux femmes qui étaient à bord.

— Venez, me lançait-elle de temps en temps en jetant un regard par-dessus son épaule. Venez, venez!

Mais je n'étais pas pressée. Mon instinct me disait que je me trouvais au bon endroit au bon moment et que je pouvais prendre le temps de regarder autour de moi.

J'ai admiré le ciel, bleu et limpide. Une grande sérénité régnait. Cette montagne majestueuse m'appelait et je savais qu'elle m'attendait, et m'attendrait. J'ai remarqué la voiture et les deux femmes, une mère et sa fille, je l'ai su d'instinct. J'ai souri, sachant que leur présence n'avait rien d'accidentel, qu'à leur insu, elles attendaient aussi. Et que c'était moi qu'elles attendaient.

Je m'en suis approchée sans me presser. Les vitres étaient baissées; la plus âgée des deux femmes avait un bras appuyé sur le rebord de sa fenêtre. Je me suis arrêtée et j'ai fait une réflexion sur la splendeur de la journée et la beauté de la montagne. La femme m'a rendu mon sourire et m'a répondu que, malgré la canicule, elle partageait mon avis.

— Vous venez de loin ? lui ai-je demandé.

— Ma fille vient de Californie, a-t-elle répondu, mais je suis d'ici. Nous venons nous recueillir ici tous les ans à la même époque. C'était l'endroit préféré de mon mari. Quand il est mort, nous avons éparpillé ses cendres sur la montagne. Il nous avait demandé de le faire, et c'est pour lui que nous venons ici une fois par an.

Elle avait les larmes aux yeux, si bien que je l'ai réconfortée d'une pression de la main sur son bras.

— J'ignore si vous croyez en la vie après la mort, ai-je dit. Moi, oui. Et je crois que votre mari est ici près de vous, qu'il partage ces moments précieux avec vous, qu'il a survécu à la mort et qu'il est indemne. Je pense même, ai-je ajouté, qu'il a probablement escaladé et exploré cette montagne à de nombreuses reprises.

— Vous y croyez vraiment ? m'a demandé cette inconnue. Vous savez, a-t-elle poursuivi, songeuse, explorer la montagne était son activité favorite. Nous avons plein de photos qu'il a prises. Est-il vraiment possible qu'il soit ici, près de nous, à présent ?

Je lui ai serré le bras.

— Je vous parie que oui.

— Si seulement je pouvais vous croire ! s'est-elle écriée, de nouveau au bord des larmes.

J'ai alors entendu mon amie Joni qui m'appelait. Elle avait découvert la brèche dans la barrière.

— Venez ! criait-elle. Qu'est-ce que vous faites ? Dépêchez-vous, nous sommes presque arrivées.

343

Le moment était venu d'y aller, mais il me restait d'abord une dernière chose à dire. J'ai regardé cette étrangère dans les yeux.

— La perte d'un être cher est une chose terrible et nous prions tous pour que cela ne nous arrive pas, pour être le premier à partir. La vie devient dure, parfois même impossible, car c'est une terrible épreuve que de vivre sur cette terre sans être entouré de ceux que nous aimons. (J'ai marqué une pause avant de poursuivre.) Je voudrais vous recommander la lecture d'un livre. À mon avis, il peut vous apporter une grande aide. Il s'appelle *Une longue échelle vers le ciel* et son auteur est Rosemary Altea.

Pendant que je parlais, sa fille m'a tendu un morceau de papier et un stylo, et je leur ai donné ces renseignements par écrit.

— Lisez-le, ai-je insisté le plus délicatement possible. Je prierai pour qu'il vous apporte l'espoir et vous soulage un peu de votre chagrin.

Nous ne nous sommes pas dit au revoir. J'ai rejoint mon amie qui trépignait d'impatience. J'étais heureuse à l'idée d'avoir eu pour la première fois l'occasion de recommander la lecture de mon livre alors que je me tenais au pied de la montagne, de notre montagne, à Aigle Gris et à moi.

Bien sûr, il y en a parmi vous qui n'y croient pas. Et il y a ceux qui comprennent le mode de vie des Indiens d'Amérique, qui perçoivent la puissance de l'aigle et qui reconnaîtront ma vérité.

Nous avons entamé notre escalade. J'ouvrais la

marche. Joni, pourtant la plus en forme de nous deux, s'est fatiguée la première.

— C'est encore loin? l'ai-je entendue demander dans mon dos d'une voix haletante.

— Plus très loin, ai-je répondu. (J'ai fait une petite halte pour lui permettre de me rejoindre et j'ai désigné un point un peu en surplomb.) Là-haut, il y a un gros rocher plat. Il faut qu'on monte jusque-là.

— Mais comment est-ce que vous...

Elle n'a pas achevé sa question, car elle venait de réaliser sa stupidité.

Je me suis redressée et j'ai repris mon escalade, me forgeant sans difficulté un chemin à travers les rochers et les broussailles, sûre de mon objectif. Je sentais l'énergie parcourir, non seulement mon corps, mais mon cerveau. J'absorbais cette puissance qui me rendait forte, invincible, et mon esprit planait.

La montagne, la montagne, dont j'entendais la voix m'appeler.

Nous avons fini par atteindre ce gros rocher, effectivement long et plat comme dans la description que m'en avait faite Aigle Gris. J'ai indiqué à Joni que nous allions nous y asseoir. Soulagée de pouvoir enfin se reposer, elle s'est affalée près de moi sur le rocher. Le regard fixé sur la cime de la montagne, je me suis emplie du silence, de la sérénité, du soleil qui réchauffait mes bras et mon visage. De l'air émanaient une espèce d'anticipation, une connaissance entendue.

« Aigle Gris est ici, mais pas seul », ai-je songé,

et j'ai tout de suite, à la pression de sa main sur mon épaule, eu la confirmation de sa présence...

— Écoutez, disait-il, écoutez. Ils sont nombreux ici, et j'ai une histoire à vous raconter, une histoire qui vous est destinée à toutes les deux.

J'ai opiné de la tête, sachant que je devais à présent transmettre à Joni tout ce qu'Aigle Gris me dirait.

Comme l'avait fait mon guide, j'ai posé une main sur l'épaule de Joni, et comme il venait de le faire, j'ai dit :

— Écoutez, écoutez. Ils sont nombreux ici, et Aigle Gris a une histoire à nous raconter...

« Et il y avait des femmes et des enfants. Et les hommes, ceux de notre peuple qui restaient, les ont emmenés ici dans la montagne, où nous nous cachions des yeux des Blancs. Et les soldats sont arrivés, ils nous cherchaient, ils n'ont pas trouvé beaucoup de monde et nous avons été assassinés.

« Et les femmes se sont battues, oui, et même les enfants. Ceux qui étaient assez grands pour soulever ne serait-ce qu'un petit caillou. Et nous nous sommes battus, nous avons fui, nous nous sommes cachés, nous nous sommes battus. Mais nous ne pouvions pas lutter contre la faim. Et les femmes et les enfants, ceux qui restaient, dormaient avec les hommes, se battaient avec les hommes, ils sont morts de faim et ont été tués avec les hommes.

« Il y a eu beaucoup de morts. Leurs corps gisaient dans la montagne. Et le sang de mon peuple a coulé de la montagne, coulé comme plusieurs fleuves. Et le sang trempait les rochers, et la pluie est venue, elle a rincé les rochers, rincé le sang de notre peuple.

« De nombreux Apaches sont restés dans la montagne, ils arpentent la montagne où retentit l'écho de leur esprit. Réduits au silence, ils attendent.

« À présent, ils se réveillent, non pas du sommeil, mais de cette période d'attente. Et ils se lèvent, et tous ensemble, tous unis, comme devraient l'être tous les peuples, ils s'appellent les uns les autres et savent que le moment de la célébration est arrivé. Car c'est notre commencement, notre nouveau commencement (et cette dernière remarque s'adressait uniquement à moi) et vous nous avez apporté notre commencement. »

Pendant qu'Aigle Gris s'exprimait et que je transmettais ses propos à Joni, j'ai vu de nombreux êtres sortir du sol. La montagne en était couverte. J'ai tendu l'oreille. Les tambours roulaient et les psalmodies s'intensifiaient et le peuple dansait.

Mon amie a poussé un petit cri d'étonnement et je me suis tournée vers elle.

— C'est vrai ? a-t-elle murmuré. C'est possible ? J'entends des tambours, j'entends des gens qui s'interpellent, et des chants, j'entends des chants.

J'ai vu des larmes couler de ses yeux. Elle s'est levée et, la tête courbée, a prié tout bas, reconnaissante d'avoir été élue pour partager cette expérience.

J'ai regardé vers mon guide, les joues humides

de larmes, et il a recommencé à parler en écartant les bras d'un geste large vers la montagne.

— Et ceux que vous voyez n'appartiennent pas qu'à mon peuple, il ne s'agit pas seulement d'Apaches, mais de peuples de nombreuses nations, de nombreuses terres du monde. Et nous nous unissons pour ne former qu'un seul peuple, car nous appartenons à l'esprit, nous sommes esprit, tout comme vous ici-bas êtes esprit. Et nous qui sommes « morts » possédons une voix très sourde, une voix qui a été rarement entendue jusqu'à aujourd'hui, souvent ignorée, par ignorance et incrédulité, et oui, souvent par peur.

Pendant que s'exprimait Aigle Gris, le roulement des tambours s'est amplifié et des chants rituels se sont élevés. J'avais la sensation d'être au cœur de la montagne. Cette fois, c'est à moi qu'il s'est directement adressé :

— Et vous avez été notre voix et vous continuerez à l'être. La voix de tous ceux qui sont « morts » et qui aimeraient en avoir une.

Puis il a ajouté avec beaucoup de douceur :

— Et la tâche n'est pas facile, mais vous l'avez choisie vous-même. Et tous ceux dont vous touchez le cœur entendront notre voix et sauront, oui, que nous vivons.

« Et nous qui sommes esprits, qui appartenons au monde des esprits, nous qui sommes lumière, vous appellerons, vous qui êtes esprit, mais du monde terrestre, vous qui êtes lumière. Et une fois de plus, nous serons réunis.

« Et nous sommes esprits. Et nous sommes

fiers. Tous ceux qui se sont levés de cette montagne.

« Et je m'appelle Aigle Gris et je suis un Apache. Et je suis esprit... et je suis fier... Esprit Fier. »

Nous sommes redescendues de la montagne. Joni gardait le silence. J'allais arriver en bas lorsque je l'ai entendue m'appeler. J'ai levé les yeux haut, très haut vers le ciel. Joni m'a saisie par le bras et m'a demandé :

— Vous le voyez ? Vous pouvez le voir ?

J'ai éclaté d'un rire intarissable et, en compagnie de mon amie, j'ai observé le ciel. Il avait surgi de derrière la montagne et planait très haut. Puis il a commencé à descendre, jusqu'à venir tracer des cercles au-dessus de nos têtes, avant de reprendre son envol vers le sommet de la montagne et de disparaître de l'autre côté. Sa beauté était accentuée par l'immense envergure de ses ailes aux pointes dorées qui reflétaient les rayons du soleil. Et il est revenu, à plusieurs reprises, il a volé au-dessus de nos têtes avant de remonter dans le ciel... l'aigle.

## Le voyage continue

Lors de ma visite suivante dans la montagne, j'étais accompagnée de mon amie et éditrice Joann Davis. Nous étions à Phœnix pour la promotion d'*Une longue échelle vers le ciel* qui venait d'entrer – ce qui me remplissait d'enthousiasme – dans la liste des best-sellers du *New York Times*.

Nous nous sommes octroyé une matinée de liberté, nous avons loué une Jeep avec chauffeur. Il s'appelait Lenny, c'était un cow-boy. En nous conduisant à la montagne, ce type formidable nous a raconté qu'il avait épousé une femme merveilleuse, une Indienne.

Tandis que nous étions assises sur le rocher, ce même rocher où j'avais passé un long moment avec Joni, Aigle Gris s'est de nouveau adressé à nous, puis à moi en particulier. Il nous a dit qu'il ne s'agissait que du commencement. Et il a ajouté :

— À présent, écoutez, écoutez le roulement des tambours. Prêtez attention à nos voix qui s'interpellent, car nous célébrons, nous nous levons puisque notre moment est venu, le moment où la voix du monde des esprits sera vraiment entendue. Ce moment est arrivé.

Je les entendais déjà. De nouveau, je les ai vus sur la montagne et de nouveau, j'ai entendu le roulement de leurs tambours. Je me suis aperçue que Joann les entendait aussi. Puis elle m'a demandé d'une voix incrédule :

— J'entends un bruit. On dirait des bâtons, un bruit de bâtons qui se frottent les uns contre les autres. Un claquement. Et des tambours. Et des appels. Vous les entendez aussi ?

Je lui ai pris la main et j'ai fait oui de la tête, tout en sachant que, comme cela s'était passé avec Joni, je voyais et entendais davantage de choses qu'elle. Mais j'éprouvais un grand bonheur que mon amie puisse bénéficier de cette expérience. Et cette fois encore, j'ai laissé éclater ma joie lorsque l'aigle est apparu par-dessus la cime de la montagne.

Parmi vous, certains n'y croient peut-être pas. Mais ceux qui connaissent les coutumes des Indiens d'Amérique, la puissance de l'aigle, vont reconnaître et accepter ma vérité, mon histoire, qui approche à présent de son terme.

Ce n'est pas par hasard si je rédige ces lignes à Phœnix, où je suis arrivée il y a quelques jours, afin d'y ouvrir mon premier atelier de guérison en Amérique. Il m'apparaît parfaitement normal que l'histoire de cette montagne soit écrite ici. Je ne l'avais pas du tout prévu, mais Aigle Gris l'a peut-être fait à ma place.

Hier... mais une minute ! J'avance trop vite, car il me faut d'abord vous raconter qu'il y a seulement deux mois, j'étais aussi ici. Cette fois, c'était pour donner une conférence. J'étais accompagnée de Samantha et de mon amour. Bien évidemment, nous nous sommes rendus à la montagne. Mais il n'y a eu ni tambours ni psalmodies. Ils n'ont rien entendu. Le contexte était autre ; je les avais amenés là, tous les deux, dans l'espoir qu'ils pourraient trouver la guérison de maux dont ils souffraient. Nous nous sommes placés tous les trois face à la montagne, j'ai posé les mains sur eux, et les yeux dirigés vers mon guide, vers le Christ, le cœur tendu de toutes mes forces vers Dieu, j'ai demandé que ces deux êtres qui me sont les plus chers au monde puissent recevoir le cadeau de la guérison.

Ni l'un ni l'autre n'était au courant, et je ne le leur ai pas encore dit. Ils ne l'apprendront qu'en lisant cette page.

Samantha, à la suite d'une rupture sentimentale, éprouvait un grand chagrin. Comme toutes les mères, je ne souhaitais que la voir aller mieux. Je connais sa force, puisqu'elle est la fille de sa mère, et je sais par conséquent que cela va arriver.

Mon amour... mon amour... Par où devrais-je commencer ?

## La femme

C'était à Noël. Elle était dans le Vermont. L'un des endroits les plus magnifiques du monde en cette période de l'année. Tout était recouvert d'un blanc manteau, il neigeait et, en regardant par la fenêtre par ce matin de fête, elle avait l'impression de se trouver dans une espèce de pays des merveilles hivernal. Un pays de « ils vécurent heureux jusqu'à la fin de leurs jours », où jouaient et dansaient des petits enfants aux joues rosies par le froid, un pays de lutins et de fées. Le pays du père Noël, un pays... magique.

Sa présence en ce lieu lui suffisait. C'était son cadeau de Noël. Elle s'y trouvait en compagnie de ses amis, de sa fille, et tout allait bien.

Le moment n'était pas à la rumination du passé, et elle s'en gardait bien. L'aurait-elle fait que seraient remontées à sa mémoire son enfance, ses peines et sa tristesse. Elle se serait sans doute

souvenue de la confusion de ses années d'adolescence, puis de son mariage qui s'était tout
aussi mal terminé qu'il avait commencé. Non, le
moment n'était pas propice à ce genre de rumination. Tout cela était dépassé, appartenait au
passé, car elle avait surmonté les malheurs de la
vie et trouvé la paix. Son travail était une réussite,
ses activités florissantes, et surtout, elle se sentait
comblée.

— Oh, mon Dieu, a-t-elle murmuré en admi-
rant les arbres ployant sous la neige, le sol recouvert d'un épais tapis d'un blanc immaculé, à la
recherche d'un signe de vie, d'empreintes peut-
être. Oh, mon Dieu, je vous remercie pour cette
année, pour la paix que vous m'avez aidée à trouver, et pour cette journée, Votre journée.

La joie au cœur, elle est descendue prendre son
petit déjeuner.

Comme nous sommes innocents! Comme elle
était innocente, si loin de se douter que, quelques
heures plus tard, sa vie prendrait un virage et
changerait à jamais.

Elle ne cherchait pas l'amour. En fait, si quelqu'un lui avait dit qu'elle était sur le point de
le trouver, elle se serait armée contre lui. Elle
n'était sortie avec personne depuis quatre ans.
Non pas parce que les occasions ne s'étaient
pas présentées. Bien au contraire. Elle avait eu
beaucoup de propositions, mais les avait toutes
refusées. Les relations amoureuses étaient trop
compliquées, elle n'avait pas de temps à leur
consacrer et aucune envie de le prendre. Elle

était heureuse, vraiment heureuse, telle qu'elle était.

La journée avait été magnifique. Elle et sa fille avaient passé des moments formidables en compagnie de leurs amis. À présent, ils étaient tous réunis chez les Ferguson, qui les avaient invitées, des semaines plus tôt, à ce dîner de Noël.

C'est au moment où on servait le dessert qu'il est arrivé. Les convives l'ont su par la chienne, Maggie. Elle est devenue tout excitée dès qu'elle l'a vu : elle s'est couchée sur le dos, les pattes en l'air, en poussant des gémissements de joie, proches de l'extase.

La femme, qui tournait à moitié le dos à cette scène, s'est un peu retournée, amusée par les facéties du chien, mais sans porter d'intérêt particulier à l'homme qui venait d'entrer.

On les a présentés. Il a pris place à l'extrémité de la table, non loin d'elle, à côté de leur hôtesse, qui, comme le chien, semblait lui vouer une véritable adoration.

« Il traverse une période vraiment difficile, un divorce terrible, mais c'est un type merveilleux », a chuchoté l'hôtesse à la femme, environ dix minutes plus tard. Mais la femme, que cela n'intéressait pas, n'a répondu que par un hochement de tête. Comme elle avait envie d'échapper aux commérages, elle est allée s'installer près de la cheminée.

Après cette belle journée, elle était déjà prête à partir. Elle se sentait néanmoins d'humeur un peu coquette, mais sans savoir pourquoi.

Quelque chose l'avait mise sur les nerfs, et elle voulait s'en aller.

Il s'est adressé à elle directement pour la première fois lorsqu'elle s'est rassise à la table, en plongeant les yeux droit dans les siens. Un bref instant, leurs regards se sont soutenus, puis elle a détourné le sien. Elle n'était ni gênée ni intimidée, juste un peu bouleversée par l'intensité de cet instant. Une heure plus tard, lorsqu'elle a pris congé pour de bon, elle n'a pas été étonnée qu'il soit le dernier à lui serrer la main et qu'il exprime le désir de la revoir.

Elle n'a plus pensé à lui jusqu'au lendemain après-midi, lorsqu'il l'a appelée pour l'inviter à dîner. Sans réfléchir, elle a tout de suite accepté.

Leur premier rendez-vous a eu lieu le 27 décembre et, les jours suivants, avant qu'elle ne regagne New York, ils se sont beaucoup vus. Il était tout à fait inconcevable qu'ils dépassent le stade de la simple amitié. Ils vivaient dans deux univers sans le moindre rapport. Il était courtier en bourse et résidait dans le Vermont. Elle était, en définitive, une voyageuse, puisqu'au cours des dix-huit mois précédents elle n'était jamais restée plus de quelques semaines dans un même pays. Par conséquent, ils savaient tous les deux qu'il leur était impossible d'avoir une aventure. Et pourtant, lorsqu'ils se tenaient la main, il était évident qu'un courant particulier passait entre eux, chargé de tendresse, de tranquillité, d'un sentiment d'inévitable.

C'est au cours de ces premiers jours que la femme a découvert, par l'intermédiaire des

Ferguson, que Jim était alcoolique. Quand ils ont redoublé de compliments à son sujet et vanté sa bonté et sa gentillesse, elle n'a perçu que sa douleur, que sa sensibilité, et elle s'est sentie désolée pour lui.

Deux jours plus tard, alors qu'ils étaient assis au sommet de la piste de ski qu'il aimait emprunter et qu'il avait désiré lui montrer, elle a pris sa main et lui a dit, avec douceur mais fermeté, qu'aucune femme honnête ne souhaiterait avoir une relation avec un ivrogne, un homme se promenant une bouteille à la main.

Elle connaissait la souffrance. Sa vie en avait été remplie et, à présent, elle la soignait. Mais la souffrance qu'elle a lue sur son visage alors qu'elle lui faisait cet aveu, ne lui a pas facilité les choses.

Trois jours encore se sont écoulés durant lesquels ils ont passé de nombreuses heures ensemble, et de petites graines ont pris racine, des petites graines d'amour.

Ils sont tombés d'accord pour maintenir leur relation sur le plan amical, car ni l'un ni l'autre ne parvenait à concevoir que quelque chose de plus était possible. Mais ils se téléphonaient de plus en plus souvent. Très vite, ils se sont appelés tous les deux jours et leur idylle s'est épanouie.

Il lui a appris qu'il avait abandonné la boisson, qu'il réorganisait sa vie.

Elle ne demandait qu'à le croire, malgré ses doutes, et elle s'est contentée de placer sa confiance en Dieu en repensant à ce qu'il lui avait dit plusieurs semaines auparavant dans le Vermont, la veille du Nouvel An :

— Je suis sûr que vous m'avez été envoyée par Dieu.

Elle avait su qu'il disait vrai et songé : « Et moi, je pense aussi que vous m'avez été envoyé par Dieu. »

Lorsqu'il lui a demandé de venir passer quelques jours chez lui dans le Vermont, où elle pourrait se détendre et se remettre de toutes ces semaines de voyage qui l'avaient épuisée, elle a accepté d'y rester tout le mois de février, sachant qu'il s'agirait de la mise à l'épreuve de leur relation.

L'heure approchant, malgré toutes leurs longues conversations téléphoniques, ils se sont mis tous les deux à nourrir des doutes.

« Et si elle ne me plaît plus ? s'est-il demandé, incapable de se souvenir exactement de son physique. Et si elle est grosse ? »

« Et s'il ne me plaît pas ? a-t-elle songé. Et s'il continue à boire ? Et si, et si, et si... ? »

Lorsque sa voiture est arrivée, il l'attendait à l'extérieur. C'est elle qui l'a aperçu en premier. Il lui a raconté par la suite que, lorsqu'il avait entrevu son visage à travers la vitre, au moment où la voiture s'arrêtait, il avait compris, avec certitude, qu'il l'aimait. Dans ses bras, elle a réalisé qu'elle avait bien fait de venir, qu'elle l'aimait, même si elle n'était pas encore véritablement « amoureuse » de lui.

Ce mois a été idyllique, la plus belle période de

sa vie, sans doute, hormis celle de la naissance de sa fille. Il lui offrait des roses roses. Chaque semaine, il lui en faisait cadeau de trois qu'il disposait près du lit, puis son regard allait et venait des fleurs à elle.

— Je n'arrive pas à me décider, lui a-t-il avoué un matin. Je ne sais pas ce qui est le plus beau, les roses ou toi. (Il s'est penché pour déposer un baiser délicat sur ses lèvres.) Je crois bien que c'est toi.

D'un geste tendre, elle lui a caressé le visage, les cheveux et, en se blottissant dans ses bras, a songé de son côté à quel point il était beau.

À de nombreuses reprises au cours de ce mois, elle s'est réveillée au milieu de la nuit et, en ouvrant les yeux, s'est aperçue qu'il l'observait avec émerveillement et amour. Elle lui caressait alors tendrement la joue, les lèvres, avant de se rendormir.

Un jour, il a aussi rapporté des bougies et, après les avoir placées sur la table de chevet à côté des roses, il lui a dit :

— Je veux que nous allumions une bougie avant de nous endormir. Comme cela, grâce à sa lueur, je verrai mieux ton visage quand je me réveillerai.

Les journées se sont écoulées lentement. Ils ont profité de la neige, elle a cuisiné pour lui, il l'a emmenée dîner aux chandelles et, allongés dans le noir, ils ont discuté durant des heures interminables, nuit après nuit. Elle a alors lentement commencé à tomber amoureuse de lui. « Dis-moi que tu es amoureuse, dis-moi juste que tu es

358

amoureuse de moi », la priait-il, car lui l'était déjà et en avait parfaitement conscience.

Il aimait bien la taquiner et ils en ont ri ensemble. Elle a fait non de la tête, pas encore prête à lui faire cette déclaration tout en sachant qu'il ne s'agissait que d'une question de temps.

Le temps s'est mis à filer et le terme de ces vacances est arrivé. Elle devait rentrer en Angleterre, reprendre son travail.

Il l'a étreinte tendrement et, dans le baiser qu'il lui a donné, a goûté le sel de ses larmes sur ses joues.

— Je t'aime, je suis amoureux de toi, a-t-il chuchoté avec violence.

— Je t'aime aussi, a-t-elle répondu, et il l'a serrée de toutes ses forces contre lui.

Un peu plus tard, à bord de l'avion qui filait dans le ciel, elle s'est demandé si le paradis ressemblait à cela. Ce n'était pas aux nuages qu'elle pensait, ni même au soleil couchant, mais à ses bras, aux bras de Jim, et au mois qu'elle venait de passer près de lui.

Et il ne s'était enivré que trois fois.

Cette fois, son absence n'allait durer qu'un mois. Pendant tout le mois de mars, ils ont parlé tous les jours au téléphone de leurs vies, de leurs souhaits, de leurs besoins, de leurs espoirs, de temps à autre de la dépendance de Jim à l'alcool. Il l'assurait qu'il s'y était attelé, qu'il se rendait à des réunions des Alcooliques Anonymes, qu'il se faisait aider. Elle, sans le croire tout à fait, mais croyant à leur amour, se souvenait de ses

paroles : « ... vous m'avez été envoyée par Dieu. »
Forte de cette vérité et de son immense foi, elle a
continué à espérer et à prier.

Fin mars, la femme est retournée aux États-
Unis. Ses déplacements à travers tout le pays ne
l'ont cependant pas empêchée de passer beaucoup de temps avec Jim dans le Vermont.

Comme leur amour avait encore grandi, elle a
fini par prononcer les paroles qu'il attendait : « Je
suis amoureuse de toi. »

Il l'a embrassée, l'a étreinte tendrement et lui
a murmuré :

— Je le sais, et je suis amoureux de toi.

S'il continuait à boire, elle ne s'est aperçue
de rien, pas davantage que les amis de Jim ni
les personnes qui, depuis des années, le considéraient uniquement comme un « alcoolique ». Ils
ne voyaient que deux êtres particulièrement
épris. Et c'était bien le cas.

Avec la fin du mois d'avril, l'hiver a pris congé.
La neige avait fondu, les bourgeons, les oiseaux,
les insectes annonçaient tous le printemps et le
mois de mai. Mai était son mois préféré, celui
de sa naissance. Elle s'est souvenue avec bonheur
de ce que Jim lui avait dit, le jour où il lui avait
demandé sa date d'anniversaire :

— Non, non, ne me dis rien, laisse-moi devi-
ner. Je pense, je pense, avait-il songé tout haut,
que tu es née en mai, parce que c'est le plus beau
mois de l'année. Tu ne peux pas être née à une
autre époque.

Il l'avait affirmé en toute simplicité, avec
amour, comme si cela était une évidence.

360

La veille de son anniversaire est arrivée. Des amis avaient fait le déplacement de New York, quatre heures de route, et ils s'étaient tous donné rendez-vous à vingt heures pour dîner. La fille de la femme était venue de Grande-Bretagne, et la sœur et le beau-frère de Jim s'étaient également joints à eux.

Ils se sont préparés à l'avance. Elle était enchantée de voir ses amis, contente de faire la connaissance de membres de la famille de Jim, et elle ne s'est aperçue de rien, jusqu'au moment où ils allaient partir pour le restaurant. Pourquoi gardait-il les yeux fermés? Pourquoi semblait-il un peu tanguer?

— Jim! s'est-elle écriée, par crainte qu'il ne soit souffrant. Jim, mon chéri, qu'est-ce qui se passe? Tu as une mine épouvantable.

Il a ouvert les yeux, mais pas complètement, et elle a reçu la vérité comme un coup de poing dans l'estomac : il était tout bonnement ivre. Tellement aviné qu'il arrivait tout juste à tenir debout.

Pourquoi ne l'avait-elle pas remarqué? Comment ne l'avait-elle vu plus tôt?

La sœur de Jim, s'inquiétant tout autant qu'elle pour sa santé, l'a enlacé par les épaules.

— Jimmy, Jimmy, qu'est-ce que tu as, mon chéri? Dis-nous ce qui ne va pas.

Comment ne le voit-elle pas? Comment ne le sait-elle pas? Ces pensées ont traversé l'esprit de la femme. Le spectacle de son amour lui donnait la nausée.

Ils ne sont pas allés à ce dîner; elle a inventé quelque prétexte à leur annulation.

Une grande partie de la nuit, elle a pleuré dans leur lit. Lui, sans se rendre compte de sa souffrance, restait allongé près d'elle dans un état de complète hébétude.

Le jour a fini par se lever. 19 mai. Son anniversaire. Elle s'est réveillée, les yeux tellement gonflés par les larmes qu'elle a eu du mal à les ouvrir. Il s'est réveillé à son tour, a remué et s'est glissé hors du lit, la croyant encore endormie. Il a fait sa toilette, s'est habillé et s'est rendu à une réunion des Alcooliques Anonymes, plein de honte et de culpabilité.

Lorsqu'il est rentré, elle était en train de préparer des œufs pour le petit déjeuner. Il était tôt, mais il y avait beaucoup de choses à faire, car ils avaient invité plus de trente personnes pour fêter son anniversaire et elle ne pouvait pas les laisser tomber.

Elle n'a jamais su comment elle avait pu tenir jusqu'au bout de la journée. Il ne lui avait même pas souhaité un bon anniversaire, mais comment l'aurait-il fait? Les mots l'auraient étouffé, car il devait savoir que le cœur de cette femme se brisait. Comment pouvait-il en être autrement?

Il lui a juré que cela ne se reproduirait plus, qu'il se ferait aider. Il avait conscience d'en avoir besoin et, pendant un certain temps, il s'est rendu aux réunions.

De son côté, elle a entamé des lectures, appris des choses à propos de ce problème qui est une maladie. Elle a également essayé de lui en parler, mais à chaque tentative, il était de plus en plus sur la défensive. Pour finir, plus il buvait, plus il devenait agressif, mesquin et méchant.

Il éprouvait de moins en moins souvent de remords, ce sentiment étant remplacé par une colère qu'il dirigeait de plus en plus souvent contre elle. Il s'est mis à la critiquer, souvent devant des tiers, et à piquer des crises à propos de rien.

Lorsqu'elle était en voyage, elle l'appelait de sa chambre d'hôtel le matin, quand elle savait qu'il était sobre. Le soir, lorsqu'elle se retrouvait seule, ne lui restaient que ses yeux pour pleurer.

Tout n'était pas épouvantable. Entre ces crises, les jours où il n'était ni saoul, ni furieux, ni frustré, les bons jours, qui devenaient de plus en plus rares, il se montrait tendre et aimant. Ils riaient ensemble, partageaient des moments agréables et s'aimaient, mais c'était de plus en plus rare, et chaque fois qu'elle l'étreignait, elle craignait qu'il ne sente l'alcool. Et chaque fois qu'il buvait un verre, il évitait ses bras, évitait son amour. Chaque fois qu'il buvait un verre, chaque fois qu'elle le voyait ivre, elle avait conscience de sa souffrance et savait que lui, de son côté, connaissait la sienne et ferait tout pour mentir et tricher, nier, pour ne pas voir sa souffrance à elle, pour ne pas l'affronter.

Combien de temps allait-elle pouvoir le supporter ? Combien de temps allait-il s'écouler avant qu'elle ne déclare : « Ça suffit ! » Qu'attendait-elle ? Un miracle, un miracle improbable qui remettrait les choses en ordre ? Elle l'ignorait, et pour la première fois depuis longtemps, elle a eu l'impression d'avoir été abandonnée. Car, quelle que soit la manière dont elle s'y prenait et quelles que soient ses tentatives, aucune réponse ne semblait devoir être apportée à ses suppliques.

Elle savait qu'elle ne devait pas l'encourager, ni lui permettre de l'utiliser, d'abuser d'elle. Si elle restait, elle allait le faire. Elle est donc partie, mais au bout de seulement trois jours, sentant qu'il avait besoin d'elle, elle est revenue.

Résultat, il sortait de plus en plus souvent de ses gonds. Il s'est mis à hurler et à piquer des crises de rage. Et à boire, et à boire...

Il en arrivait à présent rarement au stade de l'ébriété, car, dans le cadre de sa dépendance, il était passé maître dans l'art de la dissimulation. Il s'imaginait la tromper, il savait que ce n'était pas le cas, mais il essayait quand même. Un véritable alcoolique.

La fin septembre est arrivée. Neuf mois depuis le début de leur relation, une vie entière.

Elle l'aimait, elle était amoureuse de lui et lui, si incroyable que cela puisse paraître, l'aimait aussi. Il était sincèrement, profondément amoureux d'elle. Elle n'en avait aucun doute.

Le sachant, elle a interpellé Dieu, convaincue que c'était Lui qui le lui avait amené, cet homme qu'elle aimait. Elle a entendu une voix, une voix qu'elle connaissait bien et à laquelle elle faisait confiance depuis des années. Cette voix lui est parvenue doucement, comme portée par le vent : « Ayez confiance, ma petite, ayez confiance. »

Une fois de plus, elle a interpellé Dieu, non

pour lui demander un remède, non pour lui demander un miracle, mais pour lui poser la question suivante : « Est-ce que je peux tirer une leçon de cette expérience ? Comment peut-elle me faire grandir ? Quelle force puis-je y puiser ? »

Un autre déplacement, davantage de travail, un autre voyage qui l'a ramenée cette fois en Arizona. Ce départ lui a procuré un immense soulagement. S'éloigner des mensonges, des incertitudes inévitables lorsque l'on partage la vie d'un alcoolique. Mais partir l'a fait également beaucoup souffrir, car cette femme savait qu'en son absence son amour serait très malheureux.

Elle l'a appelé dès son arrivée, mais il était environ vingt et une heures dans le Vermont et il était ivre, même s'il a fait des efforts pour apparaître sobre, si bien qu'elle ne lui a pas téléphoné pendant plusieurs jours. Lorsqu'il a fini par l'appeler, il a de nouveau fait semblant. Ils ont eu une conversation, mais ni l'un ni l'autre n'écoutait ni n'entendait vraiment le cœur de l'autre.

Ce n'est pas par hasard si j'ai entamé la rédaction de ce chapitre à Phœnix. Je ne l'avais pas prévu, mais Aigle Gris l'avait peut-être fait pour moi.

Hier... Je vais à présent vous parler d'hier. Hier, je me suis de nouveau rendue à la montagne, pour tenter d'y trouver l'espoir. Mon amie, Joann, et ma fille, Samantha, l'ont escaladée derrière moi jusqu'à mon rocher. Nous sommes restées assises tranquillement un certain temps, nous avons admiré le lever du soleil dont les rayons venaient s'infiltrer au fond des crevasses rocheuses, dans des endroits invisibles. Puis je leur ai demandé de bien vouloir me laisser seule un petit moment.

Je n'ai pas bougé, Aigle Gris à mes côtés. J'ai regardé dans sa direction, dans celle du Christ, celle de Dieu. Des pensées à propos de Jim se bousculaient dans ma tête, à propos de moi, la « fillette », cette « elle » sur laquelle j'ai écrit et cette « femme » adulte, qui se bat pour grandir davantage... et je me suis regardée moi-même.

Je n'ai obtenu aucune réponse. Je ne m'attendais pas véritablement à en recevoir une, mais j'ai bien écouté et, en me regardant moi-même, j'ai entendu les battements du cœur de mon âme, j'ai vu mon cœur brisé, et avec une netteté encore plus grande qu'auparavant, j'ai vu mon amour, Jim. Il était plus âgé, courbé et très fragile, et cette vision m'a ouvert l'esprit sur la véritable pitié, une émotion que je pensais connaître, avoir expérimentée, mais sans la même profondeur, sans ressentir la même chose. Ce sentiment m'était inspiré par la pensée qu'il ne pouvait ni ne voulait se voir lui-même. J'ai vu l'homme qu'il est vraiment, fort, plein de vie, bon, merveilleux. J'ai trouvé dommage qu'en raison d'une si piètre estime de soi, un tel manque de confiance en sa propre valeur, il n'eût pour seul objectif dans la vie que de ne pas s'effondrer, de maîtriser son monde, de garder le contrôle. Ce besoin de maîtrise allait complètement à l'encontre du fait que sa vie est entièrement contrôlée par l'alcool.

Va-t-il la mépriser d'avoir pitié de lui, refuser de voir l'amour qu'elle lui porte ? Va-t-il se mépriser encore davantage ? Cela suffira-t-il à le faire changer ou va-t-il tourner le dos à la vérité, fermer les yeux sur leur souffrance, et les détruire tous les deux ?

À son retour de Phœnix, il l'a étreinte de toutes ses forces. Elle lui avait terriblement manqué.

Ils ont parlé. Jim lui a confié que, pendant son absence, il avait beaucoup réfléchi.

— J'ai été stupide, lui a-t-il dit. J'ai compris que tu étais unique, à quel point tu comptes pour moi, et je veux faire en sorte que cela marche.

Ils ont continué leur conversation. Il était redevenu l'homme dont elle était tombée amoureuse. Plusieurs jours ont passé. Des jours heureux, même si, quelque part dans sa tête, la femme restait prudente, essayait de se protéger d'une éventuelle déception.

C'est là qu'elle lui a raconté sa bataille pour terminer son livre et, avec sa sensibilité, il a immédiatement compris son problème.

— Tu as besoin d'être honnête avec tes lecteurs, lui a-t-il déclaré.

Elle a acquiescé et lui a dit qu'elle avait besoin de partager une partie d'elle-même, une partie de sa vie, de son cœur, et que ses lecteurs en avaient également besoin.

— As-tu confiance en notre relation ? lui a-t-il demandé gentiment.

La femme l'a contemplé un certain temps et, consciente qu'elle était contrainte de dire elle aussi la vérité, lui a répondu :

— Non.

Comme s'il n'avait pas entendu, Jim a poursuivi :

— Tu as confiance dans le fait que je t'aime ?

De tout son cœur, de tout l'amour qu'elle portait dans son cœur, elle lui a répondu oui.

Il a pris ses mains dans les siennes, et les yeux dans les yeux, lui a déclaré d'un ton aimant :

— Tu dois écrire la vérité et, quoi que tu écrives, quoi que tu puisses dire sur moi, et je sais que ça peut être négatif, de toute façon, nous nous en arrangerons. Je sais que tu vas parler de mon alcoolisme, a-t-il ensuite ajouté. Je n'ai rien contre. C'est la vérité. Et je t'estimerais moins si tu n'écrivais pas la vérité.

— Est-ce que tu te rends compte que ça peut être désagréable, que le monde entier va savoir que tu es alcoolique ? lui a-t-elle demandé.

Jim a hoché la tête.

— Ça ne me dérange pas, parce que nous nous aimons, parce que notre amour est tout à fait particulier et parce que nous nous en arrangerons.

« Si seulement cela pouvait être vrai, si seulement les choses pouvaient se passer ainsi », a-t-elle songé.

Avait-elle tort de lui faire confiance ?

Deux jours ont passé. Ils devaient dîner dehors et elle était prête lorsque Jim est rentré à la maison. À peine a-t-il franchi la porte que cela a commencé. De plus, par sa faute à elle. Mais qu'est-ce qui lui a pris ? Il ne faut jamais se disputer avec un homme qui a bu un verre de trop.

— La prochaine fois que tu seras en retard, l'a-t-elle gentiment grondé, ça t'embêterait de m'appeler pour me prévenir ?

Il a eu une réaction stupéfiante. Il s'est emporté et a tempêté, il l'a traitée d'enquiquineuse et pire encore. Son visage devenait de plus en plus écarlate. Il a continué à exploser, jusqu'au moment où il a dévalé l'escalier en trombe pour se précipiter dans la cuisine. La femme, tremblante et bouleversée, est restée dans la salle de bains, à se contempler dans le miroir. Elle était impeccable. Maquillage parfait. Coiffée exactement comme il aimait, portant la veste qu'il préférait. Une image idéale. Celle du succès, de l'équilibre, de la maîtrise. Tout ce qu'elle se vantait d'avoir atteint. Qui pouvait distinguer les cicatrices, qui pouvait voir la souffrance... et de toute façon, qui la regardait ? Pas Jim.

Elle a pris le volant pour aller au restaurant car elle ne voulait pas qu'il conduise et, pendant le trajet, elle a vécu un véritable cauchemar. Il n'a pas arrêté de proférer des jurons et de se montrer mesquin, plus mesquin à son égard qu'il ne l'avait jamais été.

La femme l'a laissé au restaurant. Ses amis se chargeraient bien de le reconduire. Pendant deux jours, il l'a ignorée ; lorsqu'elle essayait de lui adresser la parole, il lui tournait le dos. Il était tellement centré sur lui-même, tellement satisfait de lui, tellement décidé à faire des reproches aux autres, qu'il n'a pas vu ses besoins à elle ; il n'a pas vu qu'elle était malade, il n'a rien vu en dehors de sa propre infortune.

Elle s'est absentée une semaine. À son retour, il a commencé par lui dire :

— Tu es partie sans un mot. Ce n'était pas gentil de ta part. Et où étais-tu ? Où es-tu allée ?

Ils ont parlé et, une fois de plus, il a battu sa coulpe.

— Si je bois un autre verre, je me tire une balle dans la tête, a-t-il déclaré.

Elle l'a observé. Désormais, la compassion et l'amour n'obscurcissaient plus ses pensées, mais ses sentiments à son égard étaient plus forts que jamais. Puis, d'un geste calme et doux, elle a posé une main sur son bras et lui a déclaré qu'elle ne tolérerait plus ce genre d'existence.

— Je t'aime, a-t-elle chuchoté, et je t'épouserais demain si tu me le demandais, mais... je ne resterai avec toi que si tu arrêtes de boire.

Pendant plus d'une semaine, tout s'est bien passé, puis les signes de mauvais augure ont recommencé. Elle se penchait pour l'embrasser, mais il gardait la bouche scellée et lui tendait la joue. En rentrant à la maison, au lieu de la serrer contre lui, il déposait un baiser sur son front. Il fumait des cigares, s'imaginant peut-être que leur odeur allait dissimuler celle de l'alcool. Mais il se trompait, bien évidemment.

« Peut-être que je me trompe », a-t-elle songé, tout en sachant fort bien qu'il n'en était rien. Et lorsqu'elle a fini par lui en parler, il a bien évidemment nié de toutes ses forces.

370

Elle ne s'était pas attendue à des miracles et ne lui en voudrait pas de rechuter, du moment qu'il faisait des efforts. Mais comment pouvait-elle le savoir, s'il refusait de lui parler ? Il ne lui restait plus qu'à l'aimer.

*Quel chagrin, quelle souffrance*
*Quelle humiliation, à vif et saignante*
*Toutes ces leçons, destinées à nous enseigner*
*Toutes ces épreuves, destinées à nous forger*

Et la douleur ? Pas uniquement la sienne, mais celle de Jim, aussi.

Ce livre arrive à présent à son terme. Je feuillette les pages que je viens d'écrire, et ces deux paragraphes me sautent aux yeux :

Cette voix lui parvenait doucement, comme portée par le vent : « Ayez confiance, ma petite, ayez confiance. »

Une fois de plus, elle a interpellé Dieu, non pour lui demander un remède, non pour lui demander un miracle, mais pour lui poser la question suivante : « Est-ce que je peux tirer une leçon de cette expérience ? Comment peut-elle me faire grandir ? Quelle force puis-je y puiser ? »

Je marque une pause, le temps de réfléchir, de revenir en arrière, et je reprends mon manuscrit. Qu'est-ce que je cherche ? Quel est l'objectif vers lequel je tends ? Je cherche l'énergie, je cherche le courage et je cherche, désespérément, l'inspiration.

Je tombe sur le chapitre « Viol ».

La dernière danse est arrivée... Richard m'a tendu les bras. Je ne pouvais pas refuser... J'ai senti ses bras se refermer encore, ses lèvres dans mes cheveux... et des images me sont passées par la tête comme un éclair. J'ai entendu la voix de mon ex-mari... J'ai entendu ses paroles, vu son visage ricaneur : « Je ne vois rien, absolument *rien* de séduisant chez toi. »

Une autre image. J'avais presque quinze ans... J'avais apporté une tasse de thé à ma mère... elle a tendu la main à une vitesse inouïe pour saisir mon tee-shirt. Elle a tiré dessus pour le soulever et a contemplé ma poitrine encore plate... Je me suis enfuie, brûlant de honte et d'humiliation.

Une autre image. À présent, je suis petite... Je me vois debout, minuscule, la tête baissée, j'entends la voix de mon père :

— Lève les mains pour que je puisse sentir tes doigts.

Je sais qu'il va sentir quelque chose, je sais qu'il va me battre parce que je suis tellement sale... c'est ça qu'ils me disent... c'est ça qu'ils me disent... ils doivent avoir raison... c'est ça qu'ils me disent.

Je sens ses bras qui m'enlacent, si tendres, si aimants... Ma résolution est prise : on ne me violera plus, plus jamais je ne me laisserai violer passivement.

Je réfléchis à tout cela, puis je me souviens de la question que j'ai posée à Aigle Gris. Cette question qui m'était si personnelle : « Aigle Gris, avez-vous des conseils à donner aux personnes qui se battent pour sortir de la dépendance à l'alcool ou à la drogue ? » Je la retrouve et, en lisant sa réponse, je tombe sur le détail suivant :

« Par conséquent, pour chaque homme ou chaque femme qui porte une bouteille à ses lèvres... il existe un homme qui ne lève pas cette bouteille et qui est tout aussi responsable. »

Je comprends parfaitement ce qu'entend par là Aigle Gris. Je vois, très clairement, que je ne dois pas être quelqu'un qui laisse les choses se faire. Que chaque fois que je prétends être aveugle, que je refuse de me rebeller et d'être prise en compte, je me dédouane, en quelque sorte, de ma responsabilité envers le monde dans lequel je vis, envers l'univers et Dieu, dont je fais partie, envers mes sœurs et frères humains et, enfin, et non des moindres, envers moi-même.

Je poursuis ma lecture : « et lorsque vous découvrirez que ce comportement a des failles et qu'il en résulte confusion et angoisse... destruction... vous vous apercevrez que la racine en est la peur... la peur de rester sans agir... la peur de reconnaître son propre cœur... la peur de reconnaître sa propre âme. La peur, qui empêche tellement d'êtres humains de se regarder dans le miroir. »

Je poursuis ma lecture et en arrive au propos suivant. En même temps, j'entends la voix d'Aigle Gris, claire, ferme et néanmoins douce :

373

« Et je vais vous le dire sincèrement, du fond du cœur, ils n'échoueront que si un désir puissant les habite... enfoui très profond, très très profond en eux... ils n'échoueront que s'ils désirent échouer. »

Ces paroles, leur sens, touchent mon cœur. J'entends une vérité, et me revient à la mémoire la septième vérité : « La vérité, c'est ce qui touche notre cœur et trouve un écho dans le cœur de notre âme, qui est Dieu. »

Je feuillette à présent les dernières pages, et je lis : « J'ai entendu les battements du cœur de mon âme, j'ai vu mon cœur brisé, et avec une netteté encore plus grande qu'auparavant, j'ai vu mon amour, Jim. » Et, un peu avant : « Est-ce que je peux tirer une leçon de cette expérience ? Comment peut-elle me faire grandir ? Quelle force puis-je y puiser ? »

Quelle leçon puis-je tirer de tout cela ? Comment cela peut-il m'aider à grandir ? En moi, la résolution se renforce. Je le sens. Je le sais. Je l'accepte.

La femme, à présent adulte, à présent vraiment forte, ayant appris de nombreuses leçons, voit désormais clairement son chemin : « Je n'accepterai plus jamais d'être violée passivement. »

Elle l'affronte, bille en tête, fermement décidée. C'est leur unique chance.

— Je veux que tu t'engages, déclare-t-elle, complètement, totalement, à chercher de l'aide, à faire appel à un psychologue, à ce qu'on fasse ensemble ce qui doit être fait. Tu dois arrêter de boire.

374

Au début, il résiste. Elle le regarde se cacher derrière ce qu'il imagine être ce mur protecteur.

— C'est mon problème et je m'en occuperai seul, finit-il par répondre.

— On le fera ensemble, on y travaillera ensemble, sinon je te quitte, réplique-t-elle sans faillir dans sa résolution.

— Non, rétorque-t-il, tout aussi fermement.

Ses larmes ne commencent à jaillir que lorsqu'elle pénètre dans leur chambre. Elle ne peut pas le laisser voir qu'elle pleure. Il pourrait en déduire qu'elle est encore assez faible pour qu'il l'emporte sur elle.

Trois semaines passent. Ils en reparlent. Ils s'empoignent de nouveau. Elle pleure encore. Mais sa résolution ne faiblit pas. Il ne reste plus que trois jours avant son départ. Cette fois, elle ne reviendra pas. Cette fois, elle sait ce qu'elle doit faire.

Sa souffrance, sa lutte sont inouïes, mais sa résolution n'en est que renforcée.

— Je dois me respecter, chuchote-t-elle. Je dois vivre selon mes convictions, je dois appliquer tout ce que je crois et enseigne, sinon je ne suis rien, je ne vaux rien à mes propres yeux.

Plus que trois jours. Elle lui a fait clairement comprendre qu'elle ne fera plus un seul pas vers lui s'il n'avance pas vers elle. Et pourtant, malgré tout ce qu'elle sait, elle n'est pas sûre qu'il va le faire.

Mercredi matin. Le sol est recouvert de neige. Elle est encore dans son lit, mais éveillée. Debout devant la fenêtre, il contemple le paysage. Il se tourne à moitié, passe une main dans ses cheveux.

— Je ne sais pas quoi faire, dit-il, tu m'as mis dans une position difficile, et je ne sais pas quoi faire.

Elle le dévisage. Elle l'aime, elle éprouve de la compassion pour sa confusion mentale, mais elle a appris, elle est forte.

— Je ne t'ai mis dans aucune position, réplique-t-elle tranquillement, mais avec fermeté. Le choix te revient. Tout dépend de toi.

La tête baissée, les épaules affaissées, il se tourne complètement vers elle et lui dit, les yeux dans les yeux :

— Dis-moi juste ce que je dois faire et je le ferai.

— Je veux que tu t'engages totalement à résoudre ton problème. Je veux que tu me promettes que nous nous y attaquerons ensemble le plus possible, que nous trouverons quelqu'un pour nous aider. Et je veux que tu saches que je te ferai tenir ta promesse.

Elle imagine un instant qu'il va se remettre à argumenter. Mais il opine de la tête et fait le premier pas.

— D'accord. Je te le promets. Nous le ferons ensemble. Sur ce, il part travailler.

La femme reste couchée. Est-ce qu'elle doit le croire ? Ne s'agit-il que d'une promesse de plus ? Seul le temps le dira. Mais il n'en faudra pas beaucoup. Car elle sait, elle a appris, qu'elle est un être humain d'une trop grande valeur, un esprit trop fier, pour maintenir une relation dans laquelle les promesses ne signifient rien.

En écrivant, j'entends un son qui m'est devenu familier et auquel je dois prêter attention. Ce son s'amplifie, il vient du tréfonds de mon être où se situe toute connaissance... et je me fige, tout en continuant à écrire, j'écoute le battement du cœur de mon âme. Son rythme est puissant, il ne cesse de s'accentuer, il me rappelle que je suis une âme. Que chaque être vivant, chaque créature ici-bas est lumière, appartient à la lumière.

Et je regarde mon esprit, la lumière de mon âme, et le battement de cœur de mon âme devient plus audible, il me rappelle que je suis, simplement, joyeusement à présent et à jamais, une âme.

Tout ce qui compte désormais, c'est que dans cette vérité, cette lumière, je deviens plus lumineuse, plus vraie.

La voix d'Aigle Gris me parvient encore, douce, bonne, comme portée par le vent : « Et nous sommes esprit. Et nous sommes fiers. Tous ceux ici qui sont sortis de la montagne. »

« Et je m'appelle Aigle Gris. Et je suis un Apache. Et je suis esprit... et je suis fier... Esprit Fier. »

Le battement du cœur de mon âme devient plus fort encore, son bruit emplit mes oreilles. Je m'entends appeler, des mots sortent du tréfonds de moi-même, de mon cœur ; des mots qui, bien que très sonores dans ma tête, sortent comme un murmure, car à présent, je sais que j'ai appris.

Et je sais comment je peux grandir. Et je sais combien je peux devenir forte.

Je prononce ces paroles très haut mentalement, d'une voix sûre, mais je les murmure avec émerveillement... la main d'Aigle Gris posée sur mon épaule.

« Et je m'appelle Rosemary. Et je suis une âme, et fière de l'être. Et je suis esprit, bien qu'humaine, avec des défauts et des failles humains. Bien que j'échoue souvent, je fais cependant des efforts, et je suis esprit, et fière de l'être. J'ai une nature divine, j'appartiens à la lumière, à l'univers, qui est également divin et oui, malgré les larmes qui emplissent mes yeux, je vois quand même ma lumicre et je suis fière, fière d'appartenir à Dieu. Avec une grande humilité, pleine de compassion, pleine d'amour, et avec la grâce de Dieu, je regarde mon âme... j'entends le battement de son cœur. Je regarde mon esprit. Je vois la combattante qu'il contient, une combattante douce et aimante et, comme Aigle Gris, le regard dirigé vers le soleil, je reconnais que je suis fière aussi... Esprit Fier. »

# Épilogue

Notre attitude est tout. Absolument tout. Elle nous dit qui nous sommes vraiment. Elle dicte nos aujourd'hui et nos lendemains. Elle établit la différence dans nos vies. Et ce n'est qu'en regardant en arrière, en examinant tous nos hier, dans un esprit d'honnêteté absolue, en étudiant nos actes, leurs motifs et leurs issues, que nous pouvons vraiment dire ce qu'a été notre attitude et vraiment comprendre si nous devons la modifier.

Il est tellement facile de se laisser impliquer dans les aléas quotidiens de l'existence. Tellement facile de porter des œillères, d'imputer aux autres, aux circonstances, le blâme pour ce que nous sommes et pour notre comportement. En vérité, nous ne pouvons regarder nulle part ailleurs qu'en nous-mêmes, et ce n'est que lorsque nous sommes assez courageux ou assez désespérés pour le faire honnêtement que nous pouvons faire en sorte d'améliorer nos vies.

Comment puis-je vous aider, alors que je continue moi-même à lutter ? Comment puis-je vous montrer que vous êtes également esprit ? Que vous êtes une âme, que vous appartenez à Dieu ? Et qui suis-je pour présumer que vous ne le savez pas déjà, que vous m'avez peut-être devancée,

379

que c'est peut-être moi qui devrais chercher votre aide ?

Êtes-vous fier d'être une âme ?

Êtes-vous fier d'appartenir à Dieu ?

Êtes-vous fier d'être esprit ?

Alors joignez-vous à moi, unissons nos mains, unissons notre lumière, unissons notre amour. Unissez-vous à moi et soyons tous fiers... des Esprits Fiers.

# Pour contacter Rosemary Altea

Si vous voulez en savoir davantage sur Rosemary Altea et sur son travail, vous pouvez lui écrire à l'adresse suivante :

Rosemary Altea
P.O. Box 25
Brigg
North Lincolnshire
South Humberside DN20 OSU
Grande-Bretagne

# Remerciements

Je veux d'abord remercier Sally, qui m'est une constante source de joie. Toujours souriante, attentionnée et délicate dans son travail, elle dirige avec efficacité mon bureau en Angleterre. Sal, je te supplie de ne pas me quitter.

Mes remerciements à ma chère amie et éditrice, Joann Davis, sans laquelle ce livre serait beaucoup moins riche. À mon amie Joni Évans, qui n'a cessé de me soutenir depuis le début de ma carrière d'écrivain. J'accorde beaucoup de prix à son amitié. De ces deux femmes qui ont joué un rôle capital au cours des trois dernières années de ma vie, je me contenterai de dire qu'elles occupent une place similaire dans mon cœur et que je leur voue une gratitude qui ne s'éteindra jamais.

Je remercie mes nombreux amis, mon équipe de guérisseurs.

J'aimerais particulièrement remercier les lecteurs de mon premier ouvrage, *Une longue échelle vers le ciel*, qui m'ont écrit pour me faire part de l'intérêt qu'ils avaient trouvé dans mon travail.

Je souhaiterais aussi remercier tous ceux, si

nombreux, qui, d'une manière ou d'une autre, m'ont tellement donné.

Reste enfin une personne que je dois mentionner tout particulièrement. Quelqu'un qui connaît la signification du terme amitié. Quelqu'un qui fait preuve d'une loyauté, d'un soutien, d'un amour et d'une attention sans failles à mon égard, pour la simple raison que je l'appelle amie, et que cela est réciproque. Elle est ma plus grande alliée, et hormis Aigle Gris, mon amie la plus proche et la plus chère. Je t'aime, Joann, et je te remercie, du fond du cœur.

Aigle Gris se joint à moi pour vous remercier tous.

*Photocomposition* CMB *Graphic*
*44800 Saint-Herblain*

Achevé d'imprimer
en février 2006
par Printer Industria Gráfica
pour le compte de France Loisirs, Paris

Numéro d'éditeur : 44615
Dépôt légal : février 2006
Imprimé en Espagne